NIVEAU
B2
DU CECR

Édito

Méthode de français

Élodie HEU
Jean-Jacques MABILAT

Couverture et conception maquette : Avis de passage
Mise en page : Isabelle Aubourg
Photogravure : Eurésys

Illustrations :
Dom : p. 29, 40, 43, 65, 72, 101, 121, 137, 147, 152, 173, 188.
Yann Poquet (Zeno) : p. 9, 35, 47, 83, 119, 141 et 220 (pictos météo), 155, 162, 166, 170.

Carte p. 111: David Scrima
Enregistrement, montage et mixage : Fréquence Prod

 ISBN 978-2-278-05829-7

AVANT-PROPOS

ÉDITO s'adresse à des étudiants adultes ou grands adolescents ayant acquis le niveau B1 du *Cadre européen commun de référence pour les langues – CECR*.
Il couvre le niveau B2 du *CECR* et permet aux apprenants de se présenter au DELF B2.

ÉDITO privilégie l'approche par tâches communicatives authentiques grâce auxquelles l'apprenant développera des savoir-faire en interaction. Une large place est faite à l'interculturel.

- Le livre de l'élève comprend 10 unités, centrée chacune sur un thème qui sera approfondi au travers des quatre compétences : **1 Opinions** - **2 Paroles, paroles** - **3 Médias** - **4 Voyages** - **5 Arts** - **6 Quelle histoire !** - **7 Un corps sain** - **8 Nature** - **9 Et demain ?** - **10 En société**.

- En première page de chaque unité, un sommaire expose les objectifs visés.
  Les unités sont composées de supports variés : principalement des documents authentiques provenant de la presse ou de la radio françaises et francophones, mais aussi des textes littéraires, des chansons, des dialogues enregistrés tirés de la vie quotidienne et des exercices d'intonation communicative.

- Les activités de productions écrite et orale, dans tous les domaines (personnel, professionnel ou public), mettent l'étudiant en situation de communication authentique.

- Les compétences de communication (compréhensions écrite et orale, productions écrite et orale) sont signalées, pour chaque activité, par un picto : COMPRÉHENSION ÉCRITE .
  La compétence principale est mise en valeur par un picto plus coloré : PRODUCTION ORALE.
  Les pages et les rubriques de grammaire, de vocabulaire, de civilisation et les exercices d'intonation sont également clairement identifiés.

- Un accent particulier est mis sur l'approfondissement de la grammaire et du vocabulaire. L'apprenant est actif : il passe du stade de la découverte, à la déduction et au réemploi. Des tableaux et des listes offrent une vision synthétique de chaque point traité. De nombreux exercices de compréhension et de réemploi sont proposés.

- Dans les pages ou les rubriques « Civilisation », les activités permettront la découverte (ou une meilleure connaissance) de nombreux aspects de la vie en France : la vie politique et sociale, la littérature, les sciences, la cuisine...

- À la fin de chaque unité, une page « Ateliers » rassemble des tâches/projets à réaliser en groupes, afin que les apprenants puissent réutiliser activement les savoirs acquis tout au long de l'unité, en faisant appel à leur créativité.
  On trouvera également une ou deux pages d'activités spécifiques (compréhension des écrits, compréhension orale, production écrite, production orale) préparant au DELF B2.

- Un mémento grammatical, la transcription des enregistrements audio (à l'exception des épreuves de DELF qui figurent dans le guide pédagogique) et le corrigé de certains exercices de grammaire et de vocabulaire complètent ce manuel.

- Deux CD audio comprenant tous les enregistrements sont joints à **ÉDITO**.

Les auteurs

	UNITÉ 5 **ARTS** *pages 83 à 100*	UNITÉ 6 **QUELLE HISTOIRE !** *pages 101 à 118*
Compréhension orale	► Comprendre un récit radiodiffusé non spécialisé parlant d'art et d'histoire	► Comprendre un récit biographique radiodiffusé ► Comprendre un exposé historique
Production orale	► Expliquer ses goûts et ses choix en matière d'art	► Discuter à propos de faits et de personnages historiques ► Raconter la vie d'une personne ► Réfléchir sur l'enseignement de l'histoire
Compréhension écrite	► Comprendre un texte non spécialisé concernant l'art ► Dégager les points positifs et négatifs d'un texte ► Choisir un musée dans un guide	► Lire un texte non spécialisé parlant d'histoire ► Lire un texte littéraire parlant d'histoire
Production écrite	► Écrire une lettre de déclaration de sinistre à un assureur ► Organiser un événement concernant un musée ► Rédiger un article présentant un musée	► Rédiger la biographie d'un personnage historique ► Prendre des notes et résumer une conférence portant sur l'histoire ► Écrire une lettre de résiliation
Grammaire et vocabulaire	► Le passé *p. 86-87* ► L'art *p. 92* ► L'appréciation *p. 94*	► L'histoire *p. 104* ► Le temps *p. 108-109* ► Les participes *p. 112-113* ► Commenter des données chiffrées *p. 79*
Documents écrits et iconographiques	► Les mystères du Louvre *p. 84-85* ► En 1911, Monna Lisa se fait la belle *p. 89* ► La Joconde déménage *p. 90* ► Monna Lisa est une peste *p. 91* ► La prise de la pyramide *p. 93* ► La Nuit des musées fait recette *p. 95* ► Musées de Paris *p. 96* ► *Jack Palmer à la FIAC*, de Pétillon *p. 99*	► Noël 1914, trêve de tranchées *p. 102-103* ► Vignette de Tardi *p. 102* ► Rois et régentes du XVIIe siècle *p. 107* ► « Nos ancêtres » n'étaient pas tous des « Gaulois » *p. 110-111* ► Extrait de *L'Éducation sentimentale*, de Gustave Flaubert *p. 114-115* ► *Astérix*, de Goscinny et Uderzo *p. 116*
Documents sonores	► La Joconde (France Inter) *p. 89* ► *La Vie d'artiste*, par Léo Ferré *p. 98*	► La guerre de Ferdinand Gilson *p. 105* ► L'Île-de-France au temps des Gaulois *p. 116*
Civilisation	► Quiz : La Joconde *p. 88*	► Découvrir différents aspects de l'histoire de France ► Les hommes d'État français *p. 106*
Intonation	► *p. 94*	► *p. 109*
Ateliers	► *p. 99 :* 1. Organisation d'une animation 2. Rédaction d'un article	► *p. 117 :* 1. Enquête 2. Portrait d'une personnalité historique 3. Une date importante dans l'histoire
Préparation au DELF B2	► Production orale *p. 100* : – « Mozart écrase les prix » – « Les chimpanzés ont leur Cézanne »	► Production écrite *p. 118* : – Lettre formelle – Article critique

 *CD 1* Unités 1 à 5

 *CD 2* Unités 6 à 10

OPINIONS

UNITÉ 1

- Comprendre un texte argumenté, un éditorial sur un thème d'actualité
- Comprendre un débat radiodiffusé sur un thème d'actualité
- Participer à une discussion et exprimer son opinion sur un thème d'actualité
- Exprimer ses certitudes et ses doutes
- Débattre de la condition féminine
- Parler de croyances et de superstitions

- Écrire une lettre à un courrier des lecteurs
- Construire un sondage d'opinion

- Vocabulaire de l'opinion
- Vocabulaire de la certitude et du doute
- Emploi de l'indicatif et du subjonctif avec les complétives

- Le système politique et les partis politiques en France

« Toutes les opinions sont respectables. Bon. C'est vous qui le dites. Moi je dis le contraire. C'est mon opinion : respectez-la donc ! »

Jacques PRÉVERT

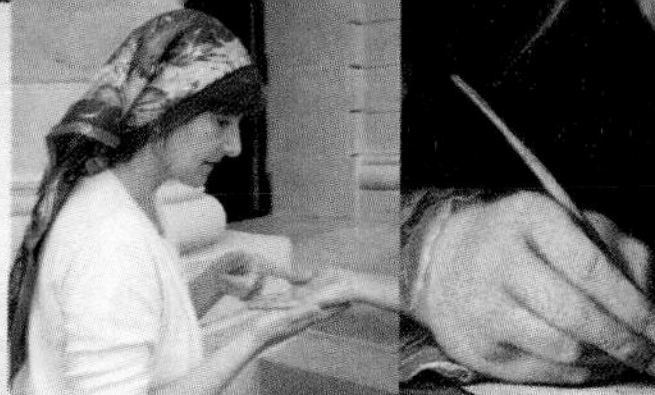

LES FEMMES FONT-ELLES DE MEILLEURS CHEFS ?

1 Rose-Marie VAN LERBERGHE, *directrice générale de l'Assistance publique-Hôpitaux de Paris*

" Elles sont encore inhibées face au pouvoir "

Je ne crois pas beaucoup à l'« éternel féminin », ni à la supposée sensibilité féminine qui se conjuguerait idéalement avec l'exercice du management. Il existe sans doute moins de différences entre certaines femmes et certains hommes qu'entre femmes ou qu'entre hommes.

En revanche, je crois au poids déterminant de la construction sociale dans la représentation que les femmes se font du pouvoir. Rappelons que la reconnaissance de leurs droits civiques date d'une soixantaine d'années et que, longtemps, l'accès aux grandes écoles leur a été fermé. Il y a encore de l'inhibition, et même un peu de culpabilité, dans leur rapport avec le pouvoir.

Pourtant, parce qu'elles doivent conjuguer vies familiale et professionnelle, elles ont développé de solides capacités d'organisation. Dans leurs rôles de mère et d'éducatrice, elles sont amenées à fixer des objectifs et des limites, à encourager et à critiquer, de telle sorte qu'au travail, elles font souvent d'excellents managers, plus courageux que les hommes.

Parce qu'elles doivent encore, plus que les hommes, faire leurs preuves dans leur travail, elles sont plus appliquées et doutent davantage d'elles-mêmes. Elles pensent souvent « qu'elles ne sont pas intelligentes toutes seules », ce qui les incite à associer leurs collaborateurs à la prise de décision.

Ces caractéristiques sont d'indéniables atouts pour faire de bons chefs ou… bien de très mauvais, selon que ces femmes ont su ou pas surmonter le manque de confiance en elles et le souci de perfection qui les caractérisent souvent. Si elles n'exercent le pouvoir que pour démontrer leur légitimité, alors, elles s'exposent au risque d'être des chefs solitaires et tyranniques. ■

2 Véronique CAYLA, *directrice générale du Centre national de la cinématographie*

" Mieux adaptées au fonctionnement en réseau "

Elles font des chefs différents parce qu'elles ne fonctionnent pas de la même manière. Tout d'abord, elles cherchent davantage le consensus que les hommes. Rares sont celles qui trouvent du plaisir dans l'autoritarisme. Ce que j'aime, moi, c'est convaincre. Pas donner des ordres, même quand je suis sûre d'avoir raison. Cela ne signifie pas que je ne sais pas le faire. Il m'arrive de m'y résoudre lorsque j'ai épuisé toutes les autres options. Ce goût du consensus me semble très bien adapté au fonctionnement en réseau que la révolution numérique impose à un nombre croissant d'entreprises. Les femmes ont plus de facilité à s'y convertir que les hommes, formatés pour le fonctionnement hiérarchique et pyramidal.

Ensuite, s'occuper de l'éducation de ses enfants oblige à relativiser les choses, à garder une certaine distance par rapport à la sphère professionnelle. C'est à mes yeux une bonne chose. Il est plus sain de rester une personne entière, plutôt que d'exister uniquement à travers son activité. Un peu de mauvaise conscience vis-à-vis de ses enfants peut être utile car cela aide à mettre le travail à sa juste place ! ■

3 Nicole ROSA, *fondatrice de la société d'assurances Compagnie des femmes*

" L'exercice du pouvoir gomme leurs spécificités "

Les femmes ne font pas de meilleurs chefs. Certaines sont faites pour diriger parce qu'elles possèdent les qualités nécessaires. Or le sens du commandement et le goût du pouvoir n'ont pas de sexe. L'exercice de ce pouvoir gomme les spécificités que l'on prête aux femmes. Diriger une entreprise, c'est s'efforcer d'atteindre des objectifs. Pour y parvenir, il faut faire des choix, ne pas avoir trop d'états d'âme. Dans les affaires comme en politique, les femmes ne font pas montre de plus grandes qualités humaines que les hommes. Elles doivent manifester les mêmes travers, la même absence de scrupules. En revanche, les femmes mettent en œuvre des tactiques différentes de celles de leurs congénères masculins pour arriver aux postes de direction. Qu'elles en aient conscience ou non, elles misent sur le charme, la douceur, l'intuition, la souplesse. Autant de caractéristiques qu'elles ont développées au fil des siècles pour s'adapter, pour survivre. Et dont elles n'ont plus besoin une fois qu'elles ont conquis le pouvoir. Cet acquis culturel volera en éclats quand il y aura autant de femmes que d'hommes aux plus hautes responsabilités. ■

❹ Françoise Gri, *PDG d'IBM France*

« L'entreprise a besoin de diversité »

J'adorerais dire que, oui, bien sûr, les femmes font de meilleurs chefs ! Mais ce n'est pas si simple. Un chef, quel que soit son sexe, doit faire preuve d'un certain nombre de compétences : il doit savoir définir une stratégie, y rallier ses collaborateurs, gérer, communiquer, travailler en équipe, etc. Toutefois, le leadership au féminin présente des caractéristiques particulières. Les femmes sont plus concrètes, plus orientées vers l'action. Il leur importe avant tout que les choses se fassent, que les projets aboutissent. Elles font preuve de davantage d'empathie, ce qui facilite le travail en commun. Elles sont plus à l'aise que les hommes dans le franc-parler et ne s'accommodent pas facilement de l'ambiguïté. Autant de qualités que les formes nouvelles d'organisation des entreprises, moins calquées sur des schémas hiérarchiques rigides, valorisent.

Aujourd'hui, l'entreprise ne peut plus être repliée sur elle-même. Or pour être ouverte et créative, elle a besoin de diversité. Voilà pourquoi il faut que les femmes, mais aussi les autres cultures, y soient mieux représentées. ■

❺ Évelyne Pisier, *professeur de droit et de sciences politiques*

« Elles ne sont pas meilleures par nature »

Qu'appelle-t-on un bon chef ? La question est subjective et complexe. Il faut avoir de l'autorité, la capacité à prendre des décisions et à se faire entendre. Mais aussi motiver ses collaborateurs. Les pionnières, les premières femmes à accéder au pouvoir, ont été accusées de ne pas savoir se faire respecter. Puis s'est imposée l'image de la femme hystériquement autoritaire, très dure avec ses congénères. Bref, les femmes au pouvoir ont suscité un fatras de clichés! Il est intéressant qu'on en vienne aujourd'hui à se demander si elles peuvent être meilleures que les hommes. Mais si certaines ont développé des comportements très appréciés (capacité d'écoute, d'organisation et de négociation, patience), c'est parce qu'elles sont obligées de jongler avec travail et famille ! Il est vrai que ces chefs-là, moins portées sur la réunionnite aiguë, plus conscientes du temps réellement utile passé au bureau, font du bien aux autres femmes et... aux hommes. Celles qui réussissent à préserver leur vie privée peuvent être un levier pour réformer les conditions de travail et de vie dans les entreprises et les administrations.

Je me méfie cependant du discours sur les qualités dites féminines : sous prétexte de les valoriser, on enfonce le clou sur les supposées différences entre hommes et femmes. Par ailleurs, alors qu'on encense une poignée de femmes chefs, on explique aux autres qu'elles feraient mieux d'allaiter leurs bébés et de rester à la maison...

Par nature, les femmes ne font pas de meilleurs chefs. Ni de moins bons. Parce qu'on est – ou naît – femme, on ne fait pas, non plus, une meilleure ou une moins bonne sage-femme, une meilleure ou une moins bonne femme de ménage. Seulement, dans le construit social, ce sont deux métiers qu'elles exercent plus souvent que celui de chef. ■

Propos recueillis par Anne Vidalie, *L'Express*, 13/10/2005.

COMPRÉHENSION ÉCRITE

D'après les textes ci-joints :

1. Quelles sont les caractéristiques d'un chef ?
2. Qu'est-ce qui distingue une femme chef d'un homme chef?
3. Une femme fait-elle un meilleur chef qu'un homme ?
4. Quel est le texte qui donne la vision la plus positive des femmes ? Justifiez votre opinion.

VOCABULAIRE

5. Relevez les énoncés qui expriment l'opinion, la certitude ou le doute (exemple : *elles pensent que..., peut-être...*).
6. Relevez les mots de liaison employés dans une énumération dans les textes ❷ et ❺ (exemple : *d'abord*) ou exprimant une opposition dans les textes ❶, ❸, ❹ et ❺ (exemple : *mais*).
7. Cherchez dans les textes des équivalents de :
   - **a.** pousser à ❶
   - **b.** un avantage ❶
   - **c.** le sentiment d'agir mal ❷
   - **d.** effacer ❸
   - **e.** un défaut ❸
   - **f.** parier ❸
   - **g.** la liberté de langage ❹
   - **h.** copier sur ❹
   - **i.** un ensemble confus ❺
   - **j.** complimenter ❺
8. Que signifient les expressions suivantes ?
   - **a.** *se conjuguer avec* ❶ (l. 5)
   - **b.** *le consensus* ❷ (l. 6)
   - **c.** *voler en éclat* ❸ (l. 31)
   - **d.** *la réunionnite* ❺ (l. 25)
   - **e.** *une poignée* ❺ (l. 39)

PRODUCTION ORALE

9. À votre avis, y a-t-il des professions plus masculines ou plus féminines ? Lesquelles ?
10. D'après votre expérience, y a-t-il une différence entre une femme chef et un homme chef?
11. Préférez-vous être dirigé par un homme ou par une femme ? Pourquoi ?

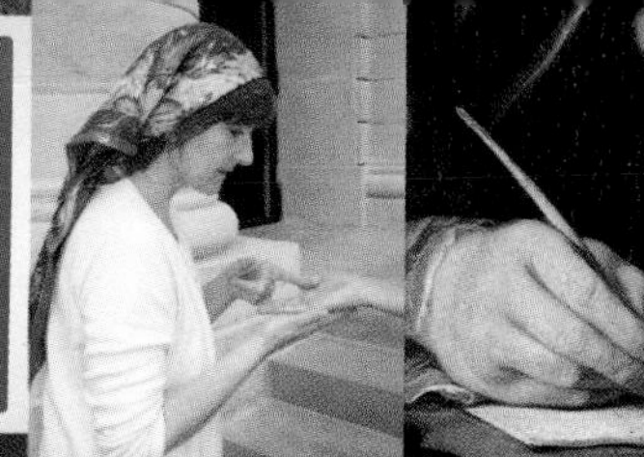

VOCABULAIRE • GRAMMAIRE

EXPRIMER SON OPINION

Demander l'avis de quelqu'un

À votre / ton avis, est-ce que... ?
J'aimerais avoir votre avis.
Je peux avoir ton avis / opinion ?
Pourriez-vous me donner votre avis ?
Pouvez-vous me donner votre point de vue ?
Qu'en pensez-vous ?
Qu'est-ce que tu dis de ça ?
Qu'est-ce que vous en pensez / tu en penses ?
Quel est votre avis / opinion ?
Selon vous, quel...
Que pensez-vous de... ?

Expressions

avoir conscience de
avoir dans l'idée que
avoir la (nette) impression que
avoir raison
avoir tort
changer d'avis
changer d'idée
être pour / contre
prendre conscience que
prendre en compte
prendre en considération
se rendre compte de
revenir sur son opinion
tenir compte de
venir à l'esprit

Refuser de donner une opinion

À vous de voir !
Je n'en ai aucune idée.
Je n'en sais rien.
Peut-être bien que oui, peut-être bien que non.

Donner son avis

À ce qu'il me semble, ...
À la réflexion, ...
À ma connaissance, ...
À mon avis, ...
D'après moi, ...
De mon point de vue, ...
Selon moi, ...
En ce qui me concerne, ...
Moi personnellement, ...
Personnellement, ...
Pour ma part, ...
Pour moi, ...
Quant à moi, ...
Sauf erreur de ma part, ...
Si je ne me trompe (pas), ...
Si je peux me permettre, ...
Si vous voulez / tu veux mon avis, ...
Si tu veux savoir ce que je pense, ...
Il me semble que...
J'ai l'impression que...
Je crois que...
Je pense que...
Je trouve que...
Mon sentiment, c'est que...
J'estime que...
Je considère que...
Ça ne m'étonnerait pas que (+ subj.)

RAPPEL

- **Les verbes d'opinion sont suivis de l'indicatif quand ils sont à la forme affirmative, du subjonctif quand ils sont à la forme négative ou interrogative inversée.**
  Je pense qu'il viendra.
  Vous croyez qu'il sera là ?
  Je ne pense pas qu'il soit de cet avis.
  Croyez-vous qu'il puisse venir ?
- **En français oral familier, on a tendance à utiliser l'indicatif avec la forme négative.**
  Je ne pense pas qu'il sera d'accord.
  =*Je pense qu'il ne sera pas d'accord.*

Je trouve que est suivi de l'indicatif tandis que *je trouve* + adjectif + *que*, qui est un sentiment, est suivi du subjonctif.
Je trouve qu'il a fait du bon travail.
Je trouve intéressant qu'il fasse cette proposition.

Impressions

Il semble / semblerait que (+ subj.)
J'ai l'impression que...
On dirait que...
Ça a l'air + adj.

Il me semble que est suivi de l'indicatif (c'est mon opinion) tandis que *il semble que*, plus douteux, est suivi du subjonctif.

Demander à quelqu'un son approbation

C'est bien ça ?
Vous êtes d'accord avec moi ?
D'accord ?

Exprimer son accord

Absolument.
Effectivement.
En effet.
Exactement.
Tout à fait.
Parfaitement
Bien entendu.
Bien sûr.
C'est vrai.
Évidemment.
Je suis (entièrement) d'accord.
Ça ne fait aucun doute.
Je vous approuve sans réserves.
Sans aucun / le moindre doute.
Vous avez (bien) raison.
Bien sûr que oui.
C'est ça.

Partager un point de vue

C'est aussi mon avis.
Nous sommes du même avis.
Je pense comme vous.
Je suis de votre avis.
Nous sommes en tous points d'accord.
Je partage votre analyse / votre sentiment / vos conclusions.

Approuver un point de vue en émettant des réserves

C'est bien possible.
Je n'ai rien contre.
Peut-être bien.
Je suis en partie d'accord.
Ça se peut.
Mouais...
Qui sait ?
C'est peut-être le cas.
Admettons.
Je veux bien.
Il faut approfondir la question.

Pour nuancer encore un peu plus :

Ça dépend.
Ce n'est pas si simple que ça.
C'est plus compliqué que ça.
C'est à voir.
C'est pas si sûr / évident (que ça).
C'est selon.
Certes, mais...
D'après moi, c'est plutôt...
Oui, mais...

Exprimer son désaccord

Je ne suis pas d'accord.
Je crois que non.
Ce n'est pas vrai.
Absolument pas.
Bien sûr que non.
J'en doute.
Je ne partage pas votre avis.
Nous n'avons pas la même opinion.
Pas d'accord.
Je ne trouve pas.
(Non) au contraire / pas du tout.
C'est inexact / faux !
Je ne pense pas.
Comment ça ?
Tu as tort.
Tu exagères.

Si vous voulez être plus direct, voire impoli :

Vous avez tort !
Vous plaisantez ?
Vous vous trompez.
Quelle drôle d'idée !
Tu rigoles ?
Et puis quoi encore ?
Jamais de la vie.
Certainement pas !
C'est (tout à fait / absolument / parfaitement / totalement) faux !
Alors là, non !
Comment peux-tu dire ça / une chose pareille !
C'est absurde / ridicule / aberrant / délirant !
Là, ça ne va plus !
Là, tu vas trop loin !
Ça ne va pas, non !
Tu parles !
Tu veux rire !
N'importe quoi !

Désaccord atténué

Ce n'est pas sûr.
Je me le demande.
Je ne suis pas tout à fait d'accord.
Pas vraiment.
Pas toujours.
Pas tout à fait.
Je ne crois / pense pas.
Je n'en suis pas (si) sûr.
Je me demande si c'est vraiment le cas.
Tu crois ?
Écoute, je ne sais pas.
Pas tellement.
Pas tant que ça.
Pas vraiment.

1 Modifiez les phrases suivantes suivant le modèle.

Exemple : *Il reviendra. (je pense) > Je pense qu'il reviendra.*

a. Il a eu tort. (je ne crois pas)
b. Il va pleuvoir. (ça ne m'étonnerait pas)
c. Vous partirez à l'étranger ? (pensez-vous)
d. Je commencerai à 8 heures. (je pense)
e. C'était une bonne idée. (je trouve)
f. Elle l'a fait. (je trouve incroyable)
g. Nous réussirons ? (vous pensez)
h. Elle n'est plus intéressée. (il semble)
i. Il finira à temps. (elle ne pense pas)
j. Le bleu est plus joli. (il me semble)

2 Les expressions suivantes suivent-elles le modèle A (pas de verbe introducteur) ou le modèle B (verbe introducteur nécessaire) ?

Exemple : *À mon avis,* ***elle a raison.*** → modèle **A**
Personnellement, ***je pense qu'elle a raison.*** → modèle **B**

a. À ce qu'il me semble, ...
b. De mon point de vue, ...
c. En ce qui me concerne, ...
d. Pour ma part, ...
e. Pour moi, ...
f. Quant à moi, ...
g. Selon moi, ...

INTONATION

3 Écoutez les expressions. La personne qui les prononce exprime-t-elle un accord ou un désaccord ? Répétez-les. Réutilisez-les dans un court dialogue.

DÉBATS

PRODUCTION ORALE

Que pensez-vous de ces affirmations ?

1. 20 ans est le plus bel âge de la vie.
2. Internet est une drogue.
3. La campagne, c'est bon pour les vaches.
4. Le travail, c'est la santé.
5. Paris est la plus belle ville du monde.
6. La télévision, c'est l'école de la bêtise.
7. La cuisine chinoise est la meilleure.
8. Le football est un sport ennuyeux.
9. La prison sert à former des criminels.
10. Il y aurait moins de chômage si les femmes ne travaillaient pas.
11. L'amour rend aveugle.
12. Réussir sa vie, c'est gagner beaucoup d'argent.
13. Apprendre le français ne sert à rien.
14. Les voyages forment la jeunesse.
15. Il n'y a pas d'âge pour être père.
16. Qui vole un œuf vole un bœuf.
17. La fin justifie les moyens.
18. Être étudiant, c'est la belle vie.
19. Tel père, tel fils.
20. On devrait interdire les centres-villes aux voitures.

De 1984 à 2005

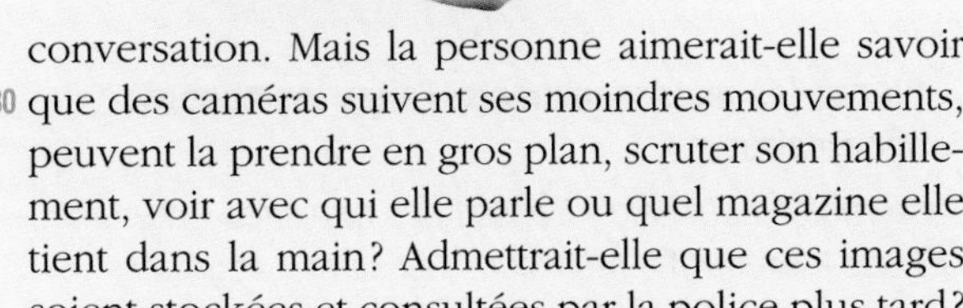

On devait vivre, on vivait, car l'habitude devient instinct, en admettant que tout son émis était entendu et que, sauf dans l'obscurité, tout mouvement était perçu. George ORWELL, 1984

Selon un sondage publié hier, 72 % des Canadiens sont favorables à ce que des caméras soient installées dans tous les lieux publics. Cet appui à une surveillance accrue n'est sans doute pas étranger au fait que, grâce à de nombreuses caméras installées dans le métro de Londres, Scotland Yard a pu identifier les auteurs des attentats terroristes commis le mois dernier.

À Montréal comme dans d'autres grandes villes, les gens croient qu'une surveillance vidéo étendue rendrait les lieux publics plus sûrs. Est-ce exact ? Jusqu'à quel point sommes-nous disposés à sacrifier notre vie privée ? En arrivera-t-on à une situation où nous serons épiés partout, sauf dans notre résidence?

Les partisans des caméras de surveillance estiment que la protection de la vie privée ne devrait pas s'étendre à un lieu public. Lorsqu'une personne déambule sur la rue Sainte-Catherine, ne doit-elle pas s'attendre à ce qu'on la regarde, voire l'observe ? Oui… et non. Elle peut certainement s'attendre à ce que des gens la voient. Peut-être même qu'un policier jettera un coup d'œil dans sa direction. Si elle utilise son téléphone portable, elle ne pourra pas s'étonner que certains entendent des bribes de conversation. Mais la personne aimerait-elle savoir que des caméras suivent ses moindres mouvements, peuvent la prendre en gros plan, scruter son habillement, voir avec qui elle parle ou quel magazine elle tient dans la main? Admettrait-elle que ces images soient stockées et consultées par la police plus tard?

Rédigeant une opinion majoritaire de la Cour suprême, le juge Gérard La Forest a écrit : *« La notion selon laquelle les agents de l'État devraient être libres de braquer des caméras dissimulées sur des membres de la société, en tout temps et en tout lieu, à leur gré, est fondamentalement irréconciliable avec notre perception d'un comportement acceptable de la part des gouvernements. »* Encore ici, le terrorisme nous force à définir un équilibre entre l'attribution d'outils plus puissants aux forces de l'ordre et le respect de nos valeurs fondamentales. Cet équilibre n'interdit pas que des systèmes de surveillance vidéo soient installés dans des lieux publics. Mais il exige qu'on y aille avec circonspection. Les objectifs de chaque projet doivent être clairs. Il faut s'assurer que d'autres méthodes ne seraient pas aussi efficaces. Des règles précises doivent être établies, de sorte que les forces policières ou certains de leurs membres ne puissent utiliser à mauvais escient les images captées.

Dans notre recherche d'une protection accrue contre le terrorisme, nous ne devons pas perdre de vue à quel point est précieuse la liberté dont nous jouissons. Précieuse… et fragile. Si nous n'y prenons gare, nous pourrions nous habituer, comme les habitants du Londres d'Orwell, à être constamment observés. Cela finirait par paraître banal. Ce ne le serait pas. Inévitablement, nous ajusterions nos comportements en conséquence de cette surveillance constante et omniprésente. Et alors, nous ne serions plus libres.

André PRATTE, *La Presse,* 12/08/2005.

Images de caméra dans le métro parisien.

PRODUCTION ÉCRITE

Vous venez de prendre connaissance de cet article. Vous souhaitez réagir immédiatement.
Envoyez un court texte (150 à 200 mots) au Courrier des lecteurs de *La Presse* pour y donner votre opinion sur la surveillance vidéo.

CIVILISATION

LE SYSTÈME POLITIQUE FRANÇAIS

1. **Placez les mots manquants. Faites les accords nécessaires.**

l'Assemblée nationale - Conseil des ministres - député - l'Élysée - exécutif - intérieur - législatif - Premier ministre - président de la République - Sénat

Le pouvoir (a)

Le (b) est le chef de l'État. Il est élu pour 5 ans au suffrage universel direct. Il est responsable de la défense nationale et de la politique étrangère de la France. Il nomme le Premier ministre et préside le (c) chaque mercredi matin. Il réside au palais de (d).

Le (e) est le chef du gouvernement. Il nomme les autres ministres et travaille en collaboration avec le Président. Il est responsable de la politique (f) du pays. Il réside à l'hôtel Matignon, rue de Varenne à Paris.

Le pouvoir (g)

Le Parlement se compose de deux chambres : l'Assemblée nationale et le Sénat.
Les projets de loi sont discutés à (h) puis ils sont transmis au (i) qui peut les modifier. En cas de désaccord, l'Assemblée nationale a le dernier mot. Ensuite, le président de la République promulgue les lois.

L'Assemblée nationale compte 577 (j) élus au suffrage universel direct. Ils sont élus pour 5 ans. Ils représentent le peuple. Le siège de l'Assemblée nationale se trouve au palais Bourbon, face à la place de la Concorde.

Le Sénat compte 321 sénateurs élus au suffrage universel indirect. Les sénateurs sont élus pour 6 ans. Ils représentent les collectivités locales. Le siège du Sénat se trouve au palais du Luxembourg dans le jardin du même nom, à Paris.

Une séance à l'Assemblée nationale.

Le palais du Luxembourg, Paris.

PRODUCTION ORALE

2. **Le système politique est-il le même dans votre pays? Quelles sont les différences ?**

Les partis politiques français les plus importants

3. **Associez chacun de ces noms de partis aux définitions de la page 17. Justifiez vos choix.**

– Le Front National

– LO (Lutte Ouvrière)

– La LCR (Ligue communiste révolutionnaire)

– Le Parti communiste français

– Les Verts

– Le Parti Socialiste

– L'UDF (Union pour la démocratie française)

– L'UMP (Union pour un mouvement populaire)

LES PARTIS DE GAUCHE

1. Héritier du mouvement né au XIXe siècle, il a été créé en 1969. Il est très attaché à la notion de service public (services administratifs, éducatifs, culturels) et au principe de l'école laïque. Avec le temps, il a adopté une politique économique plus libérale (privatisations), ce qui le rend moins populaire auprès de son électorat le plus à gauche. François Mitterrand (1916-1996) fut président de la République pendant 14 ans, de 1981 à 1995 et Lionel Jospin, Premier ministre de 1997 à 2002.

2. Le parti a été fondé en 1984. Il est l'héritier des mouvements écologistes qui ont fait leur apparition dans les années 1960-70, en France. Dans son programme politique, il accorde une place primordiale à la défense de l'environnement. Par ailleurs, il est favorable à une forte diminution du temps de travail, à l'augmentation des plus bas revenus et refuse le modèle libéral. Il a participé au gouvernement de 1997 à 2002.

3. Il a été fondé en 1920 et a beaucoup évolué depuis. Hostile à tout compromis avec la société capitaliste dans les années 1920, il préfère aujourd'hui la lutte électorale pour privilégier les réformes au sein de la société. Ces évolutions l'ont amené à participer à plusieurs gouvernements en 1944, en 1981 et en 1997. Il a obtenu 3,5 % des suffrages en 2002, alors qu'il en obtenait 22 % en 1967.

4. Organisations d'extrême gauche. Mouvements trotskistes qui pensent que seule la révolution (et non les réformes) peut faire tomber le capitalisme. Candidate et porte-parole depuis 1974, Arlette Laguillier est la personne qui a le plus contribué à populariser les idées révolutionnaires en France. Elle a remporté 5,70 % des suffrages aux élections présidentielles de 2002.

LES PARTIS DE DROITE

5. Créé en 2002, le parti est l'héritier du RPR (Rassemblement Pour la République) fondé par Jacques Chirac en 1976. Mouvement d'origine gaulliste, c'est un parti conservateur pour lequel l'égalité sociale est une notion généreuse mais plutôt irréaliste. Hostile à une trop grande intervention de l'État, il est en faveur de l'économie de marché.

6. Créé en 1978, ce parti se situe au centre-droit et rassemble des courants de pensée qui évoluent de la droite conservatrice aux sociaux-démocrates attachés à une vision plus solidaire des rapports sociaux. Leur point commun étant leur attachement au libéralisme économique. Valéry Giscard d'Estaing a gagné les élections présidentielles de 1974.

7. Parti d'extrême-droite, il a été créé en 1972 par Jean-Marie Le Pen. Racisme et xénophobie sont à la base de son idéologie. Il exploite les thèmes du chômage, de l'insécurité et du rejet des immigrés. Partant de 1 % en 1973, le parti a obtenu 18 % des suffrages à l'élection présidentielle de 2002.

DÉBAT L'EUROPE

COMPRÉHENSION ORALE

1re écoute

1. Quel est le sujet de ce débat ?
2. Quels sont les domaines abordés dans la discussion ? (par exemple la politique)

2e écoute

3. Classez les arguments pour ou contre l'élargissement de l'Europe.

VOCABULAIRE

4. Cherchez dans le texte (transcription p. 198) des équivalents de :
   a. l'ouverture (de l'Union européenne)
   b. un progrès
   c. un éclatement
   d. continuer
   e. conserver

PRODUCTION ORALE

5. Comprenez-vous cette idée d'union européenne ?
6. Dans la région du monde où vous habitez, existe-t-il des regroupements de pays, économiques ou politiques (Mercosur, ASEAN...) ? Qu'en pensez-vous ?

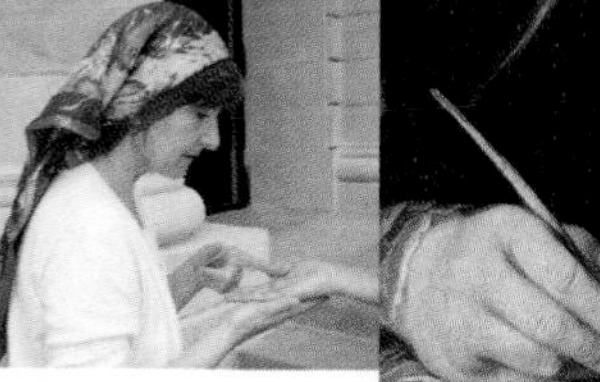

VOCABULAIRE LA CERTITUDE / LE DOUTE

Mettre en doute

C'est vrai ?
Croyez-vous vraiment que... ?
Vous en êtes sûr(e) ?
Pas possible ?

La certitude

C'est sûr !
C'est certain !
Il n'y a pas de doute.
J'en suis certain(e).
J'en suis sûr(e).
Je le sais.
J'en suis persuadé(e)/convaincu(e).
Sans aucun doute.
C'est indubitable/incontestable.
Je vous assure.
Ça ne fait pas l'ombre d'un doute.
Je ne doute pas de...
J'ai la conviction que...
On sait bien que...
C'est un fait que...

Contrairement aux apparences, *sans doute* et *sûrement* n'expriment pas une certitude absolue mais une forte probabilité. Pour une certitude absolue, employez *sans aucun doute*.

Exprimer l'évidence

Il n'y a pas de doute.
Ça ne fait aucun doute.
Il est évident/certain que...
C'est une évidence.
Il est clair/manifeste que...
De toute évidence, ...
Il va de soi que...

Expressions

J'en mettrais ma main au feu.
J'en mettrais ma main à couper.
C'est clair comme de l'eau de roche.

Reconnaître une évidence

Il faut (bien) admettre/reconnaître que...
Il faut (bien) se rendre à l'évidence.

Le doute

Ça dépend.
Pas forcément.
J'hésite.
J'ai un doute.
J'en doute.
Je ne suis pas convaincu(e).
Je n'en suis pas (si) sûr(e).
Je ne suis pas (du tout / trop) sûr(e) que...
Je ne sais pas (trop) si...
Je ne sais pas (trop) quoi dire / penser.
Je me demande si...
Je suis sceptique.
Je n'y crois pas trop.
Ça me laisse perplexe.

Pour un doute plus fort :
Je ne peux pas croire que...
J'ai du mal à croire que...
Je n'arrive pas à croire que...
Je n'arrive pas à me faire à cette idée.
Ça me paraît invraisemblable/inimaginable.
C'est surprenant !
Ça m'étonne.
Ça m'étonnerait !

La possibilité

C'est (bien) possible.
Il est (bien) possible que...
Il n'est pas impossible que...
Il se pourrait bien que...
Éventuellement.
Peut-être.
Peut-être que...
C'est faisable.
C'est peut-être le cas.
Y a / il y a des chances que...
Ça se peut.

- ***Peut-être*** **(tout comme *sans doute*) peut être placé derrière le verbe ou en tête de phrase, mais avec inversion du sujet.**
  Il connaît peut-être la réponse.
  Peut-être connaît-il la réponse.

  En français oral plus familier, on emploie *peut-être que* en début de phrase.
  Peut-être qu'il comprendra.

- **Quand *possible* est suivi de *que* et d'une proposition, il est préférable d'utiliser *il est possible*.**
  C'est possible. Mais *Il est possible qu'il ne vienne pas.*

L'impossibilité

Ce n'est pas possible.
C'est impossible.
C'est exclu.
C'est hors de question.

Expressions

Mon œil ! *(fam.)*
Quand les poules auront des dents.

La probabilité

C'est probable.
Probablement.
Sans doute.
Je risque de...

L'improbabilité

C'est improbable.
C'est peu probable.
Il y a peu de chances que...

1 Dans les phrases suivantes, pouvez-vous remplacer les expressions en gras par *je crois* ou *je ne crois pas* ?

a. Il dit qu'il court le 100 mètres en 11 secondes, **j'en doute**.
b. Tu es heureux ? **Je m'en doute**.
c. **Je doute qu'**il dise la vérité.
d. **Il me semble que** je l'ai vu sortir du cinéma hier.
e. **Ça ne m'étonnerait pas que** ce soit vrai.

2 Dites si les phrases suivantes expriment la certitude, un léger doute ou l'incertitude.

a. Il sera sans doute là demain.
b. Il sera peut-être là demain.
c. C'est sûr, il sera là demain.
d. Sans aucun doute, il sera là demain.
e. Il sera sûrement là demain.

3 Dites si les phrases suivantes expriment la réalité, la probabilité, la possibilité ou l'impossibilité.

a. Éventuellement.
b. Il est bien possible qu'il arrive en retard.
c. Il est probable qu'elle ne viendra pas.
d. Ça se pourrait.
e. C'est hors de question.
f. C'est exclu.
g. Il y a des chances qu'il pleuve.
h. Il est incontestable qu'elle a fait des efforts.

4 Classez ces structures selon leur degré de conviction :

La chose me paraît :
– très possible (**++**)
– assez possible (**+**)
– possible mais je ne prends pas position (**0**)
– peu possible (**–**)
– impossible (**– –**)

Sont-elles suivies de l'indicatif ou du subjonctif ?

Exemples : *Je crois qu'il viendra.* (**+**)
Je ne crois pas qu'il vienne. (**–**)

a. Il est impensable que...
b. Il est peu probable que...
c. Il me semble que...
d. Il se peut que...
e. Il s'imagine que...
f. J'ai la conviction que...
g. J'ai dans l'idée que...
h. J'ai le sentiment que...
i. Je crois savoir que...
j. Je ne doute pas que...
k. J'imagine que...
l. Je suppose que...
m. On dirait que...
n. Il est indubitable que...
o. Il est invraisemblable que...

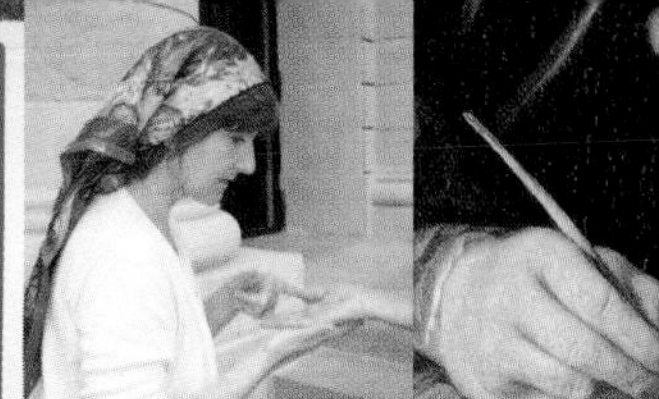

Astrologues et voyants : différents à quelques euros près !

D'après un sondage SOFRES, 58 % des Français croient que l'astrologie est une science et près de deux millions de Français consultent chaque année un voyant. Mais entre ces arts divinatoires existe-t-il vraiment une différence ?

« L'astrologie c'est une science. Ça n'a rien à voir avec la voyance qui est un don ! » affirme Lucette T., astrologue et professeur à l'école d'astrologie de Montpellier. Si, dans les deux cas, il s'agit de prédire l'avenir, l'astrologie, à l'instar des mathématiques, s'apprend. Moyennant 250 euros environ pour 8 séances pendant 5 à 6 ans, il est possible de suivre la voie astrale d'Elizabeth Tessier*. Certainement plus coûteux qu'un DEA de mathématiques appliquées mais nettement moins rentable ! C'est sur l'étude des astres et de leurs cycles, censés influer sur les événements terrestres et la destinée de l'homme, que chaque année, pléthore d'astrologues élaborent leurs prédictions scientifiques (sic) ! Sur la canicule d'août 2003, Elizabeth Tessier avait prévu que l'été allait être marqué par un événement dont elle aurait *« eu du mal à se remettre »*. Et de rajouter *« ça ne peut être plus précis »*. Toujours selon l'astrologue, *« si son état de santé s'améliore, François Mitterrand sera président de la République en 2002 »*.

La conscience sans science n'est que ruine de l'âme ! ! Mais ce qui ruine surtout ce sont les tarifs que pratiquent ces professionnels de la prédiction. Dans ce domaine, pas de différence entre astrologues et voyants : selon Youssef Sissaoui, président de l'INAD, l'Institut national des arts divinatoires, il y aurait 70 à 75 % de charlatans profitant de la crédulité des gens. Sur les 20 000 astrologues répertoriés en France, une centaine serait considérée comme « sérieux ». Quant aux voyants, ils sont 40 000 à 50 000 à prétendre disposer de capacités à prédire l'avenir et à « voir » des événements du passé. Au début du vingtième siècle, le biologiste et chirurgien français Alexis Carrel avait déjà défini ce don de double vue : *« Les voyants saisissent, sans l'intervention des organes des sens, les pensées des autres personnes. Ils perçoivent aussi des événements plus ou moins éloignés dans l'espace et dans le temps. Elle s'exerce sans effort, et de façon spontanée. »* Pierre Josse, un voyant non-professionnel, c'est-à-dire qui n'en fait pas un métier, confirme le coté intangible de cette faculté : *« Je ne peux ni recevoir des flashs à volonté, ni m'empêcher d'en avoir aux moments les plus inattendus »*. Pourtant ils sont de plus en plus nombreux à faire des consultations à la demande par minitel, Internet et même par SMS. Là encore, les tarifs sont exorbitants et peuvent aller de 150 à 7500 euros, sans oublier les sociétés « audiotel » qui surtaxent les appels téléphoniques. Il est loin le temps de la voyante-bohémienne devant sa boule de cristal !

Entre astrologues scientifiques auto-proclamés, voyants qui utilisent l'astrologie comme support… difficile de leur accorder une quelconque crédibilité, à l'exception peut-être de la médium Izys Malika Bourekh qui prévoit que *« certains continueront à vibrer essentiellement bercés par le profit. »*

Sarah Ben Amar, *Marianne*, 01/05/2005.

* *Astrologue très médiatisée.*

COMPRÉHENSION ÉCRITE

1. Quel est le thème de cet article ? À quelle occasion a-t-il été écrit ?
2. Quelles professions sont présentées dans ce texte ? En quoi diffèrent-elles ?
3. Quel est le ton de cet article ? La journaliste vous paraît-elle croire en ces phénomènes ?

VOCABULAIRE

4. Reformulez les énoncés soulignés.
   a. *à l'instar des mathématiques* (l. 10)
   b. *moyennant 250 euros* (l. 11)
   c. *des charlatans* (l. 32)
   d. *le côté intangible* (l. 49)
   e. *la voyante bohémienne* (l. 57)

PRODUCTION ORALE

5. Dans votre pays, l'astrologie et la voyance sont-elles populaires ? Sous quelles formes ?
6. Connaissez-vous votre signe astrologique ? Lisez-vous votre horoscope ?
7. Croyez-vous en l'astrologie ou en certaines formes de voyance ?
8. Avez-vous déjà rendu visite à un(e) astrologue ou un(e) voyant(e) ? Comment cela s'est-il passé ?

CHEZ L'ASTROLOGUE

COMPRÉHENSION ORALE

1. Quels sont les problèmes d'Édouard ? Que savez-vous de lui ?
2. Qu'est-ce qui l'a décidé à consulter une astrologue ?
3. Qui est cette astrologue ? Décrivez-la.
4. Où Édouard l'a-t-il rencontrée ? Combien de fois?
5. Quel a été le résultat de la consultation ?
6. Quelle est l'attitude d'Emmanuelle ? Comment l'expliquez-vous ?

VOCABULAIRE

7. Lisez la transcription de ce dialogue p. 198 et reformulez les énoncés suivants :

a. *J'ai la pêche.* (l. 5)
b. *J'étais à côté de mes pompes.* (l. 13)
c. *La boîte est en train de couler.* (l. 14)
d. *Elle se sentait nulle et moche.* (l. 22)
e. *Ce qui ne gâte rien.* (l. 24)
f. *Un immeuble cossu.* (l. 28)
g. *Très BCBG.* (l. 33)
h. *Tu chantes comme une casserole.* (l. 54)
i. *La téloche.* (l. 56)
j. *Si tu as de l'argent à jeter par les fenêtres.* (l. 64)

CIVILISATION LES SUPERSTITIONS

① **Les Français et leurs croyances**

D'après un sondage réalisé par l'Institut CSA en mars 2003, les croyances des Français en l'astrologie, la voyance, la communication avec les morts ou la sorcellerie ont reculé depuis la dernière enquête effectuée sur ce sujet en 1994. En voici quelques extraits :

- 46 % des Français pensent que les prières sont parfois exaucées.
- 42 % croient à la réalité des miracles.
- 37 % croient à l'explication des caractères par les signes astrologiques.
- 23 % font confiance aux prédictions des voyantes.
- 22 % pensent que les objets sacrés ont un réel pouvoir.
- 21 % croient à la sorcellerie et aux envoûtements.

D'après un sondage CSA pour *La Vie/Le Monde* le 21/03/2003.

② **Quelques superstitions qui portent malheur :**

- ouvrir un parapluie dans une maison : attire les malheurs des environs.
- casser un miroir : il générerait sept ans de malheur.
- passer sous une échelle : une échelle appuyée contre un mur forme un triangle. D'après la magie antique, le triangle est sacré et ne peut être rompu sans sacrilège !
- mettre le pain à l'envers : c'était le pain réservé au bourreau. Cela attirerait la mort.

Quelques superstitions qui portent bonheur :

- trouver un trèfle à 4 feuilles : un avantage par feuille (renommée, amour, richesse, prospérité). Il serait efficace surtout pour celui qui le cueille ou la personne qui le reçoit en cadeau.
- marcher du pied gauche dans un excrément.
- croiser les doigts : se rattache à la croyance selon laquelle la croix, sous ses diverses formes et modes d'utilisation, aurait le pouvoir de conjurer le mauvais sort ou d'éloigner les mauvais esprits.
- toucher du bois : dans l'antiquité, on considérait que le bois possédait un grand pouvoir magnétique.

③

MÉDIUM - VOYANT - EXORCISTE - GUÉRISSEUR
SPÉCIALISTE DES SCIENCES OCCULTES – PAIEMENT APRÈS RÉSULTAT

MR. ÉMILE

Avec mon secret étonnant, femmes et hommes seront à tes pieds.
Je rends ton ami(e) fidèle et soumis(e) à ta volonté.
PROTECTION CONTRE CHANCE, AMOUR, MARIAGE, EXAMEN, PROTECTION CONTRE LES DANGERS, DÉSENVOÛTEMENTS, IMPUISSANCE SEXUELLE, DIFFICULTÉ D'ENTREPRISE, ETC.
TRAVAIL SÉRIEUX, EFFICACE, RAPIDE
Résultat dans 3 jours, n'hésitez pas à me contacter, je vous aiderai le plus vite possible

Reçoit T.L.J. de 9 à 20 h.
5, rue de la République
93260 Les Lilas
Métro Mairie des Lilas (ligne 11)

09 43 62 99 66
07 24 16 98 99

PRODUCTION ORALE

Document ①

1. Quelles conclusions tirez-vous des résultats de ce sondage ? Partagez-vous l'opinion générale des Français ?

Document ②

2. Ces croyances existent-elles dans votre pays ?

Document ③

3. Ce type de personnage existe-t-il dans votre pays ?

À quoi servent nos superstitions ?

Bracelet multi-amulettes.

Toucher du bois n'a rien de scientifique, c'est entendu. Rituels et grigris ne font pas de miracles, d'accord... Mais ils nous aident à panser les bobos de l'existence.

Le ministre Jean-Louis Borloo se fait photographier dans *Paris-Match* avec « *son pull fétiche, celui qu'il revêt pour lui attirer la chance* ». L'avionneur Marcel Dassault a fait d'un trèfle à quatre feuilles trouvé dans un champ en 1939 le logo de son entreprise. Les vendredis 13, le Loto rassemble 80 % de joueurs supplémentaires... Le progrès, la science, l'éducation n'y changent rien, l'homme moderne a toujours l'irrationnel chevillé au corps.

Dans un récent sondage CSA *Le Monde-La Vie*, 37 % des Français affirmaient croire à l'analyse des caractères par les signes astrologiques, 23 % aux prédictions des voyants et 21 % aux envoûtements et à la sorcellerie. Plus surprenant, selon le sociologue Daniel Boy, auteur de *Les Français et les parasciences*, vingt ans de mesure, diverses enquêtes montrent que la crédulité est proportionnelle au niveau des connaissances scientifiques.

Le monde de l'entreprise, censé être rationnel et informé, n'y échappe pas. Selon une récente enquête du magazine *Management*, un cabinet de recrutement sur cinq utilise des méthodes ésotériques. L'astrologie a ses entrées dans les plus grandes entreprises. Une DRH raconte comment Liliane Bettencourt, patronne de L'Oréal, l'a choisie selon son thème astral (« *Vous êtes cancer, donc vous aimez la confidentialité. De plus, je m'entends parfaitement avec ce signe* »). Autres pratiques mentionnées par *Management* : la numérologie, la morphopsychologie (la forme du visage), la gestuologie, la chirologie (les lignes de la main). Avec leurs réponses directes et faciles, habillées d'un langage pseudo-scientifique, ces techniques permettent surtout de simplifier et de justifier des choix difficiles. Un vrai tour de passe-passe.

Sociologues et psychologues s'accordent sur un point : les superstitions prospèrent en temps d'incertitude. Les professions aux lendemains aléatoires se trouvent les plus touchées. Les œillets et le vert restent tabous au théâtre, tout comme le lapin et le mot « corde » pour les marins. La période fragile de l'adolescence s'avère également propice aux croyances et aux amulettes : 38,6 % des 15-24 ans disent avoir un chiffre porte-bonheur, contre 22 % des 25-39 ans. Face à l'angoisse devant l'avenir, les superstitions jouent le rôle d'anxiolytique, comme l'explique le sociologue Gérald Bronner : « *Elles perdurent, malgré les avancées de la science, parce qu'elles rendent un service psychologique, en permettant de maîtriser son environnement.* »

T-shirt à l'envers ou slip fétiche pour gagner des matchs de foot

Autrement dit, ces rituels rassurent en donnant l'illusion de contrôler les événements. C'est l'hypothèse développée dès 1947 par un psychologue américain, Burhus Frederic Skinner, après une expérience devenue un classique dans l'étude des superstitions. Toutes les 15 secondes, un système mécanique vient nourrir huit pigeons affamés. Très vite, six des oiseaux se mettent à observer des rituels compliqués, destinés à faire « apparaître » leur repas. Conclusion de Skinner : les pigeons sont devenus superstitieux. Tout comme eux, les humains se persuadent que de petits arrangements avec le sort peuvent causer leur bonne fortune.

« Œil bleu » de Turquie pour éloigner le mauvais œil.

La plupart des superstitions courantes présentent un gros avantage : elles ne nécessitent qu'un faible investissement. Toucher du bois ou jeter un coup d'œil à l'horoscope, juste « au cas où », procure un réconfort express à faible coût. Comme le résume Gérald Bronner, « *seule une faible minorité de la population est vraiment superstitieuse. Pour la majorité, ces croyances relèvent du slogan du Loto : c'est facile, c'est pas cher, et ça peut rapporter gros* ».

Parmi les plus convaincus figurent de nombreux sportifs de haut niveau, comme le footballeur Basile Boli, qui a porté le même slip kangourou lors de chaque match pendant dix ans, ou Zinedine Zidane, qui porte un T-shirt à l'envers sous son maillot. Selon Jean-Cyrille Lecoq, psychologue du sport et préparateur mental, ces manies présentent un caractère narcissique : elles sont là pour protéger l'ego en cas d'échec. « *Elle permettent de ne pas s'attribuer la faute. Cela peut être utile pour relever la tête et continuer.* »

De la même façon, attribuer ses malheurs à un miroir brisé, une table dressée pour treize ou un envoûtement, permet d'éviter d'en analyser les causes objectives ou, du moins, aide à les oublier. Les grigris sont un genre de remède pour nous aider à digérer les frustrations et les coups durs.

Ça m'intéresse, février 2005.

Dossier réalisé par J.-P. Vrignaud avec H. Siraigny, D. Ramasseul et J.-B. Gournay

COMPRÉHENSION ÉCRITE

1. Faites une liste des différentes superstitions dont le texte fait mention. En quoi consistent-elles ?
2. Quels groupes sociaux sont les plus superstitieux ?
3. Comment les superstitions s'expliquent-elles ?

VOCABULAIRE

4. Cherchez dans le texte trois équivalents de « objet porte-bonheur ».
5. Cherchez dans le texte des équivalents de :
   - **a.** mettre (un habit)
   - **b.** se développer / réussir
   - **c.** se révéler
   - **d.** un remède contre l'angoisse
   - **e.** continuer longtemps
6. Reformulez les énoncés suivants :
   - **a.** *chevillé au corps* (l. 16)
   - **b.** *avoir ses entrées* (l. 34)
   - **c.** *un tour de passe-passe* (l. 53)
   - **d.** *la bonne fortune* (l. 93)
   - **e.** *digérer les frustrations* (l. 130)

SUPERSTITIONS

PRODUCTION ORALE

1. Parmi les superstitions que l'on peut trouver en France (voir ci-contre), quelles sont celles qui existent aussi dans votre pays ? Citez-en d'autres.

2. Quels objets ou coutumes liés à une superstition existent traditionnellement dans votre pays ?

3. Avez-vous un objet porte-bonheur ?

4. Êtes-vous superstitieux ? Y a-t-il des gestes ou des actions que vous faites ou ne faites pas par superstition ? (exemples : ne pas passer sous une échelle, faire un signe de croix avant une compétition sportive...)

MADAME IRMA

MORRIS & collectif, *Le Ranch maudit,* 1986 (p. 18).

COMPRÉHENSION ÉCRITE

1. Qui est Madame Irma ?

2. Comment procède-t-elle ?

PRODUCTION ORALE

3. Que pensez-vous de son don ?

4. Est-ce l'image qu'on a des voyant(e)s dans votre pays ?

MORRIS & collectif, *Le Ranch maudit,* 1986 (p. 17).

GRAMMAIRE INDICATIF OU SUBJONCTIF ?

1. **Observez les phrases suivantes et justifiez l'emploi du mode employé pour le deuxième verbe (indicatif, subjonctif ou infinitif).**

a. Je pense que tu as raison.
b. Il faut que tu prennes un sac.
c. Je souhaite qu'il réussisse à son examen.
d. Je ne pense pas qu'il puisse le faire.
e. Il vaudrait mieux que tu lui dises la vérité.
f. Il est sûr qu'elle acceptera.
g. Je doute qu'il soit content.
h. Je vois que vous avez compris.
i. J'ai peur qu'il (ne) parte.
j. J'espère qu'il arrivera.
k. Je suis content que tu viennes.
l. Il dit qu'il viendra.
m. Je sens qu'il n'aimera pas ça.
n. Croyez-vous qu'il ait raison ?
o. Je voudrais venir.

Sont suivis de *que* + l'indicatif

La certitude / la réalité
- être sûr / certain
- savoir
- il est vrai / exact
- se souvenir

La pensée / l'opinion
- penser / croire
- tu penses? / tu crois?
- ne pas douter

La déclaration
- dire
- répondre
- annoncer
- affirmer
- prétendre

Les sens
- voir
- entendre
- sentir

La probabilité
- il est probable

L'espoir
- espérer

Sont suivis de *que* + le subjonctif

L'incertitude / le doute
- douter
- ne pas être certain / sûr
- ne pas croire / penser
- pensez-vous ? / croyez-vous ?

Les sentiments
- être heureux / triste
- regretter
- avoir peur
- il est dommage

La nécessité
- il est nécessaire
- il faut

La volonté / le désir
- vouloir / désirer / souhaiter
- accepter / refuser
- j'aimerais
- il est préférable

La possibilité
- il est possible
- il est peu probable
- il se peut

La négation
- nier
- ce n'est pas que

Les verbes impersonnels qui n'expriment pas une certitude, une opinion ou une probabilité
- il est normal / il est rare / il arrive

2. **Accordez les verbes à l'indicatif ou au subjonctif.**

a. On dit que les voyants (être) des charlatans.
b. Il est peu probable qu'il te (prédire) l'avenir.
c. Je souhaite qu'il (venir) à la réunion du parti.
d. Il est rare que j'(aller) consulter une astrologue.
e. Je ne pense pas qu'elle (pouvoir) lire mon avenir dans les cartes.
f. J'espère que ce candidat (être) élu.
g. Il est nécessaire qu'il y (avoir) bientôt une réforme de cette loi.
h. Il est normal qu'elle (ne pas croire) en ses prédictions.
i. Je regrette que tant de gens (être) superstitieux.
j. Je sens que je (rater) mon examen. C'était trop difficile.
k. Je ne suis pas certain qu'il me (dire) la vérité.
l. Croyez-vous que les femmes (faire) de meilleurs chefs ?
m. On raconte que vous (collectionner) les pattes de lapin.
n. Vous pensez qu'ils (vouloir) consulter une voyante ?
o. Il est évident que ce politicien (mentir).
p. Il paraît que vous (voter) pour cet imbécile.
q. J'apprends qu'ils (venir) au meeting samedi dernier.
r. On prétend qu'il (ne pas savoir) lire.
s. Il est utile qu'on (connaître) les résultats du vote avant 20 heures.
t. Je trouve intéressant que vous vous (réunir) avec eux.

CIVILISATION LE JEU DES PHILOSOPHES

Voici dix penseurs français. Faites correspondre portraits, noms, dates de naissance et de mort et une de leurs œuvres.

1. Camus	**I.** *Discours sur l'inégalité*	**a.** 1533-1592
2. Descartes	**II.** *L'Encyclopédie*	**b.** 1596-1650
3. Diderot	**III.** *L'Esprit des lois*	**c.** 1689-1755
4. Lafargue	**IV.** *L'Homme révolté*	**d.** 1712-1778
5. Montaigne	**V.** *La Nausée*	**e.** 1713-1784
6. Montesquieu	**VI.** *Le Discours de la Méthode*	**f.** 1809-1865
7. Proudhon	**VII.** *Le Droit à la paresse*	**g.** 1842-1911
8. Rousseau	**VIII.** *Les Essais*	**h.** 1905-1980
9. Sartre	**IX.** *Les Lettres philosophiques*	**i.** 1913-1960
10. Voltaire	**X.** *Qu'est-ce que la propriété ?*	**j.** 1694-1778

ATELIERS

1

Débat

Un groupe de trois ou quatre étudiants organise un débat autour d'un thème (l'élargissement de l'Europe, le droit de vote des étrangers, l'influence des signes astrologiques...).

Préparation

1. Chaque groupe choisit un thème de débat. Exemple : « Les OVNI existent-ils ? »
2. Il détermine les différents rôles ou fonctions des participants au débat. Pour le thème « Les OVNI existent-ils ? », dans le camp « pour l'existence des OVNI », il y aura plusieurs témoins de ces phénomènes, des journalistes de la presse à sensation, des scientifiques ; dans le camp « contre l'existence des OVNI », il y aura des policiers et des gendarmes, des journalistes de la presse « sérieuse » et d'autres scientifiques. Ne pas oublier le modérateur, chargé d'animer le débat et de donner la parole à chaque intervenant.
3. Avant de commencer le débat, chaque groupe « pour » et « contre » se réunira afin de se répartir les rôles et de recenser ses arguments.
4. Le modérateur ouvrira le débat en présentant le thème et les intervenants puis donnera la parole aux uns et aux autres.

2

Sondage

Vous devez organiser un sondage sur l'image de la France et des Français dans votre pays.

1. Par groupe de trois ou quatre, vous sélectionnez les thèmes qui vous paraissent les plus importants.
2. Vous rédigez les questions.
3. Vous interrogez les autres étudiants de l'école (oralement, sans leur faire lire les questions).
4. En groupe, vous faites la synthèse des réponses données.
5. Vous faites le compte rendu de votre enquête en classe.

3

Éditorial

Vous devez écrire un éditorial pour commenter un sujet d'actualité. N'hésitez pas à prendre position. Vous devez donner vos raisons en argumentant logiquement.

Préparation

1. D'abord, précisez le message que vous voulez transmettre.
2. Faites la liste des arguments pour et contre.

Rédaction

Commencez ensuite la rédaction de votre éditorial :

- Présentez le thème dans l'introduction.
- Développez une idée par paragraphe.
- Veillez à la liaison entre les différents paragraphes.
- Apportez des exemples concrets pour appuyer vos arguments.
- Soignez votre conclusion.

PRÉPARATION AU DELF B2

compréhension des écrits

Durée de l'épreuve : 1 heure.
Note sur 25.

Une dame importante et bien pensante a fait récemment une enquête auprès des ouvrières des usines Renault : elle affirme que celles-ci préféreraient sans doute rester au foyer plutôt que de travailler à l'usine. Sans doute, elles n'accèdent à l'indépendance économique qu'au sein d'une classe économiquement opprimée ; et d'autre part les tâches accomplies à l'usine ne les dispensent pas des corvées du foyer. Si on leur avait proposé de choisir entre quarante heures de travail hebdomadaire à l'usine ou dans la maison, elles auraient sans doute fourni de tout autres réponses. Et peut-être même accepteraient-elles agréablement le cumul si en tant qu'ouvrières elles s'intégraient à un monde qui serait leur monde, à l'élaboration duquel elles participeraient avec joie et orgueil. À l'heure qu'il est, sans même parler des paysannes, la majorité des femmes qui travaillent ne s'évadent pas du monde féminin traditionnel ; elles ne reçoivent pas de la société, ni de leur mari, l'aide qui leur serait nécessaire pour devenir concrètement des égales des hommes. Seules celles qui ont une foi politique, qui militent dans les syndicats, qui font confiance à l'avenir, peuvent donner un sens éthique aux ingrates fatigues quotidiennes ; mais privées de loisirs, héritant d'une tradition de soumission, il est normal que les femmes commencent seulement à développer un sens politique et social. Il est normal que, ne recevant pas en échange de leur travail les bénéfices sociaux et moraux qu'elles seraient en droit d'escompter, elles en subissent sans enthousiasme les contraintes.

Ouvrière des usines Renault (1946-1948).

Publicité pour les machines à écrire Olivetti.

On comprend aussi que la midinette[1], l'employée, la secrétaire ne veuillent pas renoncer aux avantages d'un appui masculin. J'ai dit déjà que l'existence d'une caste privilégiée à laquelle il lui est permis de s'agréger rien qu'en livrant son corps est pour une jeune femme une tentation presque irrésistible. Elle est vouée à la galanterie du fait que ses salaires sont minimes tandis que le standard de vie que la société exige d'elle est très haut. Si elle se contente de ce qu'elle gagne, elle ne sera qu'une paria : mal logée, mal vêtue, toutes les distractions et l'amour même lui seront refusés. Les gens vertueux lui prêchent l'ascétisme ; en vérité son régime alimentaire est souvent aussi austère que celui d'une carmélite[2]. Seulement tout le monde ne peut pas prendre Dieu pour amant : il faut donc qu'elle plaise aux hommes pour réussir sa vie de femme. Elle se fera donc aider : c'est ce qu'escompte cyniquement l'employeur qui lui alloue un salaire de famine. Parfois cette aide lui permettra d'améliorer sa situation et de conquérir une véritable indépendance. Parfois, au contraire, elle abandonnera son métier pour se faire entretenir. Souvent elle cumule : elle se libère de son amant par le travail, elle s'évade de son travail grâce à l'amant. Mais aussi elle connaît la double servitude d'un métier et d'une protection masculine. Pour la femme mariée, le salaire ne représente en général qu'un appoint. Pour la femme qui « se fait aider », c'est le secours masculin qui apparaît comme inessentiel. Mais ni l'une ni l'autre n'achètent par leur effort personnel une totale indépendance.

Cependant, il existe aujourd'hui un assez grand nombre de privilégiées qui trouvent dans leur métier une autonomie économique et sociale. [...] Il est certain qu'elles ne sont pas tranquillement installées dans leur nouvelle condition : elle ne sont encore qu'à moitié du chemin. La femme qui s'affranchit économiquement de l'homme n'est pas pour autant dans une situation morale, sociale, psychologique identique à celle de l'homme. La manière dont elle s'engage dans sa profession et dont elle s'y consacre dépend du contexte constitué par la forme globale de sa vie. Or, quand elle aborde sa vie d'adulte, elle n'a pas derrière elle le même passé qu'un garçon. Elle n'est pas considérée par la société avec les mêmes yeux. L'univers se présente à elle dans une perspective différente. Le fait d'être une femme pose aujourd'hui à un être humain autonome des problèmes singuliers.

Simone DE BEAUVOIR, *Le Deuxième Sexe,* « Les femmes et le travail », 1949.

1. midinette : jeune vendeuse de mode. – 2. carmélite : religieuse de l'ordre du Mont-Carmel.

COMPRÉHENSION ÉCRITE D'UN TEXTE ARGUMENTATIF

1. **Cochez *Vrai* (V), *Faux* (F) ou *On ne sait pas* (?) et justifiez votre réponse en citant un passage du texte.** ***(5 points)***

	V	F	?
a. D'après un sondage, la majorité des Françaises préfèrent rester à la maison.			
b. Ce texte concerne principalement les ouvrières.			
c. La majorité des femmes n'ont pas de conscience politique.			
d. La plupart des femmes ne veulent pas vivre avec un homme.			
e. Le salaire des femmes ne leur suffit pas pour vivre normalement.			

2. **Répondez aux questions suivantes.** ***(10 points)***

a. S. de Beauvoir pense-t-elle que les femmes préfèrent le travail à l'extérieur ou les tâches ménagères ? *(2 points)*
b. Quelle est la situation de la femme au travail en 1949 pour S. de Beauvoir ? *(4 points)*
c. Le mariage est-il une solution pour S. de Beauvoir ? *(2 points)*
d. Une femme indépendante financièrement est-elle l'égale d'un homme ? *(2 points)*

3. **Reformulez les énoncés soulignés.** ***(10 points)***

a. *une dame importante et bien-pensante* (l. 1) *(2 points)*
b. *les tâches accomplies à l'usine ne les dispensent pas des corvées du foyer* (l. 5) *(4 points)*
c. *les avantages d'un appui masculin* (l. 26) *(2 points)*
d. *l'employeur qui alloue un salaire de famine* (l. 37) *(2 points)*

PRODUCTION ORALE

Pensez-vous que le rapport des femmes au travail ait beaucoup changé dans votre pays depuis 1949 ? Comment ?

PAROLES, PAROLES
UNITÉ 2

- Comprendre un texte traitant de sentiments
- Comprendre des confidences
- Rapporter une conversation
- Raconter une rencontre
- Parler d'amour
- Interroger quelqu'un sur ses sentiments
- Faire le portrait de l'homme ou de la femme idéaux
- Écrire une lettre d'amour ou de rupture
- Écrire un journal intime

- Vocabulaire de la parole
- Vocabulaire des sentiments et de l'amour
- Discours rapporté
- Les mots de liaison

- L'amour dans la littérature et la chanson

«Parler pour ne rien dire et ne rien dire pour parler sont les deux principes majeurs de ceux qui feraient mieux de la fermer avant de l'ouvrir.»

Pierre DAC

Au lieu de masquer la vérité, ils nous démasquent…

Que révèlent nos mensonges les plus courants ?

Chacun d'entre nous ment en moyenne près de trois fois toutes les dix minutes : un triste constat, signé Robert Feldman, de l'université du Massachusetts à Amherst (États-Unis). Pour l'établir, ce psy a filmé en secret les conversations de ses étudiants avec des personnes extérieures à la fac, puis leur a demandé de compter le nombre de mensonges qu'ils avaient proférés. Il a aussi découvert que, contrairement à une idée reçue, les femmes ne mentent pas plus que les hommes, mais recourent davantage à des inventions pour mettre leur interlocuteur à l'aise, tandis que leurs compagnons trichent avant tout pour se valoriser.

En France, aucune étude de ce type n'a été réalisée. Et le sujet relève du casse-tête… parce que les gens mentent à propos de leurs mensonges ! Les chercheurs sont donc amenés à mentir à leurs « sujets ». Ainsi, pour vérifier l'hypothèse selon laquelle les femmes minimisent le nombre de leurs partenaires sexuels (tandis que les hommes le majorent), D. Knox et C. Schacht, de l'université d'East Carolina, ont soumis des Américaines à un faux détecteur de mensonges : elles ont déclaré deux fois plus de partenaires qu'un groupe témoin.

Selon un sondage Sofres (1998), les Français mentent pour ne pas faire de la peine, pour éviter une dispute, donner une bonne image d'eux, plus rarement, pour se disculper d'une faute. Avec l'aide de deux spécialistes, Claudine Biland et Samuel Lepastier, nous avons décrypté nos mensonges les plus courants. Quels que soient leurs sens et motivations, ceux-ci expriment notre personnalité.

« Tu as vraiment une mine superbe ! »

Dans de nombreux cas, ce « pieux » mensonge vise à remonter le moral d'un proche en proie à la déprime ou à la maladie, ou manquant de confiance en lui-même. Grâce à ce mensonge, l'interlocuteur se sent tout de suite mieux dans sa peau. Il peut même arriver que sa mine s'améliore pour de vrai ! Mais, selon Samuel Lepastier, cette affirmation peut aussi dissimuler, en réalité, une intention agressive. Elle sert alors à mettre en lumière le fait que l'interlocuteur affiche une mine particulièrement déconfite, en affirmant, au mépris de toute évidence, que son teint est radieux. Une façon indirecte et machiavélique de le blesser tout en faisant mine de le flatter !

❶ Le motif de ce mensonge est en général altruiste. Le menteur n'a rien à y gagner. *« Il flatte le côté narcissique de l'autre et lui fait plaisir »*, explique Claudine Biland. Ce type de mensonge représente souvent une forme d'hypocrisie sociale : à défaut d'y croire, la dupée se sent mieux (appréciée) et peut même trouver son interlocuteur gentil. Mais derrière cette phrase, il faut parfois aussi entendre : *« Pour une fois, tu es bien habillé(e), ça change de tes tenues habituelles. » « Ce type de mensonge constitue une manière relativement douce d'agresser l'autre »*, analyse Samuel Lepastier.

❷ *« Ce mensonge se révèle complexe. Il ressemble à celui de la personne qui a bu et le nie »*, analyse Samuel Lepastier. La personne est prise en faute et ne trouve aucune excuse. Incapable d'avouer que le rapport lui a demandé plus de temps que prévu, elle se voit contrainte de mentir. En incriminant l'ordinateur, elle coupe court à toute discussion ou tout reproche. En fait, peu importe si le mensonge est cru. Il sert tout simplement à éviter un conflit qui serait pénible. Chacun, de son côté, menteur et dupé, fait semblant d'y croire. D'autant que, contrairement au mensonge sur l'alcool, le doute subsiste : après tout, l'ordinateur peut vraiment avoir été terrassé par un virus ou une rupture inopinée de connexion Internet.

❸ En accusant la circulation ou les transports publics *(« Il y a encore eu une panne sur la ligne 13 »)*, ce menteur n'avoue pas sa défaillance (une panne d'accord, mais d'oreiller !). En outre, il ne blesse pas son rendez-vous ou ses collègues en arrivant en retard. *« On se situe ici dans l'hypocrisie sociale »*, commente Claudine Biland. *« Le menteur ne dévoile pas ses pensées, il réalise simplement une omission, moyennant des règles convenues ».* Avec, dans ce cas également, un doute qui lui profite (les bouchons, les incidents techniques et les grèves font partie de notre lot quotidien). De la même façon, clamer que *« le repas était excellent »*, après une succession de plats particulièrement infâmes, relève des règles de base du savoir-vivre. Le menteur laisse le soin à son interlocuteur de le croire ou non. Mais tout le monde s'y retrouve. Et seul un Groucho Marx osera dire : *« Oh, j'ai passé une excellente soirée, mais ce n'était pas celle-ci ! »*

❹ Pour Claudine Biland, *« ce type de phrase constitue le plus souvent une manœuvre de séduction pour flatter le côté narcissique du*

partenaire ». Ce menteur utilise les mots de l'amour mais sans y adhérer. Il prêche le faux pour obtenir un avantage. Mais s'il est vraiment amoureux, il peut également avoir la conviction (ou peut-être l'illusion) que la personne rencontrée est bel et bien unique. Alors, dans ce cas, il ne s'agit plus vraiment d'un mensonge ou d'une flatterie. « *Au fond de lui, le menteur sait que ce qu'il dit est faux, mais il y adhère tout de même* », décode Samuel Lepastier. C'est en quelque sorte un mensonge d'espoir.

❺ Ce mensonge peut souvent être assimilé à un acte manqué, à la limite entre l'oubli révélateur de nos motivations cachées et le comportement délibéré. Le « coupable » échappe ainsi au règlement de l'addition, au risque de passer pour un radin. Des personnes à court de finances peuvent utiliser franchement cette technique. Mais à l'évidence, ceux qui recourent le plus à ce stratagème ne sont pas forcément les plus fauchés. Le fait de toucher un gros salaire n'empêche pas d'être près de ses sous ! Et dans certains cas extrêmes, ce mensonge peut exprimer un mépris des autres, tout juste jugés bons pour payer la note.

❻ Destiné à flatter un supérieur, ce mensonge est le plus souvent utilitaire. Cela ne coûte rien de passer la brosse à reluire dans le dos du chef, même si l'on n'adhère pas à son propre mensonge. Selon Claudine Biland, « *80 % des gens tolèrent cette pratique sans la juger* ». Le chef n'est pas forcément dupe, et mesure ainsi son pouvoir. Le menteur, lui, se place en position de courtisan. Parfois son affirmation est sincère. Le chef a pu avoir vraiment une idée lumineuse, ou le subordonné est de bonne foi. « *Certaines personnes ont besoin d'imaginer que leur supérieur est brillant, afin de le respecter* », ajoute Samuel Lepastier.

Karine JACQUET et Adeline COLONAT, *Ça m'intéresse*, septembre 2005.

COMPRÉHENSION ÉCRITE

Lisez l'article jusqu'à la ligne 71 (… flatter ! ») et répondez aux quatre premières questions.

1. Ment-on fréquemment ?

2. Les femmes et les hommes mentent-ils pour les mêmes raisons ?

3. Dans quelles situations les Français mentent-ils le plus souvent ?

4. Qu'est-ce qu'un « pieux mensonge » (l. 53) ? Donnez des exemples.

Lisez maintenant le reste du texte.

5. Associez un titre à chacune des parties du texte.
- **a.** *« Oui, chef, c'est une excellente idée ! »*
- **b.** *« Flûte, j'ai encore oublié ma carte bleue ! »*
- **c.** *« Cette robe te va très bien »*
- **d.** *« Je n'ai jamais rencontré quelqu'un comme toi »*
- **e.** *« J'ai été pris dans les bouchons »*
- **f.** *« Mon ordinateur a encore planté »*

6. Écrivez un chapeau à cet article.

VOCABULAIRE

7. Relevez le vocabulaire de la parole (exemple : *mentir, avouer*…).

8. Cherchez dans le texte des équivalents de :
- **a.** utiliser / se servir de
- **b.** un problème difficile à résoudre
- **c.** décoder / réussir à comprendre
- **d.** avoir pour but de
- **e.** accuser

9. Qu'est-ce que :
- **a.** *une mine déconfite* (l. 66)
- **b.** *terrassé par un virus* (l. 109)
- **c.** *une rupture inopinée* (l. 110)
- **d.** *une panne d'oreiller* (l. 116)
- **e.** *passer pour un radin* (l. 165)

10. Reformulez les énoncés suivants :
- **a.** *l'interlocuteur se sent tout de suite mieux dans sa peau* (l. 57)
- **b.** *tout le monde s'y retrouve* (l. 136)
- **c.** *il prêche le faux pour obtenir un avantage* (l. 146)
- **d.** *passer la brosse à reluire dans le dos du chef* (l. 180)
- **e.** *le subordonné est de bonne foi* (l. 192)

PRODUCTION ORALE

11. À votre avis, la situation est-elle la même dans votre pays ?

12. Et vous, mentez-vous souvent ? Dans quelles circonstances ?

13. Quels mensonges pardonnez-vous le plus facilement ?

14. Quels mensonges vous paraissent les plus graves ?

VOCABULAIRE LES DÉCLARATIFS

Les verbes « déclaratifs »

Sauf mention contraire, ces verbes peuvent être suivis d'une subordonnée introduite par *que*.

admettre
affirmer
ajouter
annoncer
apprendre
assurer
avertir
avouer
bafouiller
balbutier
bégayer
certifier
chuchoter
confier
confirmer
constater
crier
déclarer
demander si
démontrer
dire
entendre dire
s'exclamer
expliquer
faire remarquer
hurler
indiquer
informer
insinuer
insister sur le fait que
jurer
mentionner
murmurer
nier
noter
objecter
observer
se plaindre
préciser
prétendre
prévenir
promettre
raconter
rappeler
reconnaître
répéter
répliquer
répondre
révéler
souligner
supplier
vouloir savoir si

Ne pas confondre : *demander si* (question) et *demander de* + infinitif ou *que* + subjonctif (ordre).

Il m'a demandé si je venais.
≠ Il m'a demandé de venir.

1 Quels sont les noms qui correspondent aux verbes suivants ?

Exemple : *parler* → *la parole*

a. appeler
b. bavarder
c. calomnier
d. citer
e. commenter
f. discuter
g. exposer
h. exagérer
i. insulter
j. médire
k. mentir
l. se moquer
m. plaisanter
n. prier
o. vanter

Paroles

l'allusion *(f.)*
l'aveu *(m.)*
le bégaiement
le commérage
le cri
la déclaration
le discours
l'engueulade *(f., fam.)*
l'exclamation *(f.)*
l'exposé *(m.)*
l'injure *(f.)*
l'interrogatoire *(m.)*
la promesse
la réplique
le serment

Personnes

bavard
l'interlocuteur *(m.)*
le menteur
moqueur
le négociateur
le vantard

L'EXPRESSION DU TEMPS DANS LE DISCOURS RAPPORTÉ

Discours direct	→	**Discours rapporté**
la semaine dernière	→	la semaine précédente/d'avant
il y a trois jours	→	trois jours avant/auparavant/plus tôt
avant-hier	→	l'avant-veille
hier	→	la veille
aujourd'hui	→	ce jour-là
en ce moment	→	à ce moment-là
ce matin	→	ce matin-là / le matin
ces jours-ci	→	ces jours-là
cette semaine	→	cette semaine-là
ce mois-ci	→	ce mois-là
demain	→	le lendemain
après-demain	→	le surlendemain
dans trois jours	→	trois jours après/plus tard
la semaine prochaine	→	la semaine suivante/d'après

Autres verbes de parole

appeler
bavarder
calomnier
causer
citer
commenter
dévoiler
discuter
exposer
exagérer
formuler
gronder
gueuler
injurier
insulter
interpeller
se lamenter
médire
mentir
se moquer
négocier
nommer
papoter
parler
plaisanter
prêter serment
prier
questionner
réclamer
(se) taire
taquiner
(se) vanter

LE DISCOURS RAPPORTÉ AU PASSÉ

- **présent → imparfait**
  Je pars. → Il a dit qu'il partait.
- **passé composé → plus-que-parfait**
  J'ai lu ce livre. → Il m'a dit qu'il l'avait lu.
- **futur → conditionnel présent**
- **futur antérieur → conditionnel passé**
  Quand j'aurai fini mes études, j'irai au Japon. → Il m'a dit qu'il irait au Japon quand il aurait fini ses études.
- **impératif → infinitif présent**
  Donne-moi ça. → Il m'a demandé de le lui donner.
- **Les autres temps sont inchangés : le conditionnel reste un conditionnel, le subjonctif un subjonctif...**
  Je veux que tu viennes. → Il m'a dit qu'il voulait que je vienne.
- **À noter que l'imparfait peut devenir, dans certains cas, un plus-que-parfait.**
  Hier, j'étais malade mais aujourd'hui je suis guéri. → Il m'a dit qu'il avait été / était malade la veille...

2 Mettez les phrases suivantes au discours rapporté, avec le verbe introducteur au passé.

Exemple : *Je viendrai ce soir à 20 heures. (assurer)*
→ *Il m'a assuré qu'il viendrait à 20 heures ce soir-là.*

a. Tu pourras venir demain soir ? (demander)
b. Si on allait au cinéma ? (proposer)
c. Tu peux fermer la porte ? (demander)
d. C'est sûr, Jean-Pierre ne viendra pas. (confirmer)
e. Comment es-tu venu ? (demander)
f. Oui, c'est vrai, je n'ai pas téléphoné. (reconnaître)
g. Aujourd'hui, nous allons changer de programme. (annoncer)
h. Qu'est-ce que tu veux faire ce soir ? (demander)
i. C'est faux, je n'ai jamais dit cela. (affirmer)
j. Est-ce que vous lui avez téléphoné hier ? (demander)
k. J'aurai fini le travail quand vous arriverez. (promettre)
l. Pouvez-vous parler plus fort ? (demander)
m. Téléphonez à neuf heures précises. (recommander)
n. Comme vous êtes belle avec cette robe ! (s'exclamer)
o. Que je t'aime ! (murmurer)

3 Dans les phrases suivantes, remplacez le verbe *dire* par un autre verbe (plusieurs solutions).

a. Dites-moi à quelle heure nous avons rendez-vous.
b. Et il a dit : « Je je su suis tr très concontent de de vous vous voir ».
c. Vous pouvez dire votre adresse de nouveau ?
d. Elle me disait toujours la même histoire pour m'endormir.
e. Il m'a dit que c'était lui qui s'était trompé.
f. Je ne veux pas vous dire mon secret.
g. Il m'a dit dans le creux de l'oreille qu'il voulait m'épouser.
h. Elle a dit qu'elle allait être candidate aux élections.
i. Tu peux me dire pourquoi tu as fait ça ?
j. Il a dit que ce n'était pas lui le responsable.

RAPPORTER UNE CONVERSATION

PRODUCTION ORALE

1 Tu m'avais dit que...

Choisissez une des situations suivantes et construisez un dialogue.

a. Vous avez prêté un livre rare à un ami. Il l'a abîmé.
b. Vous avez prêté de l'argent à un ami. Vous en avez besoin. Il ne peut pas vous rembourser.
c. Vous avez prêté votre voiture / vélo à un ami. Il a eu un accident / une amende.
d. Vous avez invité un ami à dîner. Il n'est pas venu sans vous prévenir.
e. Vous avez prêté votre appartement. On vous le rend en mauvais état.

1re étape : Reproche, constatation des faits.
2e étape : *Excuse-moi mais...*
3e étape : *Mais tu m'avais dit que...*
4e étape : *Oui, mais...* ou *Non, je ne t'ai jamais dit que...*
5e étape : Conclusion libre.

Les expressions que vous pouvez employer :
Tu te rends compte ?
C'est toujours la même chose avec toi.
On ne peut rien te prêter / confier.
Tu ne changeras jamais.
C'est la dernière fois que...
Tu exagères.

3 Racontez à votre voisin(e)

a. Une visite chez l'astrologue ou la voyante
b. Un entretien d'embauche
c. Un premier rendez-vous

2 Je n'ai jamais dit que...

Choisissez une des situations suivantes et construisez un dialogue.

a. Tu as dit à Catherine que j'étais jalouse d'elle ?
b. Vous avez dit au directeur que j'étais incompétent ?
c. Tu as dit à madame Constant que je n'aimais pas sa cuisine ?
d. Tu as dit à Françoise que j'étais amoureux d'elle ?
e. Tu as dit au professeur que j'avais copié à l'examen ?

1re étape : *Tu as dit que... ?*
2e étape : *Ce n'est pas vrai / tu as mal compris...*
3e étape : *Mais si, c'est lui qui a dit que...*
4e étape : *Mais non, je n'ai jamais dit que..., j'ai peut-être dit que...*
5e étape : Conclusion libre.

Les expressions que vous pouvez employer :
Pas du tout.
C'est faux.
Ce n'est pas vrai.
Je n'ai jamais dit ça.
Ce n'est pas ça.
Tu n'as pas compris.
C'est un léger malentendu.
Ce sont des ragots.

5

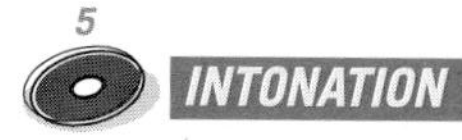

INTONATION

Écoutez les phrases suivantes et dites ce qu'elles signifient. Répétez-les et utilisez-les dans un court dialogue.

UNE RENCONTRE

COMPRÉHENSION ORALE

1re écoute

1. Qui sont les deux personnes qui parlent ? Quel type de relation ont-elles ?
2. Quel est le sujet de la conversation ?
3. À combien de personnes fait-on allusion dans la conversation ? Quels sont leurs prénoms ?

2e écoute

4. Où a-t-elle vu cette personne pour la première fois ?
5. À quelle occasion lui a-t-elle parlé pour la première fois ?
6. Que savez-vous de ce jeune homme ?
7. Vont-ils se revoir ?

VOCABULAIRE

8. Comment comprenez-vous le dernier mot de ce dialogue : *justement* ?
9. Lisez la transcription de ce dialogue p. 199 et retrouvez des équivalents de :

a. un homme
b. fatigué
c. prendre l'initiative de parler à quelqu'un
d. venir vers quelqu'un pour lui parler
e. se moquer de quelqu'un
f. énervant

PRODUCTION ORALE

10. Vous aussi, racontez une rencontre aux autres étudiants.

PRODUCTION ÉCRITE

11. Dès qu'elle est rentrée chez elle, Sylvie s'empresse d'envoyer un courriel à leur amie commune, Annie, pour lui faire part des confidences de Dominique. Sans omettre un détail ! Écrivez ce courriel (150 mots).

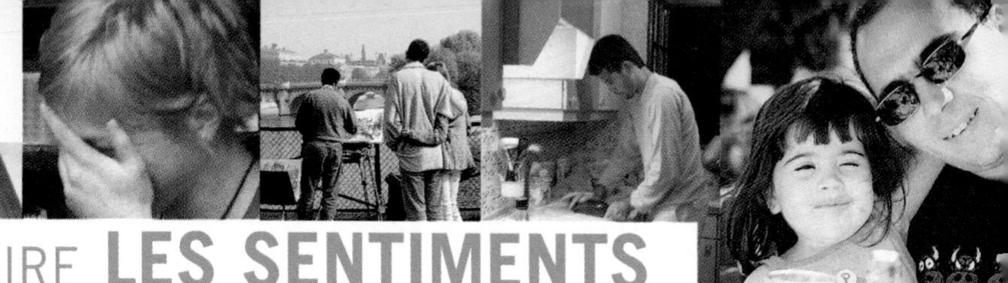

VOCABULAIRE LES SENTIMENTS

Généralités

éprouver
l'état d'esprit *(m.)*
inspirer
manifester
montrer
ressentir
le sentiment
sentir

La colère

fâcher
la fureur
furieux
hors de soi
l'indignation
indigner
la rage

L'énervement

agacer
l'agacement *(m.)*
contrarier
la contrariété
énerver
tendu
la tension

La gêne

l'embarras *(m.)*
embarrasser
embêter *(fam.)*
gêner

L'inquiétude

inquiet
inquiéter
le souci
soucieux

La joie

le bonheur
content
gai
la gaieté
heureux
joyeux
réjouir

La peur

affolé
l'affolement *(m.)*
l'angoisse *(f.)*
angoisser
l'anxiété *(f.)*
anxieux
l'appréhension *(f.)*
craindre
la crainte
effrayant
effrayer
l'épouvante *(f.)*
épouvanter
la frayeur
la frousse *(fam.)*
la panique
paniquer
la terreur
terroriser
le trac
la trouille *(fam.)*

La tristesse

l'abattement *(m.)*
abattu
accablé
l'accablement *(m.)*
amer
l'amertume *(f.)*
attrister
le cafard *(fam.)*
le chagrin
désespérer
le désespoir
la détresse
la douleur
le malheur
malheureux
la mélancolie
mélancolique
la peine
peiner

1 Observez les mots qui expriment la peur : quelle différence de sens ont-ils ? Pouvez-vous les classer par ordre d'intensité ?

2 Observez les mots qui expriment la joie : quelle différence de sens ont-ils ?

3 Observez les mots qui expriment la tristesse : quelle différence de sens ont-ils ?

4 Les substantifs qui expriment un sentiment n'ont pas toujours un verbe correspondant. Dites quelle structure verbale correspond à :

Exemple : *la pitié* → *avoir pitié de* ou *plaindre*

a. le bonheur
b. la peur
c. la confiance
d. le remords
e. le moral
f. la honte
g. la curiosité
h. le chagrin
i. l'indifférence
j. la perplexité

La surprise

la consternation
consterner
étonnant
l'étonnement *(m.)*
étonner
la stupéfaction
stupéfait
stupéfier
surprenant
surprendre

Autres sentiments

blesser
décourageant
le découragement
décourager
la dépression
la déprime
déprimer
la haine
haïr
l'horreur *(f.)*
hostile
l'hostilité *(f.)*
la méfiance
méfiant
se méfier
le mépris
mépriser
la nostalgie
nostalgique
la pitié
plaindre
la préoccupation
préoccuper
la rancune
le remords
la résignation
se résigner
la révolte
révolter
le soulagement
soulager
le soupçon
soupçonner
touchant
toucher
vexer

5 Dites quels sont les contraires de :

a. heureux
b. triste
c. inquiet
d. confiant
e. respectueux
f. tendu
g. rassuré
h. paniqué
i. hostile
j. indifférent

6 Complétez les phrases avec un des mots suivants :

affolement - calme - chagrin - confiance - étonnant - frousse - inquiétude - moral - panique - peur - reconnaissant - remords - révoltant - souci - soulagé - stupéfiant

a. Quand les extra-terrestres ont débarqué dans le magasin, ç'a été la ..... totale.
b. Avant les examens, j'ai toujours la ..... .
c. J'avais peur qu'il n'ait eu un accident. Quand il est rentré, j'ai été ..... .
d. Pas d'..... . Restez calmes. Les secours arrivent.
e. Fais-moi ..... . Je vais réussir.
f. Merci beaucoup pour ce que vous avez fait. Je vous suis ..... .
g. Il y a beaucoup d'hommes qui battent leur femme. C'est ..... .
h. Tu t'es mal comporté avec lui. Tu devrais avoir des ..... .
i. Ça ne va pas bien ce matin. Je n'ai pas le ..... .
j. Je me fais du ..... pour mon fils, il ne travaille pas bien à l'école.

INTONATION

7 Écoutez les phrases suivantes et trouvez-leur un équivalent dans la liste ci-dessous. Puis réutilisez-les dans de courts dialogues.

a. Quelle surprise !
b. C'est ennuyeux mais ça ne fait rien !
c. C'est gênant.
d. Je suis fâché.
e. J'ai peur.
f. C'est incroyable !
g. C'est regrettable.
h. C'est triste.
i. Ne te dérange pas.
j. Je suis ému.

SENTIMENTS

8

COMPRÉHENSION ORALE

Écoutez deux fois l'enregistrement.

1. De quel sentiment chaque personne parle-t-elle ?
2. Qu'est-ce qui provoque ce sentiment ?
3. Comment chacun l'extériorise-t-il ?

3e écoute

Chafia

4. Quels sont les mots synonymes de peur que Chafia emploie ?
5. De quelles périodes parle-t-elle ?

Suzanne

6. Quels sont les mots synonymes de colère que Suzanne utilise ?
7. Relevez les mots que Suzanne emploie pour parler des pauvres.

Jacques

8. Quels mots indiquent que Jacques ne montre pas ses sentiments ?
9. Comment explique-t-il son comportement ?

Bernadette

10. Avec quels mots Bernadette exprime-t-elle son bonheur ?

LETTRES

COMPRÉHENSION ÉCRITE

1. **Une lettre de déclaration d'amour a été malencontreusement déchirée. Essayez de la reconstituer.**

a. *Au contraire, chaque matin quand le soleil s'est levé et que j'observe le ciel bleu azur, j'y rencontre tes yeux.*

b. *Bernadette*

c. *Chaque jour qui passe tu me manques davantage, beaucoup plus que tu ne peux l'imaginer.*

d. *Et finalement tombe la nuit, merveilleux manteau noir où resplendissent les étoiles et la lune, qui ressuscite à ma mémoire le merveilleux souvenir de nos nuits ensemble.*

e. *Et je ne suis plus si triste de notre séparation.*

f. *Il me rappelle le timbre de ta voix qui me caressait les oreilles.*

g. *Le soir, souffle un vent doux qui apporte avec lui une sensation de paix et de tranquillité.*

h. *Mais, peu à peu, j'ai découvert que tu étais presque partout.*

i. *Mon amour,*

j. *Pourtant, quand je pense à nous, si loin l'un de l'autre, il m'arrive de me demander si je fais bien de rêver.*

k. *Reviens vite, mon amour.*

l. *Trois mois sans toi.*

2. **Une lettre de rupture a été rageusement déchirée. Essayez de la reconstituer.**

a. Adieu.

b. Ah que les hommes sont lâches !

c. Alors, c'est moi qui te le dis :

d. Bernadette

e. Déjà six mois que tu es parti, si loin.

f. Il m'a confié que tu menais la grande vie avec une chanteuse de cabaret.

g. Jacques,

h. Je comprends maintenant ton silence.

i. Je n'étais pas sûre de savoir ce que cela signifiait.

j. Mais hier, j'ai rencontré par hasard ton collègue Nicolas.

k. Petit à petit, tes appels et tes lettres se sont espacés.

l. Tu n'as pas eu le courage de m'avouer que je n'étais plus rien pour toi.

3. **Lettre de réconciliation**

Jacques prend connaissance de cette dernière lettre avec stupéfaction. Il aime toujours Bernadette. Écrivez la lettre de réconciliation.

VOCABULAIRE L'AMOUR / L'AMITIÉ

Les sentiments

l'affection *(f.)*
aimer
l'amitié *(f.)*
l'amour *(m.)*
l'attachement *(m.)*
s'attacher à
attirant
attirer
fidèle
la fidélité
infidèle
l'infidélité *(f.)*
la jalousie
jaloux
la passion
passionné
plaire
le plaisir
romantique
la séduction
séduire
la sensualité
la tendresse

Les personnages

l'amant(e)
l'ami(e)
amical
l'amoureux
le copain / la copine
le couple
le coureur *(fam.)*
le dragueur
la maîtresse
le mari
le petit ami / la petite amie

Un peu d'action

l'agence *(f.)* matrimoniale
l'adultère *(m.)*
une aventure
le baiser
la bise
le bisou
la caresse
caresser
le charme
le concubinage
la drague
draguer
embrasser
s'enlacer
les fiançailles *(f.)*
se fiancer
le flirt
flirter
fréquenter
le mariage
se marier
le PACS
se pacser
quitter
la réconciliation
se réconcilier
la relation
rompre
la rupture
la séparation
se séparer
le sexe
la sexualité
sexuel
tromper
l'union libre
volage

Attention ! Si vous dites *mon ami(e)*, *mon copain / ma copine* ou *l'ami(e) de Dominique*, on comprendra *petit(e) ami(e)*. Alors qu'*un ami* ou *une amie* ne sous-entendent que de l'amitié. Par contre, *mon ami Hector* ou *mon amie Suzanne* sont ambigus et peuvent être employés dans les deux cas.

1 Quels sentiments peut-on éprouver lors d'une relation amoureuse ?

2 Complétez l'histoire avec les énoncés ci-dessous. Faites les accords nécessaires.

avoir le coup de foudre - avoir une relation avec - avoir un amant - être un Don Juan - faire l'amour - faire la cour - faire une scène - laisser tomber - se remettre ensemble - sortir avec - tomber amoureux - vivre ensemble

Dès qu'Alain a vu Aline, il (a). Comme il était très romantique, il lui (b), tel un chevalier du Moyen Âge, en espérant qu'elle (c) de lui à son tour. Fou de bonheur, il a commencé à (d) elle : ils allaient au cinéma, au théâtre, au zoo. Elle adorait jeter des cacahuètes aux singes. Mais pas question de (e) avant le mariage, ses parents auraient été choqués. Ils se sont mariés un 12 juin et ont commencé à (f) dans un petit appartement, non loin d'un petit bois, dans une petite ville. Un beau jour, Alain est rentré un peu plus tôt que d'habitude. Il a pris le courrier dans la boîte à lettres. Une lettre adressée à Aline a excité sa curiosité. Fatale décision, il l'a ouverte et il est tombé de haut : Aline (g) ! Elle (h) son moniteur de tennis. À son retour, il lui (i) terrible. Et ils se sont jeté à la tête leurs quatre vérités : à son tour, elle l'a accusé d'(j) et de la tromper avec toutes ses collègues de bureau, alors qu'il prétendait qu'il faisait des heures supplémentaires. Fou de jalousie, il a claqué la porte et (k) Aline. Mais après quelques semaines, ils se sont pardonné et (l) en se promettant de ne plus recommencer.

Colin et Chloé

Colin, debout au coin de la place, attendait Chloé. La place était ronde et il y avait une église, des pigeons, un square, des bancs, et, devant, des autos et des autobus, sur du macadam. Le soleil aussi attendait Chloé, mais lui pouvait s'amuser à faire des ombres, à faire germer des graines de haricot sauvage dans les interstices adéquats, à pousser des volets et rendre honteux un réverbère allumé pour raison d'inconscience de la part d'un Cépédéiste[1].

Colin roulait le bord de ses gants et préparait sa première phrase. Celle-ci se modifiait de plus en plus rapidement à mesure qu'approchait l'heure. Il ne savait pas que faire avec Chloé. Peut-être l'emmener dans un salon de thé, mais l'atmosphère y est, d'ordinaire, plutôt déprimante, et les dames goinfres de quarante ans qui mangent sept gâteaux à la crème en détachant le petit doigt, il n'aimait pas ça. Il ne concevait la goinfrerie que pour les hommes, chez qui elle prend tout son sens sans leur enlever leur dignité naturelle. Pas au cinéma, elle n'acceptera pas. Pas au députodrome, elle n'aimera pas ça. Pas aux courses de veaux, elle aura peur. Pas à l'hôpital Saint-Louis, c'est défendu. Pas au musée du Louvre, il y a des satyres derrière les chérubins[2] assyriens. Pas à la gare Saint-Lazare, il n'y a plus que des brouettes et pas un seul train.

– Bonjour !...

Chloé était arrivée par-derrière. Il retira vite son gant, s'empêtra dedans, se donna un grand coup de poing dans le nez, fit « Ouille !... » et lui serra la main. Elle riait.

– Vous avez l'air bien embarrassé !...

Un manteau de fourrure à longs poils, de la couleur de ses cheveux, et une toque en fourrure aussi, et de petites bottes courtes à revers de fourrure. Elle prit Colin par le bras.

– Offrez-moi le bras. Vous n'êtes pas dégourdi, aujourd'hui !...

– Ça allait mieux la dernière fois, avoua Colin.

Elle rit encore, et le regarda et rit de nouveau encore mieux.

– Vous vous moquez de moi, dit Colin, piteux. C'est pas charitable.

– Vous êtes content de me voir ? dit Chloé.

– Oui !..., dit Colin.

Ils marchaient, suivant le premier trottoir venu. Un petit nuage rose descendait de l'air et s'approchait d'eux.

– J'y vais ! proposa-t-il.

– Vas-y, dit Colin...

Et le nuage les enveloppa. À l'intérieur, il faisait chaud et ça sentait le sucre, à la cannelle.

– On ne nous voit plus ! dit Colin... Mais nous, on les voit !...

– C'est un peu transparent, dit Chloé. Méfiez-vous.

– Ça ne fait rien, on se sent mieux tout de même, dit Colin. Que voulez-vous faire ?...

– Juste se promener... Ça vous ennuie ?

– Dites-moi des choses, alors...

–Je ne sais pas de choses assez bien, dit Chloé. On peut regarder les vitrines. Regardez celle-ci !... C'est intéressant.

Boris VIAN, *L'Écume des jours,* 1947.

1. Cépédéiste : employé de la Compagnie Parisienne de Distribution d'Électricité (mot inventé par Vian). – 2. chérubin (en sculpture ou en peinture) : tête d'enfant avec des ailes.

COMPRÉHENSION ÉCRITE

1. Que raconte cet extrait de *L'Écume des jours* ?

2. Qui sont les personnages ?
Comment Boris Vian les présente-t-il ?
Où en est leur relation avant cette rencontre ?

3. Quel est l'état d'esprit de Colin avant l'arrivée de Chloé ?

4. Quelle est l'atmosphère de cette scène ?

5. Quel est le ton de ce texte ?
Donnez des exemples.

6. Comment Boris Vian décrit-il les lieux où se passe l'action ?

VOCABULAIRE

7. Quels sont les mots ou expressions qui apportent un effet comique ?

Ma plus belle histoire d'amour

Du plus loin que me revienne
L'ombre de mes amours anciennes,
Du plus loin, du premier rendez-vous,
Du temps des premières peines,
Lors, j'avais quinze ans à peine,
Cœur tout blanc et griffes aux genoux,
Que ce fût, j'étais précoce,
De tendres amours de gosse,
Ou les morsures d'un amour fou,
Du plus loin qu'il m'en souvienne,
Si, depuis, j'ai dit « je t'aime »,
Ma plus belle histoire d'amour, c'est vous.

C'est vrai, je ne fus pas sage,
Et j'ai tourné bien des pages
Sans les lire, blanches, et puis rien dessus,
C'est vrai, je ne fus pas sage,
Et mes guerriers de passage,
À peine vus, déjà disparus,
Mais à travers leurs visages,
C'était déjà votre image,
C'était vous, déjà, et le cœur nu,
Je refaisais mes bagages
Et poursuivais mon mirage,
Ma plus belle histoire d'amour, c'est vous.

Sur la longue route
Qui menait vers vous,
Sur la longue route,
J'allais le cœur fou,
Le vent de décembre
Me gelait au cou,
Qu'importait décembre,
Si c'était pour vous.

Elle fut longue la route,
Mais je l'ai faite, la route,
Celle-là qui menait jusqu'à vous,
Et je ne suis pas parjure,
Si ce soir je vous jure
Que, pour vous, je l'eus faite à genoux
Il en eut fallu bien d'autres,
Que quelques mauvais apôtres,
Que l'hiver ou la neige à mon cou,
Pour que je perde patience,
Et j'ai calmé ma violence,
Ma plus belle histoire d'amour, c'est vous.

Les temps d'hiver et d'automne,
De nuit, de jour et personne,
Vous n'étiez jamais au rendez-vous,
Et de vous perdant courage,
Soudain me prenait la rage,
Mon Dieu, que j'avais besoin de vous,
Que le Diable vous emporte,
D'autres m'ont ouvert la porte,
Heureuse, je m'en allais loin de vous,
Oui, je vous fus infidèle,
Mais vous revenais quand même,
Ma plus belle histoire d'amour, c'est vous.

J'ai pleuré mes larmes,
Mais qu'il me fut doux,
Oh ! Qu'il me fut doux
Ce premier sourire de vous,
Et pour une larme qui venait de vous
J'ai pleuré d'amour, vous souvenez-vous ?

Ce fut un soir en septembre,
Vous étiez venus m'attendre,
Ici même, vous en souvenez-vous ?
À vous regarder sourire,
À vous aimer sans rien dire,
C'est là que j'ai compris tout à coup,
J'avais fini mon voyage,
Et j'ai posé mes bagages,
Vous étiez venus au rendez-vous,
Qu'importe ce qu'on peut en dire,
Je tenais à vous le dire

Ce soir, je vous remercie de vous
Qu'importe ce qu'on peut en dire,
Je suis venue pour vous dire
Ma plus belle histoire d'amour,
C'est vous.

Paroles et musique : Barbara (1966).
Photo : Barbara à l'Olympia, 08/02/1978.

9

COMPRÉHENSION ORALE

1re écoute
Écoutez cette chanson que Barbara a écrite en hommage à son public.

1. Quel est le thème de cette chanson ?
2. Notez les mots que vous avez compris et, en groupe, essayez de reconstituer la trame de la chanson.

2e écoute

3. Quelles périodes de sa vie évoque-t-elle ?
4. Par quels sentiments la chanteuse passe-t-elle ?

VOCABULAIRE

5. Quelle image donne *cœur tout blanc et griffes aux genoux* (l. 6) ?
6. Quelles sont *ces pages blanches, et puis rien dessus* (l. 15) ?
7. Qui sont *ces guerriers de passage* (l. 17) ?

VOCABULAIRE • GRAMMAIRE

LES MOTS DE LIAISON

Introduction

d'abord
tout d'abord
avant tout
premièrement
en premier lieu

Cadrer

à ce sujet
à ce propos
en ce domaine
du point de vue de
dans ce cas
dans le cadre de
quant à

Ajouter

ensuite
après
puis
de plus
en plus
en outre
par ailleurs
d'une part... d'autre part
autre aspect de
enfin

Exprimer une alternative

d'un côté... , de l'autre...
ou... ou...
ou bien... ou bien...
soit... soit...

Généraliser

d'une façon générale
en général
globalement
en règle générale

Justifier

d'ailleurs
par exemple
justement
la preuve (c'est que)
ça prouve que
ça montre que
ça confirme que

Opposition

mais
cependant
néanmoins
pourtant
toutefois
or
d'un autre côté
par contre
en revanche
tout de même
quand même

Préciser

en fait
en réalité
à vrai dire
autrement dit
en d'autres termes
en un mot

Conclusion

en tout cas
de toute façon
cela étant
cela dit
quoi qu'il en soit
après tout
en définitive
finalement
en somme
somme toute
en fin de compte
après réflexion
(en) bref
en conclusion
en résumé

1 Placez le mot manquant. Puis faites une phrase avec les mots de liaison non utilisés.

a. Elle m'a donné rendez-vous mais ..... elle a tout annulé. (enfin / ensuite / puis)

b. Je ne voulais pas aller au cinéma mais ..... j'ai rejoint mes amis. (enfin / en somme / finalement)

c. Je déteste Amélie. ..... je ne lui dis jamais bonjour. (d'ailleurs / justement / par ailleurs)

d. Elle croyait qu'il ne l'aimait pas, ... il était seulement timide. (en effet / en fait / en outre)

e. Ah te voilà ! ..... je pensais à toi. (en tout cas / justement / tout de même)

f. Tu es encore ici ? ..... tu m'avais dit que tu partais de bonne heure. (or / par contre / pourtant)

2 Placez les mots manquants.

actuellement - ainsi - alors - certes - contrairement - en effet - mais - mais aussi - quant - somme toute

On assiste (a) à un boom spectaculaire des sites de rencontre sur Internet. (b), quatre millions de Français se connectent chaque mois pour trouver l'homme ou la femme de leur vie. Les raisons de ce succès : la solitude, la timidité (c) le manque de temps. (d), ce sont plutôt les citadins, pris entre travail et transports, qui ont adopté cette méthode de rencontre. (e) aux ruraux, qui sont pourtant plus isolés, ils sont encore réticents à utiliser Internet (f) à leurs homologues helvétiques ou hollandais. Les adeptes des sites de rencontre ne sont (g) pas tous malheureux, (h) ils veulent avancer plus vite dans une relation. (i), c'est un moyen comme un autre de briser la solitude. (j), bonne chance à toutes et tous !

3 Complétez les phrases suivantes.

a. Je n'aime pas beaucoup Joël, en revanche...
b. Il a l'air triste, cependant...
c. Je pensais qu'elle ne viendrait pas, en fin de compte...
d. Elle est très occupée en ce moment, néanmoins...
e. Il a refusé de me recevoir. Autrement dit...
f. Il est toujours de mauvaise humeur. Cela dit...

JEU : amour et noms d'animaux

Savez-vous que les Français n'hésitent pas à appeler amoureusement l'homme ou la femme de leur vie par des noms d'animaux (par exemple : *mon lapin*) ? Retrouvez-en d'autres dans la liste suivante.

1. l'âne
2. la biche
3. la caille
4. le canard
5. le chaton
6. le chien
7. le dauphin
8. l'éléphant
9. le loup
10. l'ours
11. le poisson
12. le poussin
13. la puce
14. la tortue
15. la vache

ATELIERS

1

Journal intime

La classe est divisée en plusieurs groupes. Chaque groupe rédige une page d'un journal intime. Chaque page est une étape de l'histoire d'amour d'un même personnage. Ensemble, vous déciderez de son identité, de son âge, de sa profession. Écrivez à la première personne.

Première étape : la rencontre amoureuse.

Deuxième étape : le premier rendez-vous.

Troisième étape : les premières vacances ensemble.

Quatrième étape : la première dispute.

Cinquième étape : la demande en mariage.

2

Test de personnalité

Chaque groupe de trois ou quatre étudiants va élaborer pour un magazine un test de personnalité de type QCM (par exemple : *Êtes-vous colérique ? / Êtes-vous jaloux ? / Qu'est-ce qui vous rend heureux ?...*)

1. Chaque groupe choisit un thème différent et élabore un questionnaire. Les questions doivent être accompagnées de trois réponses possibles.

   Exemple pour un test sur la colère :

   Votre petit(e) ami(e) a 20 minutes de retard à un rendez-vous. Que faites-vous ?
   A. Vous lui faites des reproches.
   B. Vous ne dites rien.
   C. Vous êtes déjà parti(e).

2. Le groupe rédige le résultat du test : un portrait qui correspond aux réponses données.
   Si vous avez une majorité de A : vous êtes colérique, B : vous êtes..., C : ...

3. Chaque groupe fait passer son test à la classe (activité orale).

3

Article sur un thème de société

Chaque groupe d'étudiants doit écrire pour un magazine un article sur un thème de société concernant les sentiments *(Qu'est-ce qui vous fait peur ? / La fidélité / Qu'est-ce qui vous énerve dans la vie ?...)*

1. Choix des questions.

2. Interview de trois ou quatre personnes (des étudiants de la classe ou des personnes extérieures).

3. Rédaction de l'article et affichage dans la classe.

PRÉPARATION AU DELF B2

compréhension des écrits

Durée de l'épreuve : 1 heure.
Note sur 25.

L'homme idéal existe-t-il ?

Les hommes d'aujourd'hui... presque des hommes idéaux

L'homme incapable de montrer ses sentiments, indifférent à l'épanouissement de sa compagne et incapable de s'investir dans la vie familiale et quotidienne est peut-être en voie de disparition. C'est en tout cas ce que semblent dire les femmes, qui pour une large majorité d'entre elles estiment que les hommes aujourd'hui savent suffisamment se montrer affectueux ou tendres avec ceux qu'ils aiment (65 %), respecter la liberté et le jardin secret de leur compagne (63 %) et dans une moindre mesure s'occuper des enfants au quotidien (58 %), soutenir et pousser leur compagne dans leur carrière (55 %) et s'impliquer dans les tâches ménagères (52 %). Si l'homme idéal est celui qui accomplit toutes ces tâches, alors il ne relève peut-être plus du fantasme mais bel et bien d'une réalité

Mais tout n'est pas encore gagné... Une forte proportion de femmes jugent encore insuffisants les efforts de ces messieurs concernant l'implication quotidienne auprès des enfants (41 %), le soutien dans leur carrière (41 %) et surtout l'implication dans les tâches ménagères (47 %). Notons même que plus une femme a d'enfants, moins elle est satisfaite de l'implication des hommes auprès des enfants : si 64 % des mères de famille qui ont un enfant jugent les efforts des hommes suffisants dans ce domaine, elles ne sont plus que 54 % à penser de même quand elles ont deux enfants et 47 % quand elles en ont trois. Faire des efforts lors de la venue du premier enfant, c'est bien, mais poursuivre pour les suivants, c'est encore mieux ! L'image de la femme mère de famille qui gère le quotidien tandis que l'homme mène sa carrière tambour battant n'est pas encore totalement révolue et il reste du chemin à parcourir aux hommes s'ils veulent satisfaire pleinement les femmes et s'enorgueillir de frôler la perfection. Arriveront-ils à devenir des fées du logis, soulager leur compagne dans l'éducation des enfants et accepter de faire des sacrifices professionnels pour permettre à leur moitié de réussir sa carrière ? À bon entendeur...

Plus sérieusement, les femmes d'aujourd'hui éprouvent de plus en plus fortement le besoin de s'épanouir au sein de leur vie professionnelle, au même titre que les hommes et sans que les nécessités de la vie quotidienne ne deviennent un fardeau et un frein à leur carrière. Dès lors, n'est-il pas compréhensible qu'elles expriment aussi de fortes attentes vis-à-vis de tout ce qui leur permettrait de gérer plus facilement leur vie familiale et leur vie professionnelle, et plus spécifiquement une plus forte implication des hommes dans la gestion de la vie quotidienne ?

La jeune génération semble avoir pris conscience de l'enjeu. Les jeunes femmes d'aujourd'hui considèrent le plus souvent que les hommes en font « beaucoup plus » aujourd'hui par rapport aux générations précédentes.

Signe que les hommes d'aujourd'hui semblent plus impliqués qu'autrefois, les femmes de moins de 35 ans sont nettement plus nombreuses que celles qui ont plus de 35 ans à estimer que les hommes se montrent suffisamment tendres avec ceux qu'ils aiment (82 % des moins de 35 ans sont d'accord contre seulement 57 % des plus de 35 ans), respectent suffisamment leur jardin secret (76 % contre 57 %), et les poussent suffisamment dans leur carrière (61 % contre 51 %). Mais l'exigence des jeunes femmes n'est pas encore totalement satisfaite… le gros point noir demeurant, encore et toujours, l'implication des hommes dans les tâches ménagères : une majorité de femmes de moins de 35 ans (57 %) estime que leurs efforts dans ce domaine sont encore insuffisants. Les trois quarts (73 %) de celles qui ont entre 15 et 19 ans partagent même ce point de vue ! Au contraire, leurs aînées de plus de 35 ans, plus indulgentes – ou plus résignées ? – estiment majoritairement (56 %) qu'ils font suffisamment d'efforts.

On se retrouve alors face à un paradoxe intéressant. Les hommes ont beaucoup changé. Ils s'impliquent de plus en plus dans la vie domestique et familiale (comme ils ne l'avaient très certainement jamais fait auparavant) mais dans le même temps les jeunes femmes expriment des attentes qui vont très certainement au-delà de ce que leurs compagnons font aujourd'hui. Il est très probable que derrière ce phénomène, se joue aussi une partie de l'avenir du débat sur la parité. La jeune génération estime de plus en plus que chacun au sein du couple doit pouvoir assumer tous les rôles (gestion de la vie quotidienne, tâches ménagères, courses, éducation des enfants…). Le maître mot est l'épanouissement personnel (dans la famille et dans le travail).

Son homme… l'homme idéal ?

Mais que les hommes se rassurent… S'ils ne sont pas encore parfaits, ils continuent de peser dans la vie des femmes. Et sans complexe d'Œdipe inversé. Pour la moitié des femmes (49 %), c'est leur compagnon qui compte ou a le plus compté dans leur vie, loin devant leur père (19 %) ou leur fils (13 %). Pas de quoi être jaloux non plus, puisque seule une petite minorité des répondantes indique qu'elle a été principalement marquée par son premier amour (7 %) ou son meilleur ami (5 %). L'âge encore une fois est une variable déterminante : les femmes de moins de 35 ans, peut-être moins installées en couple ou pas encore mères, citent davantage leur père (31 %) que les femmes de plus de 35 ans (14 %) qui elles citent beaucoup plus leur compagnon (54 % contre 39 % des moins de 35 ans). Notons que, pour les mères qui ont au moins un enfant, leur fils arrive en seconde position (21 %) après leur compagnon.

Christelle CRAPLET, L'enquête Ipsos-Côté Femme – ipsos.fr, 19/09/2005.

COMPRÉHENSION ÉCRITE D'UN TEXTE INFORMATIF

1. **Cochez *Vrai* (V), *Faux* (F) ou *On ne sait pas* (?) et justifiez votre réponse en citant un passage du texte. *(5 points)***

Selon ce sondage :

	V	F	?
a. Les pères de famille nombreuse participent mieux à l'éducation des enfants que les hommes qui n'ont qu'un enfant.			
b. Pour les femmes, la réussite au travail a de plus en plus d'importance.			
c. Les jeunes femmes sont plus exigeantes que les femmes mûres en ce qui concerne le partage des tâches ménagères.			
d. La participation des hommes aux tâches ménagères est stable depuis plusieurs années.			
e. Pour les mères, le fils aîné a plus d'importance que le cadet.			

2. **Avec vos propres mots, répondez aux questions suivantes. *(10 points)***

D'après ce sondage :

a. Faites le portrait de l'homme idéal.

b. Les hommes ont-ils changé ?

c. Les femmes doivent-elles choisir entre leur carrière et leur vie familiale ?

d. Quels sont les principaux changements que les femmes attendent de la part des hommes ?

e. L'opinion des femmes évolue-t-elle avec l'âge ?

3. **Reformulez les énoncés soulignés. *(10 points)***

a. *Respecter la liberté et le jardin secret de leur compagne.* (l. 12)

b. *L'homme mène sa carrière tambour battant.* (l. 49)

c. *Arriveront-ils à devenir des fées du logis ?* (l. 55)

d. *Sans que les nécessités de la vie quotidienne ne deviennent un fardeau et un frein à leur carrière.* (l. 66)

e. *Le gros point noir demeurant l'implication des hommes dans les tâches ménagères.* (l. 99)

MÉDIAS
UNITÉ 3

- Comprendre un bulletin d'informations radiodiffusé
- Comprendre une critique d'émission de télévision
- Choisir une émission de télévision
- Expliquer ses goûts et ses choix en matière de presse et de télévision
- Faire des commentaires sur des nouvelles
- Raconter un fait dont on a été témoin
- Souligner ce qui est important dans un événement
- Écrire un court article

- Vocabulaire de la presse et de la télévision
- L'expression de la cause et de la conséquence
- Le passif

« La liberté de la presse ne s'use que quand on ne s'en sert pas. »

Le Canard Enchaîné (hebdomadaire satirique)

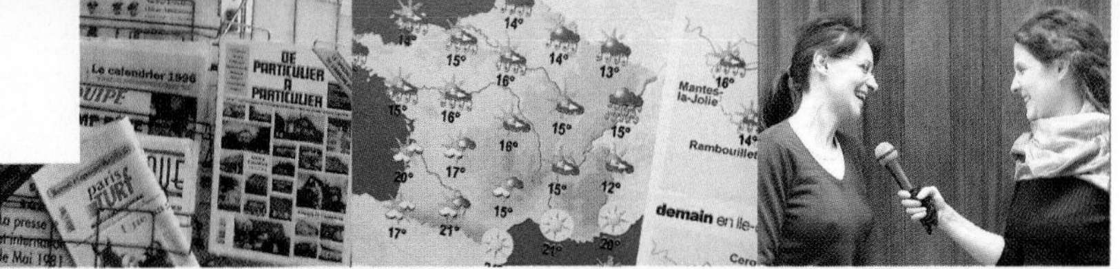

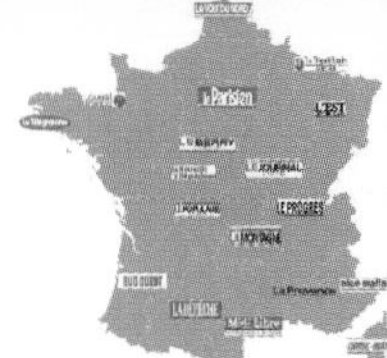

Les mystères du pianiste

Imposteur acharné ou génie atteint de troubles mentaux ? Celui qu'on a surnommé « Piano Man » fascine le monde entier. Reportage.

« *Hey, look, there is a Tokyo television now... This is really bizarre, no...?* » Flanqué de deux journalistes japonais, ce reporter du *Sheerness Times Guardian* déboule, hilare, dans sa salle de rédaction. L'homme a du mal à comprendre l'emballement de ses confrères pour cette énigmatique affaire du « Piano Man ». À Sheerness, sur l'île de Sheppey, triste port du sud-est de l'Angleterre battu par les vents et défiguré par les installations industrielles, les habitants hésitent entre compassion, désolation et franche rigolade. Depuis qu'a été rendue publique l'histoire de ce mystérieux pianiste surgi de nulle part, un beau jour, sur une plage anglaise, en tenue de concert, trempé jusqu'aux os, des journalistes accourent du monde entier pour tenter d'y voir plus clair sous le crachin britannique.

Qui est cet homme ? D'où vient-il ? Que veut-il ? L'intéressé ne laisse rien transparaître, se bornant, depuis un mois et demi, à ne donner de lui que quelques notes de musique. « *Il ne parle pas ; il fait même très peu de bruit* », confie au *Point* un responsable du West Kent National Health Service, qui a pris en charge l'individu.

« *Il ne marche jamais droit,* a précisé le travailleur social qui le suit, Michael Camp, aux journalistes de *The Observer*, le supplément dominical du *Guardian*. *S'il entre dans une pièce, il ne la traversera pas. Il en fera le tour, gardant le dos près du mur.* » L'homme paraît tétanisé par le contact avec autrui. « *Il est pétrifié par les gens* », dit même Michael Camp. Observations corroborées par Mike Gunnill, photographe free-lance qui a réalisé, le 6 mai, pendant trois heures, les seuls clichés du mystérieux pianiste existants. « *Quand il voit quelqu'un de nouveau, il crie et pleure comme un bébé,* raconte le reporter au Point. *Pendant que je le photographiais, il regardait partout, comme s'il voyait le monde pour la première fois. S'il était un imposteur, il serait le meilleur acteur que j'aie jamais vu. Il marche comme s'il était un homme important. On a l'impression qu'il entre en scène...* »

L'affaire a commencé par la publication, le 5 mai, en page 7 du *Sheerness Times Guardian*, d'un bref avis de recherche quelque peu particulier. L'article fait état de la découverte par la police, au petit matin du jeudi 7 avril, soit un mois plus tôt, d'un individu qui paraît amnésique. À côté d'une photo floue de l'intéressé, la notice est rédigée de la manière suivante : « *Cet homme doit avoir entre 20 et 30 ans. Il mesure approximativement 6 pieds et porte ce qui ressemble à des cheveux blonds teints ou irrégulièrement gris et a des yeux marron clair. Quand il a été trouvé, il était vêtu d'un costume noir, d'une cravate noire et d'une chemise blanche. Un porte-parole de l'hôpital dit : "Le seul indice est qu'il peut jouer et lire la musique classique sur un piano".* » L'information laisse de marbre la population locale. « *Sur nos 27 000 lecteurs, nous n'avons reçu aucune réaction,* affirme la rédactrice en chef de l'hebdomadaire, Gemma Constable. *Puis les médias nationaux se sont emparés de l'histoire et les coups de fil ont commencé à affluer...* »

Un scénario de cinéma. Déjà, certains voient en lui « l'homme sans passé », le héros du film éponyme du Finlandais Kaurismäki, ou encore David Helfgott, ce pianiste australien souffrant de graves troubles psychologiques dont l'incroyable destin fut porté à l'écran par le cinéaste Scott Hicks, dans *Shine*. Sur l'île de Sheppey, « Piano Man » tient la vedette aux débats du White House Pub. Et pour cause : les clients de cet établissement sont aux premières loges. Enfin, ils auraient pu... C'est devant cette taverne, à l'entrée du bourg résidentiel et atone de Minster, à 2 miles du centre de Sheerness, que l'homme a été trouvé, marchant sans but, mouillé des pieds à la tête. Détail troublant : toutes les étiquettes de ses vêtements avaient été arrachées...

Cet homme, Debbie, vendeuse dans un magasin d'alimentation de Sheerness, attablée devant une pinte au White House, est sûre de l'avoir déjà vu... « *Il est passé dans notre boutique,* lâche-t-elle. *Il n'a rien acheté mais il regardait partout. Il donnait l'impression de ne pas penser, mais d'observer seulement.* » L'affaire fait causer la clientèle, mais n'impressionne pas outre-mesure le patron du pub, Mike McAlister. Il a son explication. « *Nous sommes situés à mi-chemin du Channel et de l'embouchure de la Tamise, qui mène vers Londres,* souligne-t-il, désignant les navires marchands qui croisent au large. *Cet homme devait faire partie d'un groupe de clandestins. On en voit passer beaucoup par ici... Des passeurs étaient chargés de les convoyer vers le rivage, ils ont été surpris par une vedette de la police, et ils les ont jetés à la mer...* »

Reste à savoir qui se cache derrière ce « Mister X »... Un musicien professionnel de talent, un génie atteint de troubles mentaux ou, plus prosaïquement, un imposteur suffisamment acharné pour mener en bateau corps médical, services sociaux et enquêteurs ? Une fois découvert, l'homme est d'abord hospitalisé au Medway Maritime Hospital de Gillingham. Pendant une semaine. Puis on l'envoie dans un centre de soins pour santé mentale, d'où il s'enfuit. Retrouvé par la police, il réintègre l'hôpital de Gillingham. « *Il a été examiné par beaucoup de médecins, et il semble atteint d'une maladie mentale sérieuse,* affirme au *Point* Quentin Stuart, porte-parole du Medway Maritime Hospital. *Il a peut-être subi un gros traumatisme, ou bien il est malade depuis la naissance, peut-être autiste...* »

C'est quand on lui a tendu un stylo et une feuille de papier afin d'obtenir quelques pistes sur son identité que l'homme s'est, pour la première fois, exprimé. Il s'est mis à dessiner un piano à queue, avec une méticulosité rare. On le conduit à la chapelle du Medway Hospital. Il s'assied au piano, et il joue. Des morceaux de Tchaïkovski, notamment. Pendant quatre heures. « *Il aime jouer ce que j'appellerais de la musique d'humeur, en suivant les mouvements de la nature, sans débuts ni conclusions définis* », a raconté à un quotidien local, le *Dartford Times*, le chapelain de l'hôpital, Canon Alan Amos, l'un des rares à avoir assisté à ce « concert » particulier. Et celui-ci de préciser : « *Jouer du piano semble être la seule façon pour lui de contrôler ses nerfs et de se relaxer. Quand il joue, il met tout le reste de côté...* »

Depuis que l'affaire a été rendue publique, la permanence du service des personnes disparues est assaillie de coups de fil et d'e-mails. « *On nous appelle de partout, même du Michigan* », dit Quentin Stuart. Mais difficile d'en savoir davantage... Le West Kent NHS and Social Care Trust délivre les informations au compte-gouttes.

Au Little Brook Hospital, discret établissement d'un faubourg verdoyant de Dartford, à une poignée de miles de Londres, où le mystérieux pianiste a été transféré, les journalistes sont poliment éconduits. Le patient est à l'isolement. Il dispose d'un clavier électronique dans sa chambre et n'accepte pour seuls cadeaux que des partitions ou des photos de pianos. Dans cette unité psychiatrique, le désormais fameux « Piano Man » reste prisonnier de ses secrets. ■

Jérôme CORDELIER, *Le Point*, 26/05/2005.

COMPRÉHENSION ÉCRITE

1. Pouvez-vous résumer en quelques phrases le contenu de cet article ?

2. Relevez dans l'article tous les éléments qui décrivent ce mystérieux pianiste. Quelle impression donnent-ils ? La photo correspond-elle à l'image donnée par le journaliste ? Pourquoi ?

3. Pouvez-vous rétablir la chronologie des événements ?

4. Quels sont les éléments qui suggèrent le mystère ?

5. Quelle image le journaliste donne-t-il du village? Auriez-vous envie d'y passer des vacances ?

6. Quelle est la réaction des habitants locaux ?

7. Quelles sont les diverses explications évoquées?

8. Quel est « l'emballement » dont parle l'auteur de l'article ? Quels sont les mots ou expressions qui le suggèrent ?

9. Quel est le ton de l'article ?

VOCABULAIRE

10. Faites correspondre les mots suivants et leurs synonymes.

a. *corroborer* (l. 45)	**1.** accompagner
b. *débouler* (l. 6)	**2.** arriver rapidement
c. *éconduire* (l. 206)	**3.** confirmer
d. *flanquer* (l. 3)	**4.** immobiliser
e. *pétrifier* (l. 44)	**5.** repousser
f. *réintégrer* (l. 155)	**6.** revenir

11. Cherchez dans le texte des équivalents de :
a. inventer une histoire, tromper
b. être le témoin privilégié de quelque chose
c. ne donner qu'un petit nombre
d. ne pas provoquer de réaction
e. très mouillé

PRODUCTION ORALE

12. À votre avis, quelle est l'explication de ce mystère ?

13. L'emballement médiatique vous paraît-il justifié?

14. Ce genre d'article vous intéresse-t-il ?

CIVILISATION LA PRESSE FRANÇAISE

PRINCIPAUX JOURNAUX ET MAGAZINES FRANÇAIS D'ACTUALITÉ

LA PRESSE QUOTIDIENNE NATIONALE

Libération

Le Monde

Le Figaro

l'Humanité

Aujourd'hui en France

La Croix

Les Échos (presse économique)

La Tribune (presse économique)

L'Équipe (sports)

LA PRESSE QUOTIDIENNE RÉGIONALE

Le Parisien

Ouest France

LA PRESSE D'ACTUALITÉS GÉNÉRALES

Le Nouvel Observateur

Le Point

L'Express

Marianne

Politis

VSD

Paris Match

Courrier International (presse internationale)

QUELQUES MAGAZINES SPÉCIALISÉS

Alternatives économiques (presse économique)

L'Expansion (presse économique)

Télérama (télévision)

Elle (presse féminine)

La presse quotidienne régionale et nationale

Les journaux paraissent le matin ; seuls *Le Monde* et *La Croix* sortent l'après-midi. Ils ont, pour la plupart, une couleur politique même si le ton général est assez neutre, à l'exception de l'éditorial et des pages opinions.
Le journal régional *Ouest France* a le plus gros tirage quotidien (près de 800 000 exemplaires). *Le Parisien,* qui propose une édition nationale *Aujourd'hui en France*, arrive en deuxième position avec ses 500 000 exemplaires vendus chaque jour et ses deux millions de lecteurs.
L'Équipe (quotidien sportif) arrive en tête des quotidiens nationaux avec 350 000 exemplaires vendus en 2004.
Vient ensuite *Le Monde*, quatrième tirage français avec ses 330 000 acheteurs, suivi du *Figaro*, du *Journal du Dimanche*, de *Libération*, des *Échos*, de *La Croix*, de *La Tribune* et de *l'Humanité.*
Les grands titres de la presse régionale (*La Voix du Nord, Sud Ouest, Le Progrès,* etc.) dominent dans leur région respective et le tirage de certains d'entre eux tels que *La Voix du Nord* ou *Sud Ouest* dépasse le tirage des grands journaux nationaux que sont *Le Figaro* et *Libération.*
Avec environ 7 millions d'exemplaires vendus quotidiennement, soit plus de 20 millions de lecteurs, la presse quotidienne régionale est donc le premier média national.
Depuis 2002, la presse gratuite d'information a fait son apparition et sa diffusion ne cesse de progresser. Les éditions de *Métro* et *20 minutes* sont les plus distribuées.

D'après : Observatoire Français des Médias
http://www.observatoire-medias.info

Quelques titres de la presse quotidienne régionale

VOCABULAIRE LA PRESSE

La communication

communiquer
l'information *(f.)*
le moyen d'information
le média
les média(s)
la médiatisation
médiatique
multimédia
la censure
la presse libre
la liberté d'information

1 Faites correspondre ces mots et leur définition.

a. la manchette
b. la une
c. le tirage
d. la dépêche
e. le billet
f. l'entrefilet
g. le feuilleton

1. la première page d'un quotidien
2. le nombre d'exemplaires imprimés
3. un bref article
4. une histoire à suivre
5. une information provenant d'une agence
6. un titre en gros caractères à la première page

2 Que signifient ces expressions ?

a. un canard
b. la rubrique des chiens écrasés
c. une feuille de chou
d. la presse du cœur
e. avoir bonne presse
f. à la une

La presse

le journal
le magazine
le périodique
la presse à scandale
la presse féminine
la publicité
la revue
local
régional
le quotidien
l'hebdomadaire *(m.)*
le mensuel
l'agence (de presse) *(f.)*
la dépêche
la diffusion
le tirage
le lecteur / la lectrice
le lectorat

l'abonnement *(m.)*
s'abonner

Les types d'articles / les parties d'un journal

l'article *(m.)*
la bande dessinée
le billet
la caricature
la chronique
la colonne
couvrir
le débat
le dessin
l'éditorial *(m.)*
l'enquête *(f.)*
l'entrefilet *(m.)*
l'entretien *(m.)*
le feuilleton
l'interview *(f.)*
la légende
la manchette
la photo
le reportage
la rubrique
le sommaire
le sondage
les sources *(f.)*
le supplément
le titre / les gros titres
la une

Les rubriques

culture
économie
économique et social
faits divers
jeux
météo
petites annonces
politique française
politique internationale
social
société
spectacles
sports

LA PRESSE ET VOUS

PRODUCTION ORALE

1. Lisez-vous un quotidien ? À quelle fréquence? L'achetez-vous, êtes-vous abonné ou le consultez-vous sur Internet ?
2. Si oui, pourquoi lisez-vous ce journal ? Si non, pourquoi ?
3. Quelles sont vos rubriques favorites ?
4. Comment pourriez-vous caractériser les quotidiens ou magazines que vous lisez (forme, lectorat, tendance politique...) ?
5. Connaissez-vous des journaux ou des magazines français ? Lesquels ?
6. Voyez-vous des différences importantes avec la presse de votre pays ?
7. Présentez le quotidien ou le magazine de votre pays que vous préférez (format, tirage, tendance politique, rubriques les plus importantes).

GRAMMAIRE LA CAUSE

Échauffement

Quel est le rôle des énoncés soulignés ?

- *Son comportement est peut-être dû à un traumatisme.*
- *En effet, les clients de ce établissement sont bien placés.*
- *Je l'ai remarqué en raison de son comportement.*

1. **Dans les phrases suivantes, quels sont les énoncés qui introduisent l'idée de cause ? Sont-ils suivis d'un nom (N), d'un verbe (V) ou d'une proposition (P) ?**

Exemple : *Il a gagné parce qu'il se dopait* → *parce qu'* **(P)**

a. Le chanteur préfère annuler sa tournée. Ce n'est pas qu'il soit malade, mais il a besoin de se reposer.
b. Faites vos réservations sans tarder, car le nombre de places est limité.
c. À force d'insister, il a obtenu ce qu'il voulait.
d. Le député a été exclu du parti pour indiscipline.
e. Faute de temps, le parlement n'a pas eu le temps de voter la loi.
f. Avec un temps pareil, il était difficile de circuler.
g. Étant donné le nombre de cours à suivre, peu d'étudiants choisissent cette filière.
h. Vu qu'il n'a pas d'expérience, tout le monde observe les faits et gestes du ministre.
i. Il voulait épouser cette jeune fille d'autant plus qu'elle était une riche héritière.
j. Sa mère a tenu à l'accompagner de crainte qu'il ne fasse des bêtises.

Noms
- la cause
- l'explication
- le motif
- l'origine
- la raison

Verbes
- avoir pour origine
- découler de
- être causé par
- être dû à
- s'expliquer par
- provenir de
- être provoqué par
- résulter de
- venir de (ce que)

Suivis d'une proposition + indicatif
- attendu que
- car
- c'est que
- ce n'est pas pour ça que
- comme
- considérant que
- d'autant plus que
- d'autant que
- dès l'instant où
- dès lors que
- du fait que
- du moment que / où
- en effet
- étant donné que
- maintenant que
- parce que
- à partir du moment où
- pour la simple et bonne raison que
- à présent que
- puisque
- sous prétexte que (ou + conditionnel)
- surtout que
- vu que

Suivis d'une proposition + subjonctif
- ce n'est pas que
- de crainte que
- de peur que

Suivis d'un nom
- avec
- à cause de
- à force de
- du fait de
- en raison de
- étant donné
- faute de
- grâce à
- par manque de
- par
- pour
- sans
- sous prétexte de
- à la suite de
- par suite de
- vu

Suivis d'un infinitif
- à force de
- de crainte de
- de peur de
- pour + infinitif passé
- sous le prétexte de

2. Faites correspondre le début et la fin de la phrase.

a. En raison de la grève des transports en commun, ...
b. À la suite de la canicule, ...
c. Comme la route de Lourdes était glissante, ...
d. De peur de perdre son poste, ...
e. Du fait que le 1er mai tombe un mardi, ...
f. Étant donné le grand nombre de demandes, ...
g. Vu la vitesse à laquelle le chantier avance, ...

1. ...l'autocar a dérapé.
2. ...la circulation a été bloquée pendant des heures.
3. ...les vendanges ont été avancées d'une semaine.
4. ...la ville ne sera pas prête pour les Jeux olympiques.
5. ...le délai d'inscription aux examens a été prolongé.
6. ...la plupart des banques feront le pont.
7. ...le ministre a menti à la presse.

3. Transformez les phrases en y introduisant les expressions entre parenthèses.

a. Les pompiers sont intervenus rapidement. Les enfants ont été sauvés. (grâce à)
b. L'automobiliste a été condamné. Il conduisait en état d'ivresse. (pour)
c. L'association a cessé ses activités. Elle n'avait plus assez de moyens financiers. (faute de)
d. Il a tellement insisté qu'il a obtenu une interview. (à force de)
e. La direction de la chaîne prétend que le public est satisfait, alors l'émission continue. (sous prétexte que)

4. Dans les phrases suivantes, choisissez l'énoncé correct.

a. Il a abandonné ..... il souffrait d'une blessure à la cuisse. (comme / car)
b. ..... le conducteur avait trop bu, il a eu un accident. (puisque / comme)
c. ..... temps, l'Assemblée a repoussé le vote au lendemain. (en raison de / par manque de)
d. Elle a été surprise de le revoir, ... elle le croyait parti à l'étranger. (en effet / étant donné)
e. Il s'est retrouvé au chômage, ... son entreprise avait fait faillite. (d'autant plus que / vu que)

5. Dans les phrases suivantes, remplacez la structure nominale par une structure verbale (et vice-versa).

Exemple : *La cérémonie a été annulée parce qu'il pleuvait.*
→ *La cérémonie a été annulée à cause de la pluie.*

a. Étant donné qu'il est toujours absent, il a été convoqué par la direction.
b. Elle évitait de porter ce chapeau de peur du ridicule.
c. Sans casque, le motard a été grièvement blessé.
d. Comme il est maladroit, il est impopulaire.
e. L'euro a progressé du fait de la fragilité du dollar.

6. Dans les dialogues suivants :

a. Qui sont les interlocuteurs ?
b. Quelle est la situation ?
c. Quel est l'énoncé qui introduit l'idée de cause ?
d. Rejouez ensuite ces dialogues en variant les énoncés introducteurs.

DÉPOSITION AU COMMISSARIAT

PRODUCTIONS ORALE ET ÉCRITE

Vous avez été témoin d'un accident. Vous faites votre déposition au commissariat, un policier vous interroge. Celui-ci rédigera ensuite son rapport.

FRANQUIN & JIDÉHEM, *Gare aux gaffes du gars gonflé,* 1977.

RÉDIGER UN ARTICLE (fait divers)

PRODUCTION ÉCRITE

Rédigez un article correspondant à l'illustration ci-contre. N'oubliez pas :

- Le titre : court et accrocheur
- Le chapeau : quelques phrases pour donner l'idée essentielle de l'information
- Le texte :

– QUI ? (présentation des acteurs de l'événement : nom, âge, profession...)

– QUAND ? (date et heure)

– OÙ ? (lieu de l'événement)

– QUOI ? (que s'est-il passé ?)

– COMMENT ? (circonstances de l'événement, apport de témoignages)

– POURQUOI ? (éléments permettant de mieux comprendre les raisons de l'événement)

TITRES

PRODUCTION ÉCRITE

1. Donnez un titre à ces brèves.

Exemple : *Deux hommes ont tenté, hier à 10 h 20, de commettre un vol à main armée dans une agence du Crédit Mutuel, 69 avenue de Colmar à Strasbourg.*

Propositions de titres : *Hold-up manqué, Tentative de hold-up, Le hold-up tourne court* (titre choisi par les *DNA*).

a. Les trains circulent désormais normalement sur l'axe Strasbourg-Bâle, après la collision ferroviaire survenue jeudi soir à proximité de la gare de Rouffach. D'abord totalement interrompue, la circulation des trains a pu être rétablie sur une première voie hier à 3 heures du matin.

b. La cour d'appel a confirmé hier la peine infligée à l'homme d'affaires M. L., condamné à deux ans de prison avec sursis et 250 000 € d'amende en première instance pour manipulation de compteurs kilométriques, infraction à la facturation et détournement d'actifs.

c. Un homme d'une vingtaine d'années, armé d'un fusil d'assaut, a pris en otage quatre personnes, jeudi soir vers 23 h 45, dans un appartement du centre-ville de Porrentruy, commune du Jura suisse située à 15 km de la frontière française. D'importantes forces de police cantonale et communale ont réussi à maîtriser l'individu vers 2 heures du matin.

d. Jeudi, les policiers ont découvert le corps d'un homme, poignardé dans une voiture garée à l'emplacement 609 dans un parking souterrain de St-Louis.

e. Le corps sans vie d'une femme de 66 ans a été découvert jeudi à proximité d'un étang à Ingersheim. La sexagénaire avait disparu peu de temps auparavant…

DNA (Dernières Nouvelles d'Alsace), 14/05/2005.

2. Imaginez des entrefilets qui correspondent à ces titres parus dans le journal *Le Soir* en mai 2005.

a. Les crabes attaquent
b. Un chirurgien distrait
c. Crottes d'identité
d. Le sourire de Brad, le ventre de David
e. Jeux dangereux

Migration annuelle de crabes rouges, Île Christmas (océan Indien).

SONDAGE TÉLÉ

11

1. Consultez le programme de télé ci-joint, puis écoutez les dialogues. Quelles émissions conseilleriez-vous aux personnes interrogées ? Justifiez votre choix.
2. Consultez les critiques page 57. Maintenez-vous votre choix ?

Télévision vendredi 20 mai

TF1

20.55

La ferme célébrités

Téléréalité. 145 mn.

▸ **Encore une dizaine de semaines avant qu'ils ne la ferment. Pendant plusieurs semaines, des personnalités, dont le nombre diminue au fil des éliminations, font l'expérience de la vie en communauté dans une ferme.**

EUROSPORTS

20.55

Finale de la coupe d'Europe de rugby :

Stade français - Toulouse

FRANCE 2

21.00

Nestor Burma

Noblesse désoblige. Série française (2002). 100 mn. Rediffusion. Avec Guy Marchand.

▸ **Guy Marchand promène ce soir son cynisme débonnaire dans une enquête où il est question d'aristocrates et de succession. Jean-Louis Martineau se retrouve miraculeusement l'unique héritier du compte de Javray, au grand dam du reste de la famille. Évidemment, il n'en profitera pas très longtemps... Burma chez les nobles : une enquête sociologique qui se laisse voir. Lire aussi page suivante.**

FRANCE 3

20.55

Thalassa

Escale en Martinique. Magazine. Présentation : Georges Pernoud. 130 mn.

▸ **La route de la blanche : Colombie/Martinique. Mon île, par Jocelyne Béroard. Martinique du nord au sud, belle balade. Les conques, l'or de la Jamaïque. Le Bart Roberts, super yacht en Floride. Grand Rivière, village extrême. Banana Spleen.**

23.05 Campagne officielle pour le référendum sur la Constitution européenne. **23.15** Keno. **23.25** Soir 3.

CANAL +

20.55

Il était une fois au Mexique... Desperado 2

Western de Robert Rodriguez (USA, 2003). 16/9. 105 mn. VF. Inédit. Avec Antonio Banderas, Salma Hayek, Johnny Depp.

▸ **Il est bon d'assumer parfois son goût pour la bonne série B. Donc le retour de la revanche du sexyssimo El Mariachi, toujours accompagné de la bombissima Salma Hayek, est une bonne nouvelle. Soirée tacos pour tout le monde, à servir caliente ! Lire aussi page suivante.**

FRANCE 5 ARTE

20.40

Aurélien

Téléfilm (1/2) d'Arnaud Sélignac (France, 2002). 16/9. 100 mn. Rediffusion. Avec Romane Bohringer, Olivier Sitruk, Ute Lemper.

▸ **Dans le Paris des années 20, une jeune provinciale vit un amour contrarié avec un ancien combattant oisif, hautain et marqué par la guerre. Fidèle au roman d'Aragon, le réalisateur épouse en douceur cette histoire d'amour impossible bien servie par les deux principaux acteurs, Olivier Sitruk et Romane Bohringer. Lire aussi page suivante.**

M6

20.50

Stargate SG-1

Monde cruel (saison 8, 7/20). Série américaine. 50 mn. Inédit. Avec Richard Dean Anderson, Amanda Tapping.

▸ **Teal'c a obtenu l'autorisation de déménager pour s'installer dans un appartement hors de la base. Il fait la connaissance de Krista James, sa voisine. Lorsque le petit ami de celle-ci est retrouvé assassiné et que la jeune femme disparaît, il est aussitôt soupçonné...**

21.40 Stargate Atlantis. *Sérum* (saison 1, 7/20) Série américaine.

Télérama, 11/05/2005 (sauf l'encadré *Eurosports*).

CRITIQUES TÉLÉ

SOIRÉE

20.40 ARTE **TÉLÉFILM** ❶

Aurélien

Téléfilm (1/2) d'Arnaud Sélignac (France, 2002). Scénario, adaptation et dialogues : Éric-Emmanuel Schmitt, d'après le roman de Louis Aragon. 100 mn. Rediffusion. Avec Romane Bohringer : Bérénice Morel. **Olivier Sitruk** : Aurélien Leurtillois. **Ute Lemper** : Rose Melrose. **Natalia Dontcheva** : Blanchette Barbentane. **Thomas Jouannet** : Edmond Barbentane. **Natacha Lindinger** : Mary de Perseval. **Clément Sibony** : Paul Denis.

La première fois qu'Aurélien voit Bérénice, il la trouve laide. Il s'intéresse à peine à cette jeune provinciale mal fagotée, cousine de son copain Edmond, un bourgeois oisif comme lui, parisien et hautain. Puis, séduit par la voix de Bérénice, attiré par sa fraîcheur, ensuite happé tout entier par son mystère, Aurélien tombe amoureux pour la première fois de sa vie.

Éric-Emmanuel Schmitt, rompu aux adaptations littéraires, s'est cette fois attaqué à un monument du romantisme. Fidèle au roman d'Aragon, il utilise une voix off pour rendre présent l'infilmable – le sentiment de l'absolu, par exemple, qui caractérise l'héroïne. Il s'ingénie aussi à ne pas figer le roman autour du couple mythique, mais entrecroise adroitement les multiples histoires d'amour. Olivier Sitruk donne de la fièvre et de l'inquiétude à son regard. Doucement, Romane Bohringer prend vie. Le rythme lent de la réalisation épouse cette histoire en douceur. Arnaud Sélignac filme une attente. Un rêve. Une chimère.

Cécile Challier

Suite et fin vendredi prochain.

20.55 CANAL + **CINÉMA** ❷

Il était une fois au Mexique... Desperado 2

Film de Robert Rodriguez (*Once upon a time in Mexico*, USA, 2003). 105 mn. VF. Inédit. Avec Antonio Banderas, Salma Hayek, Johnny Depp, Willem Dafoe.

Le genre : tex mex pimenté.

Tiré de sa retraite par un agent – véreux – de la CIA pour déjouer un complot contre le président du Mexique, El Mariachi, ténébreux desperado, y verra l'occasion de se venger de ceux qui lui ont volé femme et enfant... Pour cette troisième aventure d'El Mariachi, Rodriguez fait se rencontrer Sergio Leone et John Woo. Du premier, le cinéaste chicano a retenu le sens du décor, de la bande-son (forcément latino-rock) et la mise en valeur des gueules. Du second, il a assimilé l'art d'utiliser la sulfateuse et ses impacts comme éléments chorégraphiques. Restait à filmer à l'instinct et à monter au hachoir pour faire de ce *Desperado 2* une explosive série B, au ton finalement très personnel.

Frédéric Péguillan

Rediffusions : 27/05 à 14 h 00, 29/05 à 10 h 15, 2/06 à 0 h 15.

21.00 FRANCE 2 **SÉRIE** ❸

Nestor Burma

Noblesse désoblige

Série française. Scénario : Benjamin Legrand et Daniel Riche. Réalisation : Philippe Venault (200). 100 mn. Rediffusion. Avec Guy Marchand.

Stupeur à la lecture du testament du comte de Javray : l'aïeul défunt confesse être le père de Jean-Louis Martineau, roturier élevé au château familial, et déshérite son clan au profit de celui-ci. Tandis que les aristos voient rouge, le « bâtard » fortuné voit l'avenir en rose. Mais Jean-Louis disparaît, et sa ravissante compagne vient arracher Burma à ses idées noires. Ni une ni deux, notre détective s'invite à une partie de chasse sur les terres du château et y découvre le corps sans vie de Jean-Louis.

Comme dit ce bon vieux Nestor, « on est dans un polar ». Et Burma s'en donne à cœur joie, multipliant les répliques bien senties, citant Victor Hugo ou, considérant les pur-sang des De Javray, sortant des phrases du style : « J'ai toujours trouvé que les chevaux étaient inconfortables au milieu, et dangereux aux extrémités. » Sûr, notre héros fatigué tient la forme.

Marc Belpois

Télérama, 11/05/2005.

COMPRÉHENSION ÉCRITE

1. Pourriez-vous résumer en quelques phrases le thème de ces émissions ?

2. Les critiques ci-dessus sont-elles plutôt positives ou plutôt négatives ? Pourquoi ?

VOCABULAIRE

3. ❶ Cherchez dans le texte des équivalents de...
a. mal habillé - **b.** inactif - **c.** méprisant - **d.** quelque chose d'imaginaire

4. ❷ Qu'est-ce que :
a. *véreux* (l. 11)
b. *ténébreux* (l. 13)
c. *des gueules* (l. 22)
d. *une série B* (l. 28)

5. ❸ Faites correspondre les mots suivants et leurs synonymes.

a. *aïeul* (l. 9)	**1.** actif
b. *défunt* (l. 9)	**2.** ancêtre
c. *roturier* (l. 11)	**3.** cheval
d. *aristo* (l. 13)	**4.** descendant
e. *pur-sang* (l. 26)	**5.** homme du peuple
	6. mort
	7. noble
	8. sans profession

PRODUCTION ORALE

6. Et vous, quelle émission vous intéresserait le plus ?

7. Quelle est celle que, pour rien au monde, vous ne regarderiez ?

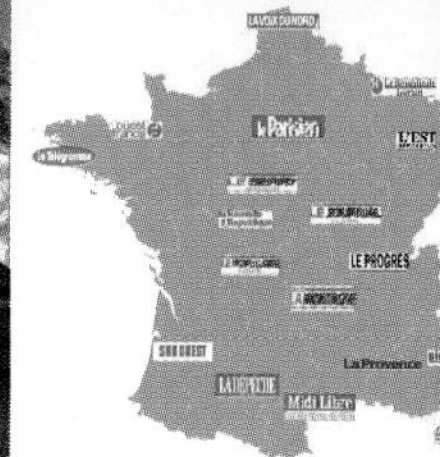

VOCABULAIRE LA RADIO / LA TÉLÉ

La radio

l'auditeur / l'auditrice
le canal
écouter
le message
radiophonique
la station
la longueur d'onde
les ondes courtes / longues
la FM
le poste
la réception
retransmettre
le transistor
le volume
baisser le volume
mettre moins / plus fort

La télévision

l'antenne *(f.)*
être à l'antenne
garder l'antenne / rendre l'antenne
l'audience *(f.)*
audiovisuel
le câble
la chaîne
chaîne nationale / régionale
changer de chaîne
crypté
diffuser
la diffusion
émettre
une émission
en direct / en différé
inédit
la parabole
présenter
le programme
la réception
recevoir
la rediffusion
regarder
le réseau
retransmettre
la retransmission
le satellite
suivre
le téléspectateur / la téléspectatrice
téléviser
la télé
passer à la télé
télévisuel
la TNT (télévision numérique terrestre)
zapper
le zapping

Les émissions

la comédie
le documentaire
le drame
le film
le jeu
le journal télévisé
le magazine
la série
le téléfilm
le clip
le feuilleton
la page de publicité
le reality-show
le talk-show
la télé-réalité
le tirage du loto

1 Que signifient ces expressions ?

a. le JT
b. le petit écran
c. en prime time
d. la téloche

2 À quels types d'émission de télévision correspondent ces résumés ?

a. Drame. Dans le Midi, les pompiers tentent de circonscrire un gigantesque incendie.
b. Isabella avoue à Paul qu'elle a passé une nuit inoubliable avec lui. Victoria et Ryan s'expliquent.
c. Les destinées parallèles de Krouchtchev et Kennedy, de la guerre froide à une entente passagère.
d. On a échangé nos mamans.
e. Papas ados. Des artistes au chevet des enfants. SOS parents.
f. Questions pour un champion.

1. documentaire
2. feuilleton américain
3. jeu
4. magazine de société
5. téléfilm français
6. téléréalité

Les professions des médias

l'animateur *(m.)*
le chroniqueur
le correspondant
l'envoyé spécial *(m.)*
le journaliste
le présentateur
le rédacteur en chef
la rédaction
le reporter

12

INTONATION

3 Pour passer une soirée devant la télé avec des Français.
Écoutez, répétez puis rejouez en situation.

LA TÉLÉ ET VOUS

PRODUCTION ORALE

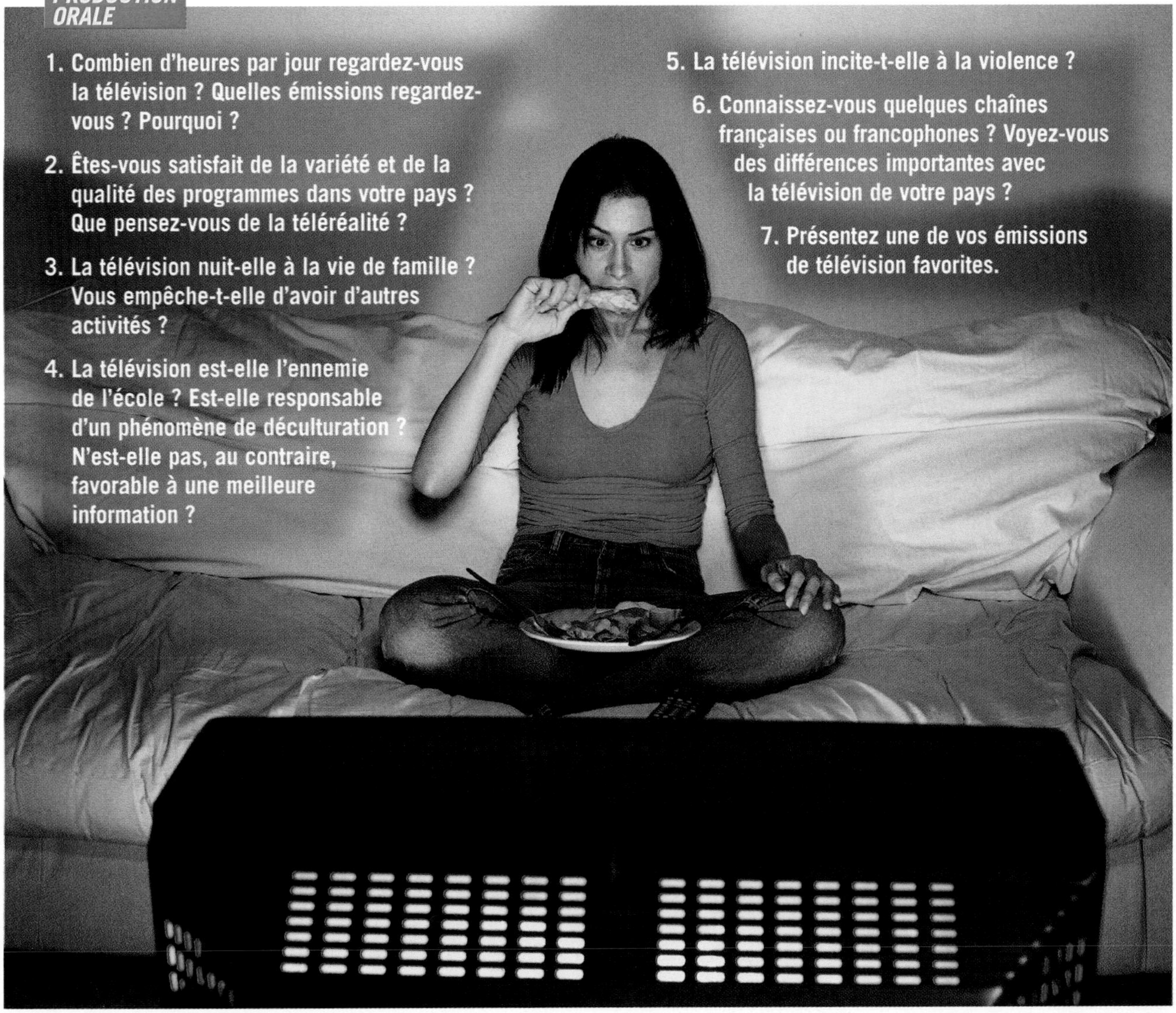

1. Combien d'heures par jour regardez-vous la télévision ? Quelles émissions regardez-vous ? Pourquoi ?
2. Êtes-vous satisfait de la variété et de la qualité des programmes dans votre pays ? Que pensez-vous de la téléréalité ?
3. La télévision nuit-elle à la vie de famille ? Vous empêche-t-elle d'avoir d'autres activités ?
4. La télévision est-elle l'ennemie de l'école ? Est-elle responsable d'un phénomène de déculturation ? N'est-elle pas, au contraire, favorable à une meilleure information ?
5. La télévision incite-t-elle à la violence ?
6. Connaissez-vous quelques chaînes françaises ou francophones ? Voyez-vous des différences importantes avec la télévision de votre pays ?
7. Présentez une de vos émissions de télévision favorites.

GRAMMAIRE LA CONSÉQUENCE

Échauffement

Quel est le rôle des mots soulignés ?

- ***La santé mentale de l'inconnu semble si fragile qu'il a été transféré dans une unité psychiatrique dans le nord du Kent.***
- ***C'est un fait divers exceptionnel, d'où la curiosité des journalistes.***
- ***Son histoire étonnante suscite déjà la convoitise à Hollywood.***

1. **Dans les phrases suivantes, quels sont les énoncés qui introduisent l'idée de conséquence ? Sont-ils suivis d'un nom (N), d'un verbe (V) ou d'une proposition (P) ?**

Exemple : *Un témoin l'a innocenté, par conséquent il a été relâché.* → *par conséquent* **(P)**

a. Il n'a pas trouvé de taxi, il est donc venu à pied.

b. Cette actrice a tellement de charme que les journalistes sont restés bouche bée devant elle.

c. La négociation est impossible, c'est pourquoi nous nous adressons à vous.

d. Il est trop stupide pour avoir compris ta plaisanterie.

e. Il a neigé pendant des heures, à tel point que les routes sont bloquées.

f. Il a tellement de chance au jeu que je me demande s'il ne triche pas.

g. C'est la journée sans voiture, aussi a-t-il pris le métro.

h. Ils ont tant attendu une réponse que le mécontentement a éclaté.

i. Il adore la cuisine italienne, ainsi mange-t-il des pâtes presque tous les jours.

j. Elle a une phobie de la saleté au point de se laver les mains toutes les dix minutes.

Noms
- la conséquence
- un effet
- les répercussions *(f.)*
- le résultat
- les retombées *(f.)*

Adjectifs
- consécutif

Verbes
- causer
- entraîner
- occasionner
- permettre
- produire
- provoquer
- résulter
- susciter

Suivis d'une proposition
- à tel point que
- ainsi
- alors
- au point que
- aussi
- c'est pour cela que
- c'est pourquoi
- de ce fait
- de cette manière
- de (telle) façon que
- de (telle) manière que
- de (telle) sorte que
- donc
- en conséquence
- et
- par conséquent
- si + adjectif + que
- si bien que
- tant (de)... que
- tel + nom... que
- tellement (de)... que
- voilà pourquoi

Suivis d'une proposition + subjonctif
- assez (de)... pour (que)
- suffisamment (de)... pour (que)
- trop (de)... pour (que)

Suivis d'un nom
- de là
- d'où

Suivis d'un infinitif
- assez (de)... pour
- au point de
- suffisamment (de)... pour
- trop (de)... pour

2. Faites correspondre le début et la fin de la phrase.

a. Il a tellement travaillé...
b. Le voleur marchait sur la pointe des pieds...
c. Leur appartement était trop petit...
d. Leurs voisins étaient très bruyants, ...
e. Elle a tant d'ennuis...
f. Cette femme est si timide...
g. Il y a eu du gel toute la nuit, ...
h. Le conducteur n'a pas respecté la priorité...
i. Elle est très grande...
j. Il n'a pas de montre...

1. ...pour pouvoir y loger des invités.
2. ...alors il a provoqué un grave accident.
3. ...qu'elle fait une dépression.
4. ...qu'elle rougit toujours quand on lui adresse la parole.
5. ...et de ce fait, elle a des difficultés pour s'habiller.
6. ...c'est pourquoi le col est fermé.
7. ...qu'il en est tombé malade.
8. ...de sorte qu'il n'a pas réveillé sa victime.
9. ...par conséquent ils ont déménagé.
10. ...si bien qu'il arrive fréquemment en retard.

3. Réécrivez ces titres d'articles en utilisant un des verbes ci-dessous.

causer - entraîner - occasionner - permettre - produire - provoquer - résulter

Exemple : *Deux morts dans un incendie à cause d'un feu de poubelle*
→ *Un feu de poubelle a entraîné la mort de deux personnes dans un incendie.*

a. Signature d'un important contrat après la visite du chef de l'État
b. Violents orages : plusieurs campings évacués
c. Incidents à la suite de la visite du Premier ministre
d. Vente record de CD après son passage à la télé
e. Déblocage de la situation après l'intervention du député

4. Comparez les modes des verbes utilisés dans les phrases suivantes. Que remarquez-vous ?

a. Il y a assez de membres présents pour que la réunion puisse commencer.
b. Les négociations ont commencé tôt de sorte que la crise a pu être évitée.
c. Appelle-le maintenant de sorte qu'il vienne immédiatement.
d. Cette affaire est trop importante pour que notre rédaction ne réagisse pas.
e. Place-toi de façon que tout le monde te voie.

5. Transformez les phrases suivantes en y introduisant les énoncés entre parenthèses.

Exemple : *Il y a beaucoup de problèmes, alors les manifestations sont quotidiennes. (tant)*
→ *Il y a* ***tant*** *de problèmes que les manifestations sont quotidiennes.*

a. Il a beaucoup de chance : il gagne souvent au loto. (tellement)
b. Comme l'ordre du jour était épuisé, la réunion a été levée. (donc)
c. Nous sommes en retard sur nos objectifs, nous devons faire des efforts. (aussi)
d. La situation est vraiment délicate. Alors il faut agir avec tact. (si)
e. Il adore la télé ; il la regarde toute la nuit. (au point de)

GRAMMAIRE LE PASSIF

1. Dans les phrases suivantes, le sujet « réel », celui qui fait l'action exprimée par le verbe, n'apparaît pas comme tel. Quels sont les structures utilisées ?

a. Cette soupe se mange froide.

b. Il est interdit de fumer dans nos locaux.

c. Elle s'est fait couper les cheveux.

d. Le magasin est fermé le dimanche.

e. Ça ne se fait pas.

f. On prévoit une inflation de 2,3 %.

g. Il a été trouvé un sac noir. Prière de venir le rechercher à la caisse « mode féminine ».

h. Henri IV a été assassiné par Ravaillac en 1610.

i. Défense de marcher sur la pelouse.

j. Il s'est fait voler son portefeuille dans le métro.

Quand le sujet « réel » d'un verbe est inconnu ou considéré comme peu important, il y a plusieurs possibilités :

- le passif. C'est le complément qui est mis en valeur (**d**, **h**). L'agent (le sujet « réel ») est précédé de *par*.
- la forme pronominale (**a**, **e**) exprime souvent une règle. Elle personnalise l'objet.
- *on* (**f**) représente un groupe (les Français, les experts, le public...) ou une personne inconnue.
- un verbe impersonnel (**b**, **g**).
- *se faire* + infinitif peut être utilisé pour un acte volontaire (**c**) ou au contraire quand on est une victime (**j**).
- un substantif suivi d'un infinitif (**g**, **i**).

2. Dans ces phrases, peut-on remplacer « on ... » par la forme passive, une forme impersonnelle ou une forme pronominale ?

Exemples :

- *On prévoit une augmentation sensible des revenus.* → *Une augmentation sensible des revenus est prévue.* ou *Il est prévu une augmentation sensible des revenus.*
- *On vend bien ce modèle.* → *Ce modèle se vend bien.*

a. On constate une nette amélioration.

b. On ne pourra pas prendre de décision.

c. On obtiendra de meilleurs résultats en changeant le système.

d. On détruirait tous les immeubles anciens.

e. On fait cette recette facilement.

f. On met en place un système de circulation alternée.

g. On interdit de circuler dans le centre-ville.

h. On a proposé une autre solution moins coûteuse.

i. On se pose la question.

j. On installe ce matériel rapidement.

3. Transformez ces titres de journaux en utilisant le passif.

Exemple :
Vol de trois milliards à la Banque de Paname.
→ *Trois milliards ont été volés à la Banque de Paname.*

a. Défaite de la France en finale

b. Aviation : perte du marché sud-américain

c. Envoi d'un ultimatum à Monaco

d. Assassinat d'un trafiquant de drogue

e. Arrestation d'un patron de la mafia nord-américaine

f. Création prochaine de 200 emplois

g. Remise d'un césar à Michèle Lamaire

h. Transfert du budget des universités aux régions

i. Élection de Mme Richard

j. Réception de M. Durillon à l'Académie française

ATELIERS

1

Journal radio ou télé

Chaque groupe de trois étudiant(e)s choisit la rubrique qu'il va traiter.
Il sélectionne dans la presse trois informations.
Chaque étudiant(e) rédige le texte qu'il va lire.
La séquence est enregistrée ou filmée.

2

Unes

Se procurer des exemplaires de quotidiens ou bien imprimer les unes du jour qui sont accessibles sur le site du Syndicat de la presse quotidienne régionale (SPQR) : **http://unes.spqr.fr** pour les quotidiens régionaux ou sur le site de la Fédération Nationale de la Presse Française (FNPF) : **www.portail-presse.com** pour les quotidiens nationaux.

Les étudiants (par groupes) analysent une ou plusieurs unes de journaux puis les présentent à la classe en les comparant (traitement de l'information, place de l'image...).

Préparation
Chaque groupe travaille sur les points suivants :

a. le nom du journal : Y a-t-il un lien avec le pays ou la région du journal étudié ? Si non, le nom fait-il référence à l'Histoire, à la notion de temps, d'information ?

b. la structure de la une : Que trouve-t-on ? un éditorial, un billet, un sommaire, un papier d'analyse, de la publicité... ? Combien d'articles sont annoncés ?

c. l'information : Regarder les titres de la une. Font-ils référence à des informations internationales, nationales, régionales, locales ? Classer les informations du plus général au plus local.

d. les photos : Y a-t-il des photos ? Combien ? Quelle est leur taille ? Quels articles sont associés à une photo ? Quelle est la fonction de ces images (informer, inciter à lire, à acheter...) ?

3

Rédaction d'un article

Trois possibilités :
– rédiger un article d'après une dépêche de l'A.F.P. (Agence France-Presse) : se procurer des dépêches sur **www.afp.com/francais/**
– faire le compte rendu d'un événement dont on a été témoin (match, visite, etc.)
– écrire un article d'après une interview, des statistiques, etc. : se procurer des statistiques sur **www.insee.fr**

Le titre : court et efficace.

Le chapeau : quelques lignes pour inciter à la lecture du texte et donner l'idée essentielle de l'information.

Le texte : ne pas donner son opinion pour un article informatif !

4

Journal de la classe

Débat en classe sur le nom du journal.
Chaque jour, un(e) étudiant(e) (ou un binôme) rédige un article sur les événements qui se sont déroulés dans la ville, en choisissant une photo.
Le journal est édité à la fin de la quinzaine ou du mois.

5

Revue de presse

Organiser une revue de presse : distribuer des journaux et magazines aux étudiants, qui vont classer les articles par rubriques, sélectionner les nouvelles les plus importantes puis les présenter.

PRÉPARATION AU DELF B2

compréhension orale

Durée de l'épreuve : 30 minutes environ.
Note sur 25.

13

DOCUMENT 1 (une écoute – 6 points)

Écoutez ce bulletin d'informations de France Info (12 juin 2005 – 12 h 00) et répondez aux questions suivantes :

1. Combien y a t-il de sujets ? *(1 point)*

2. Dites quelles rubriques sont concernées. *(1 point)*

- Bourse ❑
- Culture ❑
- Faits divers ❑
- International ❑
- Météo ❑
- Politique française ❑
- Économie et social ❑
- Sports ❑
- Programmes télé ❑

3. Quels sont les pays où ont eu lieu les événements évoqués ? *(1 point)*

4. Où y a-t-il eu un incendie ? *(1 point)*

- dans un hôpital ❑
- dans une prison ❑
- dans une école ❑
- dans une caserne ❑

5. Qui prend la décision à l'origine de la colère des pêcheurs ? *(1 point)*

- le gouvernement français ❑
- le ministre de la Pêche ❑
- le maire de Saint-Jean-de-Luz ❑
- la Commission européenne ❑
- le gouvernement espagnol ❑

6. Quel est le numéro du Salon du Bourget ? *(1 point)*

14

DOCUMENT 2 (deux écoutes – 19 points)

Écoutez ce bulletin d'informations de France Info (12 juin 2005 – 12 h 00) et répondez aux questions suivantes :

1. Qui sont les différentes personnes interrogées ? *(3 points)*

2. Quelles sont les professions de Florence Aubenas et Hussein Hanoun ? *(2 points)*

3. Pour qui travaillaient-ils ? *(1 point)*

4. Combien de temps sont-ils restés prisonniers ? *(1 point)*

5. Quand ont-ils été libérés ? *(1 point)*

6. Où se trouvent-ils au moment du bulletin ? *(2 points)*

7. Qui a annoncé la nouvelle de l'arrivée de Florence à son père ? *(1 point)*

8. Quels sont les sentiments exprimés par les personnes interrogées ? *(5 points)*

9. Que va faire le président de la République ? *(1 point)*

10. Où se trouve le ministre de la Culture et pourquoi ? *(2 points)*

Portraits de Florence Aubenas et de Hussein Hanoun diffusés pendant leur captivité.

VOYAGES
UNITÉ 4

- **Comprendre un article sur le tourisme et les voyages**
- **Comprendre un guide touristique**
- **Exprimer ses goûts en matière de voyages et de vacances**
- **Raconter ses vacances**
- **Comparer des moyens de transport**
- **Commenter des données chiffrées**
- **Choisir où partir en vacances**
- **Présenter une ville ou une région**
- **Organiser un voyage en France**
- **Écrire une lettre de réclamation**

- **Vocabulaire du tourisme et des transports**
- **L'expression de la comparaison et du changement**

- **Mieux connaître les régions de France**

« Je voyage pour vérifier mes rêves. »
Gustave FLAUBERT

Ne suivez pas le guide !

La culture est devenue une manne pour les élus et les marchands, tentés de transformer les villes en musées et les sites historiques en parcs d'attractions. Si certains voyageurs se contentent de ce prêt-à-visiter, d'autres contournent les monuments, partent à la rencontre des habitants, s'inventent leurs propres parcours. Plutôt carte postale ou plutôt découverte, à chacun son tourisme.

« *Tout le malheur de l'homme vient d'une seule chose, qui est de ne pas savoir demeurer en repos dans une chambre* », constatait Pascal vers 1650… On a estimé à 700 millions les voyages touristiques de l'an passé[1]. Soit vingt-huit fois plus qu'au lendemain de la seconde guerre mondiale ! On en prévoit plus du double d'ici à dix ans. À moins, bien sûr, de graves pandémies ou d'une vague de terrorisme…

Le tourisme est devenu la première activité économique mondiale, devant le pétrole et l'automobile. C'est une révolution en marche, « *auprès de laquelle l'industrialisation victorienne aura été une bluette*[2] », prévient le philosophe Yves Michaud qui, dans son dernier ouvrage, *L'Art à l'état gazeux*, aborde la question. Du paysage à la langue, en passant par l'urbanisme, la santé, l'économie, l'emploi, la pollution, la gastronomie, les mœurs… rien n'en sortira indemne. Et bien sûr pas la culture…

La déflagration s'annonce d'autant plus puissante que l'offre, encore essentiellement balnéaire, s'oriente de plus en plus vers des débouchés culturels. Les dizaines de nouveaux musées et le millier de festivals créés dans le seul Hexagone ces dernières années en sont un symptôme. « *Cet été, oubliez la mer,* suggère une publicité pour le train Thalys, *découvrez Bruxelles, Amsterdam, Cologne…* » Les villes sont sans doute les principales bénéficiaires du phénomène. À l'occasion des Jeux olympiques de 1992, Barcelone aménageait un musée d'Art contemporain et une demi-douzaine d'autres lieux de culture. Depuis, la capitale catalane est devenue la ville la plus touristique d'Espagne. Le pays, dont le tourisme balnéaire décline pour cause de bétonnage intempestif, excelle d'ailleurs dans la fabrication d'images et d'événements : « Catalogne baroque », après « Barcelone, ville d'architecture ». En 1996, il fêtait le 250e anniversaire de la naissance de Goya. En 2005, les 400 ans de Don Quichotte !

Nombre de villes industrielles déclinantes ont entrepris une reconversion plus ou moins radicale. L'ouverture en 1997 de son spectaculaire musée Guggenheim, qui attire près d'un million de visiteurs annuels, a ranimé Bilbao, en deuil de sa sidérurgie. Depuis 1999, l'Union européenne attribue un label « Capitale européenne de la culture », qui permet de « doper » quelques cités plus ou moins en panne d'image. Après Porto, Rotterdam, Bruges ou Salamanque, c'était, en 2004, le tour de Gênes. Avec, en prime, un budget de 230 millions d'euros pour aménager nouveaux musées, palais, quartier piéton, promenade sur le port… Lille a profité de la même opportunité pour débloquer 73 millions d'euros et créer une douzaine de minicentres culturels, les Maisons Folie. Bientôt Lens et Metz espèrent colmater les dégâts de la crise économique en accueillant des antennes du Louvre et du centre Pompidou.

Dans la déferlante d'initiatives, on voit se profiler toutes les ambiguïtés du phénomène… Car le tourisme est à double tranchant : rémunérateur autant que dévastateur. Les collusions entre culture et commerce se multiplient : dans la plupart des musées, la sortie se fait par la boutique. Sera-t-il possible de résister longtemps aux projets caricaturaux comme ce Chambordland, arrêté de justesse, qui, sous prétexte de Centre pédagogique d'interprétation de la Renaissance, aurait ressemblé à un vaste salmigondis[3] culturo-commercial aux portes du château de François Ier ?

Bien sûr, on doit au tourisme la création de musées, le sauvetage de nombreux sites précieux. Ainsi, le jardin de Monet à Giverny aurait pu s'évanouir en 1947, à la mort de Blanche Hoschedé, la belle-fille de Monet, dernière habitante des lieux, puis en 1966, à la mort de son propriétaire, Michel Monet… si l'ancien conservateur de Versailles, Gerald Van der Kemp (mandaté par l'Académie des beaux-arts, héritière des lieux), ne s'était attelé à sa restauration. Mais, avec ses allées cimentées et sa rambarde autour du bassin des nymphéas, il n'a pas vraiment la même allure que du temps de son célèbre propriétaire ! Comment en serait-il autrement, avec près de 3 000 visiteurs par jour ?

Dans le pire des cas, les lieux touristiques sont soumis à un cycle infernal qui commence par la dégradation

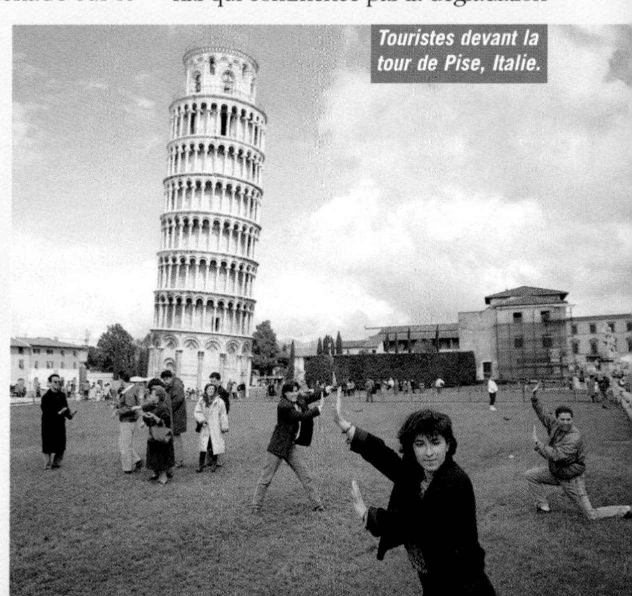
Touristes devant la tour de Pise, Italie.

naturelle du site, suivie d'un sauvetage et d'une dénaturation. Dans le meilleur des cas, une intervention fine peut faire des miracles. Comme au pont du Gard, modèle de rationalisation réussie. [...]

Le développement touristique culturel a ses effets pervers. [...]

À mesure que le tourisme « culturel » prend de l'ampleur, c'est finalement la culture elle-même qui se trouve plus ou moins transformée. « *Il s'agit de normaliser l'offre, de la mettre en recette, à coups de stéréotypes et de symboles. On fait du surgelé* », précise Yves Michaud. « *On reproduit par photocopie,* renchérit le sociologue Jean-Didier Urbain. *Le désir du touriste change. Mais on continue à fonctionner comme s'il restait le même, goûtant la seule culture classique, les humanités, les sanctuaires rebattus.* » Ainsi, Paris et Versailles continuent d'absorber 38 % du tourisme culturel français. [...] « *Le tourisme appartient de plain-pied à l'univers du spectacle* », résume le sociologue Rachid Amirou. [...]

On réinterprète [...]. Ainsi le médiéval Mont-Saint-Michel n'a acquis sa flèche néogothique qu'en 1880. Le tout est surmonté d'une statue de saint Michel réalisée en 1897 par le sculpteur Emmanuel Frémiet. On invente. À Vérone, où Shakespeare a situé *Roméo et Juliette*, il fallait un lieu de pèlerinage : le sort est tombé sur une maison à balcon, une parmi d'autres. Là vivait peut-être une jeune fille qui, avec un peu de chance, aurait pu servir de modèle pour Juliette ! On adapte. Dans le jardin de Giverny, on pratique la surenchère florale. L'attrait du lieu semble résider plus dans la beauté des roses que dans le souvenir de Monet. La preuve ? Marmottan, le musée parisien dédié à ses œuvres, accueille trois fois moins de visiteurs.

« *Une véritable mise en scène de l'espace touristique est opérée par les industriels du voyage,* explique Rachid Amirou, *mais aussi par chaque voyageur, à travers les images qu'il se fait à l'avance, celles qu'il chasse pendant le voyage et qu'il rapporte. Le touriste est un collectionneur d'images, et le tourisme un puissant révélateur de l'imaginaire des sociétés modernes.* » « *Quand les touristes débarquent, tout est déjà figé,* tempère l'anthropologue argentin Nestor García Canclini. *C'est l'étape finale. Le patrimoine est une construction du présent, une création arbitraire de la mémoire.* »

Le tourisme est en effet l'occasion d'affirmer une identité locale. Les musées dits « nationaux » ne sont-ils pas nés en même temps que l'idée de nation, lors de la Révolution française ? À l'heure de la mondialisation, il est devenu impératif de proclamer sa spécificité. Plus le monde s'uniformise et se métisse, plus les particularismes s'expriment, s'inventent. Si le tourisme prend une tournure culturelle, c'est sans doute aussi parce qu'il s'agit là de la meilleure machine à fabriquer de l'identité. « *Même fictive, jouée, bricolée, celle-ci est à prendre au sérieux,* précise Yves Michaud. *Les identités ne sont pas statiques, ce sont des projections dynamiques. Contradictoires, aussi. Le tourisme reste une rencontre. La guerre est une autre version de ce frottement nécessaire des identités.* » Alors, à tout prendre...

Catherine FIRMIN-DIDOT, *Télérama*, 29/06/2005.

Jardin de Monet, Giverny.

1. source : Organisation mondiale du tourisme. – 2. une bluette : ici, une chose sans importance. – 3. un salmigondis : un mélange incohérent.

COMPRÉHENSION ÉCRITE

1. Quel est le thème de cet article ? Dégagez-en les informations principales.
2. Quelles sont les nouvelles tendances du tourisme ?
3. Quel est l'impact du tourisme sur les villes ? Donnez des exemples.
4. Quelle est la « *déflagration* » dont parle l'auteure ?
5. Quelles sont les conséquences tant positives que négatives sur la culture ?
6. L'appréciation de l'auteure de l'article est-elle plutôt positive ou négative ? Justifiez votre réponse par des exemples.

VOCABULAIRE

7. En quoi le tourisme est-il « *à double tranchant* » ?
8. Dans ce texte, les mots suivants ont-ils plutôt une connotation positive ou négative ? Pourquoi ?
   - **a.** *le bétonnage* (l. 56)
   - **b.** *colmater* (l. 90)
   - **c.** *déclinant* (l. 65)
   - **d.** *doper* (l. 74)
   - **e.** *une manne* (l. 1)
   - **f.** *une pandémie* (l. 17)
   - **g.** *la restauration* (l. 127)
   - **h.** *le sauvetage* (l. 115)
   - **i.** *surgelé* (l. 153)

PRODUCTION ORALE

9. Êtes-vous d'accord avec l'auteure de l'article ?
10. Le tourisme a-t-il transformé votre pays ? Donnez des exemples.
11. Pensez-vous que cela soit une bonne chose ?

VOCABULAIRE LE TOURISME

1 **Quelles sont les différentes façons de passer ses vacances ?**

2 **Quels peuvent être les centres d'intérêt d'un site touristique ?**

Exemples : *la plage, un musée...*

3 **Qui travaille dans un hôtel ?**

4 **Placez les mots manquants. Accordez les noms et adjectifs.**

aménagé - américain - climatisation - éclairé - folklorique - option - panoramique - raffiné - satellite - serviette - sous-marin - tropical - trou - tuba - voile

Au cœur d'un jardin (a) et au bord d'une plage (b), l'hôtel s'ouvre sur la vue (c) de la baie de Fort-de-France. Il offre confort, qualité de service et restauration (d).
FORMULE : petit-déjeuner (e). Demi-pension en (f).
CHAMBRE : 139 chambres dans plusieurs bâtiments de 1 à 3 étages, avec salle de bains complète, sèche-cheveux, (g), téléphone, TV (h), radio, coffre-fort, minibar.
À VOTRE DISPOSITION : 2 restaurants, 2 bars, boutiques, (i) de plage.
SPORTS ET LOISIRS : piscine, 2 courts de tennis (j), ping-pong, palmes, masque et (k). Pédalo, kayak et planche à (l). Avec supplément : plongée (m) (initiation gratuite une fois par semaine). À 3 km, golf 18 (n). Billard.
ANIMATION : soirée à thème, spectacle (o) et animation musicale.

Le type de tourisme

le tourisme
le tourisme de masse
le tourisme vert
le/la touriste
touristique
chez l'habitant
le circuit
la croisière
la cure
l'excursion *(f.)*
le groupe
la location
loger chez
louer
la randonnée
le voyage
le voyage organisé
voyager
le voyageur / la voyageuse

Les vacances

les congés *(m.)*
la détente
le repos
le jour férié
l'estivant *(m.)*
le vacancier

Avant de partir

l'agence de voyages *(f.)*
la brochure
le catalogue
le dépliant
le forfait
la surcharge carburant
la réduction (pour les étudiants, les seniors, les jeunes mariés)
le bon d'échange

Les intervenants

l'accompagnateur *(m.)*
le guide
l'interprète
l'office de tourisme *(m.)*
le syndicat d'initiative
le tour-opérateur
le voyagiste

Les bagages

le bagage à main
la malle
la mallette
le sac à dos
le sac à main
le sac de voyage
la valise
faire sa valise
défaire sa valise

5 Complétez le texte ci-dessous.

Le prix comprend : le (a) Paris-Athènes A/R, les transferts, l'(b) en hôtel 3 (c), la (d) complète, les entrées sur les (e) prévus au programme, l'assurance de base, un (f) officiel francophone, les (g) intérieurs.
Ne (h) pas : les boissons, les (i) personnelles, les taxes aériennes, la (j) carburant.

15

INTONATION

6 Dites qui prononce les paroles suivantes et dans quelle situation.
Répétez-les.
Réutilisez-les dans de courts dialogues.

La saison

la haute / basse saison
hors-saison
estival

Le séjour

le cadre
la capacité d'accueil
les équipements *(m.)*
l'établissement *(m.)*
l'hébergement *(m.)*
les installations *(f.)*
le refuge
séjourner
le transfert
la villa

Expressions

faire le tour du monde
bourlinguer
le routard

Le séjour

la pension
la pension complète
la demi-pension
le petit-déjeuner
passer la nuit
rester deux nuits
séjourner

Vive les vacances, REISER, Éditions Albin Michel, 1981, Paris.

LE CHOIX DES VACANCES

16
COMPRÉHENSION ORALE

1re écoute

1. Qui parle ?
2. Quel est le thème de la discussion ?

2e écoute

3. Dans combien de temps vont-ils partir en vacances ?
4. Que veut faire Martine ? Pourquoi ?
5. Quelle est sa première proposition ?
6. Quelles sont les objections de Stéphane ?
7. Se sont-ils mis d'accord ? Où vont-ils passer leurs vacances ?
8. Qui va prendre les billets ? À quelle agence ?
9. Quel est leur état d'esprit à la fin ? Pourquoi ?

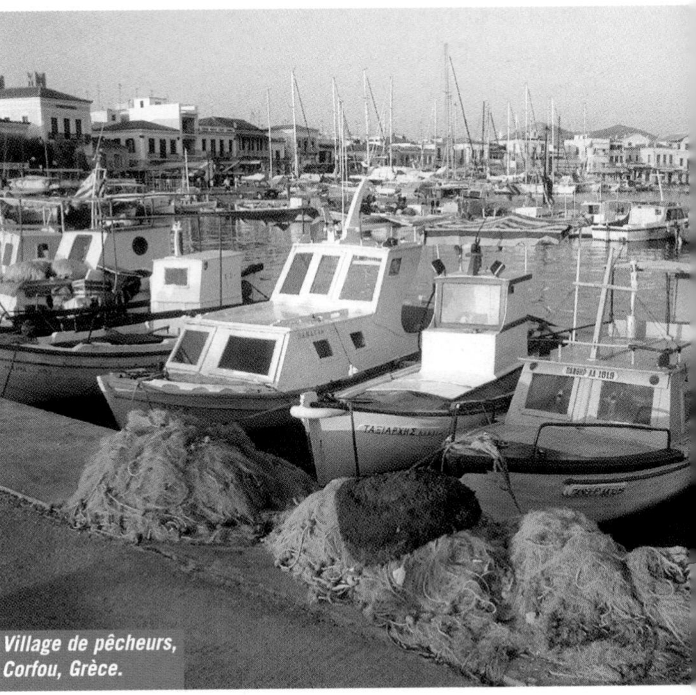
Village de pêcheurs, Corfou, Grèce.

VOCABULAIRE

10. Lisez la transcription de ce dialogue p. 202 et relevez les énoncés qui expriment la comparaison.

LES VACANCES ET VOUS

PRODUCTION ORALE

1. Où préférez-vous partir en vacances ? À la plage, à la montagne, à la campagne, visiter une ville ? Pourquoi ?
2. Préférez-vous partir seul(e), en couple, en famille, avec des amis, en voyage organisé ? Pourquoi ?
3. Partez-vous à l'aventure ou préparez-vous soigneusement votre voyage ?
4. Allez-vous souvent au même endroit ou bien préférez-vous découvrir une région ou un pays que vous ne connaissez pas ?
5. Où avez-vous passé vos dernières vacances ? Racontez-les.
6. Y a-t-il un pays ou une ville où vous rêvez d'aller ? Pourquoi ?
7. Présentez votre lieu de vacances favori (description détaillée, activités, atmosphère).

PRODUCTION ÉCRITE

8. Vous présentez l'endroit où vous avez passé vos vacances sur votre blog (photos et courts textes).
9. Vous rentrez de vacances. Envoyez un courriel (e-mail) à un de vos amis pour lui raconter les moments importants de vos vacances. Vous lui recommandez (ou non) d'aller au même endroit l'année prochaine.

Pour vous aider

RECOMMANDER

Je te recommande de + inf. / Je te recommande + nom
Tu devrais + inf.
À ta place, je + cond. prés.
Si j'étais toi, je + cond. prés.
Surtout + impératif

DÉCONSEILLER

Je te déconseille de + inf.
Je te conseille de ne pas + inf.
Ça n'en vaut pas la peine.
Ce n'est pas la peine de + inf.

METTRE EN GARDE

(Fais) attention à...
Fais gaffe à... *(fam.)*
Je te préviens, ...
Méfie-toi de...

MARTINIQUE

ANTILLES, NOUS, VOUS, ÎLES

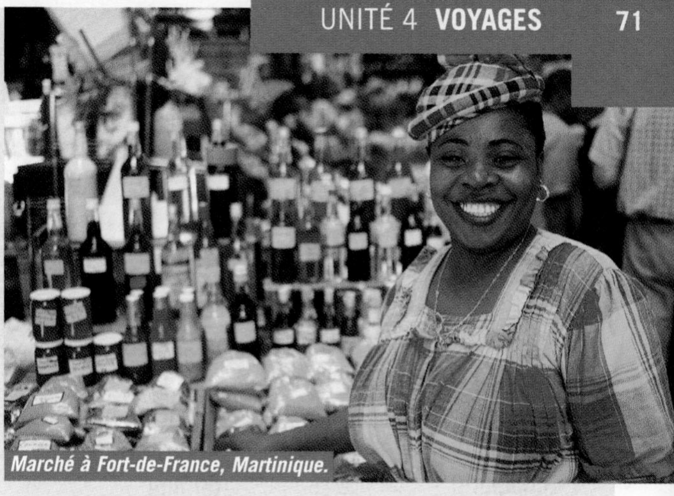
Marché à Fort-de-France, Martinique.

Démythifier les Antilles, voir en elles autre chose qu'une bande de sable blanc frangée de cocotiers et surmontée d'un soleil accrocheur, ce n'est plus seulement un rêve de routards nostalgiques, c'est une question d'urgence. C'est vouloir les sauver que prendre leur défense tout en incitant à la découverte de leur vraie personnalité. Une personnalité attachante et secrète, qui cache, sous les traits de la jeunesse et d'une certaine insouciance, les traces d'une actualité pleine de conflits et de problèmes.

Partir pour les Antilles françaises, ce n'est pas seulement chercher « l'été en hiver » comme l'avait judicieusement suggéré une publicité quelque peu réductrice, c'est aller à la rencontre d'une culture, d'un peuple déraciné qui cherche ses marques. C'est aussi mieux comprendre l'histoire de France, et, pour le cas de l'esclavage ou des dissidents de la Seconde Guerre mondiale, dans ce qu'elle a de moins glorieux et de moins connu.

Bien sûr il y a le ciel, le soleil et la mer, mais il y a aussi la montagne, tellement liée à la vie locale, et la forêt tropicale, encore si méconnue des touristes. Le charme de ces îles tient avant tout à leur diversité, depuis le calme des côtes caraïbes jusqu'au déchaînement de l'Atlantique qui fouette régulièrement les falaises abruptes.

Quand on part en Martinique, il ne faut pas se contenter de la plage, on a presque honte de devoir encore le répéter ; les îles, c'est aussi une population vivante et nonchalante tout à la fois. Le plus important de tout : apprendre à ne plus regarder sa montre, laisser s'égrener les minutes, les heures, tout doucement...

Si vous ne pouvez pas vous en passer, mettez vite votre montre à l'heure des Antilles. Il va falloir vous lever tôt, pour profiter de votre séjour, surtout si vous êtes dans un village de pêcheurs. Et si vous avez des difficultés à dormir, entre les moustiques, « les concerts de grenouilles, de merles, de grillons auxquels s'ajoute dès 5 heures le chant des coqs », pour reprendre le commentaire d'une lectrice, suivez son conseil : mettez des boules *Quies*[1]. Sitôt levé, ouvrez l'œil, et même les deux.

Ne vous laissez pas influencer par les commentaires négatifs de ceux qui vous ont précédé dans cette île en constante mutation. Chercher à comprendre les réactions des Antillais est le gage d'un séjour réussi, ici plus qu'ailleurs. Les étalages de chair blanche, le débraillé de certains « métros[2] »,les Martiniquais en ont ras le bol. Si vous ne voulez pas rester dans le « ghetto » blanc de certains hôtels, si vous voulez être considéré vraiment en « hôte », faites le premier pas. Tout est une question de comportement. Éviter la provocation reste une règle de base, en voiture comme dans les rues, surtout celles de Fort-de-France. Et le tutoiement ? Ici personne n'adresse la parole pour la première fois à quelqu'un en le tutoyant, à moins d'avoir abusé du ti-punch[3]. Le tutoiement d'office est en fait mal perçu par les Martiniquais... sauf si vous êtes des amis (ce qui peut arriver très vite !).

Le Guide du Routard Martinique, 2006.

1. des boules Quies : boules de cire qu'on se met dans les oreilles pour se protéger du bruit. – 2. les « métros » : les Français venus de métropole. – 3. un ti-punch : cocktail à base de rhum.

COMPRÉHENSION ÉCRITE

1. D'où ce texte est-il tiré ? Quel est son propos ?
2. Combien y a-t-il de parties ? Proposez un titre pour chaque partie.
3. Quelle image avez-vous de la Martinique après avoir lu ce texte ?
4. Si vous souhaitez visiter la Martinique, quels sont les conseils que vous allez suivre ?

VOCABULAIRE

5. Cherchez dans ce texte des équivalents de :
- **a.** bordé
- **b.** simplificatrice
- **c.** battre
- **d.** raide / à pic
- **e.** consommer exagérément

6. Reformulez les énoncés suivants :
- **a.** *si vous ne pouvez pas vous en passer* (l. 31)
- **b.** *c'est le gage d'un séjour réussi* (l. 43)
- **c.** *les étalages de chair blanche, le débraillé de certains « métros », les Martiniquais en ont ras le bol* (l. 44)
- **d.** *le tutoiement d'office est en fait mal perçu par les Martiniquais* (l. 54)

PRODUCTION ORALE

7. Chaque pays a ses stéréotypes. On voit les Français avec un béret sur la tête, une baguette sous le bras et une bouteille de vin dans la poche. À votre connaissance, dites quels sont les clichés qui concernent votre pays et les conseils que vous pourriez donner à un visiteur.

PRODUCTION ÉCRITE

8. Résumez ce texte en 100 mots.
9. À votre tour, rédigez un texte pour présenter lucidement votre pays, votre région ou votre ville, à l'usage de touristes francophones.

VOCABULAIRE LA COMPARAISON

Voir mémento p. 194.

Pour exprimer une comparaison

en comparaison avec
comparer
comparé à
par rapport à

Expressions

faire un parallèle entre...
mettre en parallèle

Pour exprimer la similitude

ainsi que
(tout) aussi
aussi bien que
(exactement) comme
comme si (+ imparfait/ plus-que-parfait)
de même que
le (la) même que
tel que
une espèce de
une sorte de
un type de
l'analogie *(f.)*
analogue (à)
comparable (à)
la copie
copier
égal (à)
égaler
l'égalité *(f.)*
l'équivalence *(f.)*
équivalent (à)
un équivalent
identique (à)
l'identité *(f.)*
pareil (à)
la parité
rappeler
la ressemblance
ressemblant
ressembler à
se ressembler
semblable à
similaire (à)
la similarité
valoir

Expressions

C'est la même chose.
Cela équivaut à...

Pour exprimer la différence

autant... autant...
au contraire de
davantage
à cette différence que
deux fois plus...
plus... que jamais
autre
autrement
le contraste
contraster (avec)
dépasser
la différence
différencier
se différencier de
différent (de)
dissemblable
divers
la diversité
une exception
faire exception à
incomparable
inégal
l'inégalité *(f.)*
inférieur (à)
l'infériorité *(f.)*
particulier
(de très loin) supérieur (à)
la supériorité
surpasser

Expressions

Ça n'a aucune commune mesure.
Ce n'est pas la même chose.
La ressemblance s'arrête là.
C'est sans comparaison possible.

17

INTONATION

1 Écoutez les phrases suivantes et dites dans quels cas on prononce [plus], [pluz] ou [plu]. Répétez-les puis réutilisez-les dans un court dialogue.

2 Lisez les expressions suivantes. À votre avis, expriment-elles une similitude ou une différence ? Réutilisez-les dans un court dialogue.

a. Ça revient au même.
b. C'est kif kif !
c. C'est bonnet blanc et blanc bonnet.
d. C'est une autre paire de manches.
e. Il n'arrive pas à la cheville de son prédécesseur.
f. On dirait son oncle.
g. Ils se ressemblent comme deux gouttes d'eau.
h. Ça n'a rien à voir.

3 Comparez ces photos.

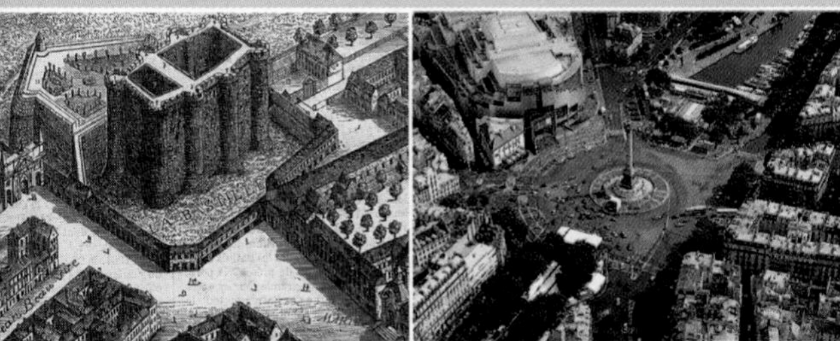

La Bastille

La gare d'Orsay

4 Placez les mots manquants. Conjuguez les verbes.

ainsi que - autant - comme - dire - équivaloir - que - rappeler - ressembler - tel - une sorte de - tel

a. Elle est comme sa mère, elles se ..... comme deux gouttes d'eau.
b. ..... père, ... fils.
c. Ne mets pas ..... de beurre, c'est mauvais pour la santé.
d. Tu prends deux sucres ..... d'habitude ?
e. C'est pas juste, il a eu plus de gâteau ..... moi.
f. Ce nuage a une forme bizarre, on ..... une chaussure.
g. Ce paysage est magnifique, il me ..... la Toscane.
h. Un hectare ..... à 10 000 m^2.
i. Il s'est comporté ..... tu l'avais prévu.
j. – Qui est ce type ?
– Je ne sais pas, ... de gardien.

5 Ajoutez les mots manquants.

– Odile ! Tu n'as pas changé. Tu es toujours la (a).
– Ce n'est pas (b) toi. Tes cheveux sont (c) gris, non ?
– Euh…
– Mais ça te va beaucoup (d) que l'horrible perruque rousse que tu avais mise l'année dernière pour le réveillon.
– Ben…
– Très mignon, ton tailleur.
– Merci.
– Tu l'as payé dans les 500 €, non ?
– Non, un peu (e) cher, 600 €.
– (f) que ça ? Eh, vous pourriez faire attention, vous. Tu as vu comme il m'a bousculé ? Je suis (g) étonnée par l'impolitesse des gens. Pas toi ?

6 Retrouvez les animaux qui correspondent à ces adjectifs.

	comme	
a. bavard		**1.** un mouton
b. bête		**2.** une mule
c. fier		**3.** une oie
d. frisé		**4.** un paon
e. gai		**5.** une pie
f. heureux		**6.** un pinson
g. jaloux		**7.** un poisson dans l'eau
h. malin		**8.** des sardines
i. serrés		**9.** un singe
j. têtu		**10.** un tigre

7 Que signifient les expressions suivantes ?

a. Il est blanc comme neige.
b. Elle est rouge comme une tomate.
c. Il est rouge comme un homard.
d. Elle est blanche comme un cachet d'aspirine.
e. Il est blanc comme un linge.

LA MAYENNE

18 COMPRÉHENSION ORALE

1re écoute

1. Sous quelle rubrique pourriez-vous classer cette chronique de France Info ?
2. Qu'est-ce que la Mayenne (2 réponses) ?
3. Situez la Mayenne sur une carte de France.

2e écoute

4. Quels sont les villes et villages évoqués dans cette chronique ?
5. Quels sont les moyens de transport évoqués ?
6. Quels sont les principaux points d'intérêt de la Mayenne ?
7. Où s'adresser pour avoir plus de précisions ?

VOCABULAIRE

8. Cherchez dans la transcription (p. 203) un équivalent de :
   a. faire naître
   b. restauré, réparé
   c. que l'on voit partout
   d. enchantement
   e. soigner
   f. gênant

CIVILISATION PALMARÈS DES SITES CULTURELS ET RÉCRÉATIFS

PRODUCTION ORALE

1. Situez ces différents sites sur une carte de France.
2. Classez-les en deux catégories (culturels et récréatifs).
3. Que peut-on y voir ? y faire ?
4. Est-ce que ce classement vous étonne ?
5. Connaissez-vous un de ces sites ?
6. À votre connaissance, quels sont les sites les plus visités de votre pays ?
7. Présentez un site culturel important de votre pays.

millions de visiteurs

	2002	2003	2004
Disneyland Paris	13,1	12,4	12,4
Musée du Louvre	5,7	5,7	6,6
Tour Eiffel	6,2	5,9	6,2
Centre Georges Pompidou	5,5	5,3	5,4
Château de Versailles	3,0	2,9	3,3
Cité des Sciences de la Villette	2,6	2,9	2,8
Musée d'Orsay	2,1	1,8	2,6
Musée national d'art moderne (centre Pompidou)	2,5	2,3	2,6
Parc Astérix de Plailly	1,8	1,8	1,8
Parc Futuroscope de Poitiers	1,6	1,2	1,4
Parc zoologique de Lille	1,5	1,5	1,2
Arc de triomphe de Paris	1,3	1,2	1,2
Le Puy-du-Fou	1,1	1,1	1,1
Abbaye du Mont-Saint-Michel	1,1	1,1	1,1

Champ : France métropolitaine.
Source : ministère des Transports, de l'Équipement, du Tourisme et de la Mer, Direction du Tourisme, 2004.

L'Airbus A380 a volé

Le plus gros avion de ligne du monde a décollé pour la première fois mercredi à 10 h 29 de l'aéroport de Toulouse-Blagnac. Il est revenu s'y poser à 14 h 22.

Doucement il avait décollé, doucement il est revenu se poser. À 14 h 22, sur la piste de l'aéroport de Toulouse-Blagnac, à l'issue d'un premier vol d'essai d'un peu moins de quatre heures, l'A380 s'est posé avec une vitesse apparente très faible, supporté par sa gigantesque voilure. Il s'est arrêté en quelques centaines de mètres à peine.

Le géant des airs avait pris son envol, mercredi à 10 h 29, avec une minute d'avance sur l'horaire prévu, depuis la piste 32 de l'aéroport Toulouse-Blagnac, libre de tous mouvements commerciaux pour l'occasion. Pour ce vol d'essai, le premier d'une longue série avant son entrée en service courant 2006, le dernier né du constructeur européen Airbus a bénéficié de conditions idéales : ciel dégagé, brise légère. Précédé d'une Corvette* lui servant d'éclaireur, le mastodonte s'est majestueusement élevé, paraissant presque décoller au ralenti sous les applaudissements des milliers de spectateurs, salariés d'Airbus, VIP, journalistes du monde entier et nombreux curieux.

Une fois ses 22 roues en l'air, l'avion a gardé ses trains d'atterrissage sortis alors qu'il s'éloignait vers le nord-ouest dans un bruit étonnamment discret compte tenu de la masse de l'engin. Cet appareil taille XXL, plus gros avion de ligne du monde, comptait six hommes à bord : les pilotes Claude Lelaie et Jacques Rosay accompagnés de trois ingénieurs et un mécanicien navigant tous parés de leur combinaison orange. Ils s'étaient installés dans le cockpit vers 8 h 45 et l'avion a quitté son aire de stationnement vers 9 h 35.

« *Le décollage a été absolument parfait, la progression et le contrôle de l'avion ont été exactement comme sur simulateur, nous sommes montés ensuite à 10 000 pieds (3 000 mètres) toujours accompagnés de la Corvette qui fait des photos pour nous (...). La météo est parfaite et nous volons actuellement quelque part au nord de Foix (à une centaine de kilomètres au sud de Toulouse, NDLR)* », a déclaré le pilote peu avant midi lors d'une liaison avec le sol. Le chef pilote d'essais d'Airbus a précisé que « *le train d'atterrissage a été rentré à l'altitude de 10 000 pieds* ».

À son retour, l'équipage devait être accueilli par le président d'Airbus, Noël Forgeard, et rejoindre les 500 journalistes venus du monde entier pour saluer l'événement. Lors de sa mise en service, courant 2006, l'Airbus A380 sera le plus grand avion de ligne du monde, capable de transporter entre 555 et 840 passagers suivant les versions. Un succès technique et commercial donnerait un ascendant durable au groupe européen sur son rival américain, Boeing, qui claironne depuis lundi autour du succès de son 787.

Libération, 27/04/2005.

* *La Corvette est un petit avion.*

COMPRÉHENSION ÉCRITE

1. À quelle occasion cet article a-t-il été écrit ?
2. Quel est le ton adopté par l'auteur de l'article ? Justifiez votre opinion.
3. Quels sont les mots utilisés pour qualifier l'Airbus ? Quelle impression donnent-ils ?
4. Comment s'est déroulé le vol ?
5. Comment l'auteur compare-t-il Airbus et Boeing ? Qu'en pensez-vous ?

VOCABULAIRE

6. Cherchez dans le texte :
   - **a.** un vent
   - **b.** un éléphant
   - **c.** un synonyme de *décoré*
   - **d.** un synonyme de *sans nuages*

PRODUCTION ORALE

7. Quelle est la dernière réalisation technique importante dans votre pays ?
8. A-t-elle donné lieu, elle aussi, à des articles enthousiastes ?

VOCABULAIRE LES TRANSPORTS

LES TRANSPORTS AÉRIENS

aérien
l'aéroport *(m.)*
l'altitude *(f.)*
perdre de l'altitude
l'appareil *(m.)*
atterrir
l'atterrissage *(m.)*
l'aviation *(f.)*
l'avion *(m.)*
la cabine
la ceinture
attacher sa ceinture
le charter
la classe
classe touriste / affaires
le commandant de bord
la compagnie
le débarquement
débarquer
le décollage
décoller
la descente
l'embarquement *(m.)*
embarquer
l'enregistrement *(m.)*
l'équipage *(m.)*
l'escale *(f.)*
le gilet de sauvetage
l'hélice *(f.)*
l'hélicoptère *(m.)*
l'hôtesse de l'air *(f.)*
le hublot
la ligne
le passager
la passerelle
le pilote
piloter
la piste
la porte d'embarquement
reconfirmer
le retrait des bagages
la salle d'embarquement
le siège
le steward
le survol
survoler
le tapis roulant
le terminal
la tour de contrôle
via
le vol
voler

Expressions

l'aiguilleur du ciel = le contrôleur aérien
le trou d'air

1 Citez différentes professions du transport.

2 Dites à quel(s) moyen(s) de transport correspondent ces mots.

① avion ② bateau ③ train ④ voiture

a. un hublot
b. le compostage
c. l'équipage
d. le capitaine
e. le commandant de bord
f. le conducteur
g. la ceinture de sécurité
h. la voie
i. le péage
j. une hélice

3 Complétez les phrases suivantes.

a. Ils ont visité la ville en ..... panoramique.
b. N'oubliez pas de ..... votre billet avant de monter dans le train.
c. La sortie est de quel côté à la gare de Lille, en tête ou en ..... de train ?
d. Nous allons bientôt atterrir, Monsieur, voulez-vous redresser votre ..... ?
e. L'équipage de ce navire comprend le capitaine et quatre ..... .
f. En ce jour de départ en vacances, il y a des embouteillages en ville et des ..... sur l'autoroute du Soleil.
g. Vous pouvez prendre un bus pour Amsterdam à la ..... routière.
h. Nous n'avons pas l'autorisation de décoller, nous devons patienter quelques instants en bout de ..... .
i. Vous pouvez laisser vos bagages à la ..... de la gare et les récupérer ce soir.
j. Où se trouve ma ....., à tribord ou à babord ?

LES TRANSPORTS FERROVIAIRES

Les types de train

le corail
le direct
l'express *(m.)*
l'omnibus *(m.)*
le rapide
le TGV
le train de banlieue
le train de grande ligne
le train de marchandises

La gare et la voie

le buffet
le chariot à bagages
le chemin de fer
la consigne
le distributeur
ferroviaire
le guichet
l'horaire *(m.)*
la ligne
les grandes lignes
le passage à niveau
le passage souterrain
le quai
le rail
la salle d'attente
la SNCF
le terminus
le tunnel
le viaduc
la voie

Le train

- la banquette
- la classe
- première/deuxième classe
- le compartiment
- la couchette
- le couloir
- la fenêtre
- la locomotive
- la place
- la place assise
- la portière
- en queue de train
- le signal d'alarme
- en tête de train
- la voiture
- voyager debout
- le wagon
- le wagon-lit
- le wagon-restaurant

Le billet

- l'aller simple *(m.)*
- l'aller-retour *(m.)*
- le compostage
- composter
- le composteur
- le supplément
- le tarif
- le billet plein tarif
- le tarif réduit

4 *Qu'est-ce qu'une bagnole, un tacot, un poids lourd, un hélico, un zinc ?*

19

INTONATION

5 Écoutez les paroles suivantes. Dites quel est le moyen de transport ou le lieu concerné. Répétez-les. Utilisez-les dans un court dialogue.

Les personnes

- le chef de gare
- le cheminot
- le conducteur
- le contrôleur
- le garde-barrière
- le passager
- le porteur

FAIRE UNE RÉCLAMATION

Hôtel Bellevue ***
Cet hôtel familial est situé à 15 mn du centre-ville, au sommet d'une falaise de granit.
12 chambres disposent de : salle de bains, ligne téléphonique directe, mini-bar, télévision.
Une piscine gratuite, avec petit bain pour les enfants, est réservée aux clients de l'hôtel.

PRODUCTIONS ORALE ET ÉCRITE

Vous avez passé une semaine de vacances à l'hôtel Bellevue à Bigorneau-sur-Mer, par l'intermédiaire de l'agence Arna-Tours. Mais la piscine était en réfection et la mer démontée. Vous avez dû passer la semaine dans votre chambre.
À votre retour, vous téléphonez à l'agence pour lui exprimer votre insatisfaction. L'employé paraît compréhensif et vous demande d'écrire une lettre de réclamation.

Pour vous aider

AU TÉLÉPHONE

Exprimer son mécontentement	Calmer quelqu'un
Ce n'est pas sérieux.	Je suis désolé(e).
Je suis vraiment déçu par...	C'est la première fois que...
Je ne suis pas content du tout.	Je vous comprends parfaitement.
C'est pas possible !	Écoutez...
Ça ne va pas se passer comme ça !	Nous allons trouver une solution.
C'est inadmissible !	
Je trouve ça scandaleux.	
Assumez vos responsabilités.	

DANS LA LETTRE

- Suite à notre conversation téléphonique de ce matin, ...
- Je vous demande donc de bien vouloir me rembourser la somme de...

Les voyages à longue distance des Français en 2003

195 milliards de kilomètres parcourus

Les Français de quinze ans ou plus ont effectué, en 2003, 188 millions de voyages à plus de cent kilomètres du domicile, en France ou à l'étranger. Lors de ces voyages, effectués pour des motifs personnels ou professionnels, ils ont parcouru plus de 195 milliards de kilomètres. Plus du tiers des voyages sont des allers-retours effectués dans la journée.

La moitié du kilométrage est parcouru en voiture

Les Français ont effectué, en 2003, 188 millions de voyages à plus de cent kilomètres du domicile, voyages avec au moins une nuit passée hors du domicile ou allers-retours effectués dans la journée [...]. Au cours de ces voyages, ils ont parcouru, en France ou à l'étranger, 195 milliards de kilomètres.

Les voyages à longue distance entrepris pour un motif personnel sont très largement majoritaires (81 %) tandis que ceux effectués pour motif professionnel ne représentent globalement que 19 %. La part du motif professionnel s'élève toutefois à près de 45 % pour les seuls allers-retours effectués dans la journée.

La voiture est à l'origine de la moitié du kilométrage parcouru et de 70 % des voyages à longue distance (figures 1 et 2). Près d'un tiers du kilométrage est parcouru en avion, qui ne représente que 6 % du nombre des voyages. Le train est emprunté dans près de 15 % des voyages et correspond à un peu plus de dix pour cent des kilométrages.

Le kilométrage moyen parcouru lors d'un voyage à longue distance est d'environ 700 kilomètres en voiture, de 800 kilomètres en train et de 5 000 kilomètres en avion (ensemble des distances parcourues entre le départ du domicile et le retour au domicile).

Figure 1 - Répartition des voyages à plus de 100 km selon le mode de transport

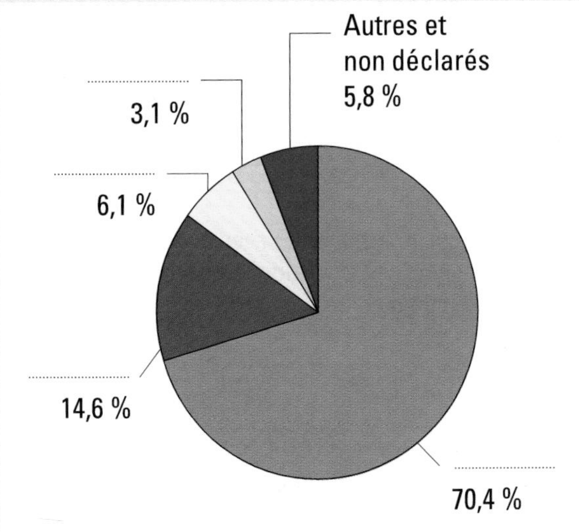

Source : TNS Sofres/Direction du Tourisme, enquête SDT

Figure 2 - Répartition du kilométrage parcouru selon le mode de transport

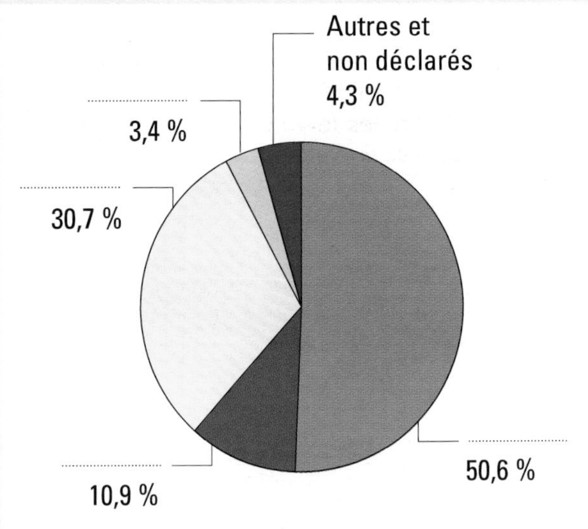

Source : TNS Sofres/Direction du Tourisme, enquête SDT

SES Infos rapides n° 228, septembre 2004.
www.statistiques.equipement.gouv.fr

COMPRÉHENSION ÉCRITE

1. Quel est le thème de cette enquête ?

2. Quel est le moyen de transport le plus utilisé par les Français en voyage ?

3. Placez les mots manquants dans les figures 1 et 2 :
autocar - avion - train - voiture

4. Quelle est la différence entre la figure 1 et la figure 2 ? Comment l'expliquez-vous ?

VOCABULAIRE

5. Relevez les expressions utilisées pour commenter ces données chiffrées.

COMMENTER DES DONNÉES CHIFFRÉES

Commenter un tableau

- Ces données / statistiques font apparaître que...
- Ce tableau montre / indique...

Indiquer un nombre

- Le nombre (total) des chômeurs est de 4 millions.
- Le chiffre du chômage s'élève à 10 % de la population active.
- Le déficit budgétaire se monte à 20 milliards d'euros.
- Le total / la somme représente...

Indiquer une quantité

- Plus / moins de 30 % des ruraux pensent que...
- Un grand nombre de Parisiens estiment que...
- Le double / le triple de...
- Si on additionne les revenus de 2005 et ceux de 2006, on obtient...

Indiquer une fraction

- La part du train s'est accrue.
- Les proportions sont respectivement de 27 % et 16 %.
- La moitié / le tiers / le quart / un cinquième des Français prend l'avion.
- Les deux tiers / les trois quarts des Franciliens préfèrent l'automobile.
- Ces voyages représentent 16 % de l'ensemble.
- Plus d'un tiers des voyages, soit 66 millions, ...

Indiquer une majorité ou une minorité

- La plupart des citadins prennent les transports en commun.
- La place de la voiture est majoritaire / prépondérante, celle du vélo minoritaire.

Pour moduler un chiffre

- environ / approximativement un quart
- presque la moitié

Pour comparer

- Par rapport à 2005, la situation de 2006...
- L'écart entre le chiffre officiel et le nombre réel est important / considérable.
- La différence est minime / faible / négligeable.
- La part du train est deux fois plus importante dans les voyages professionnels.

1 Commentez le tableau suivant.

Figure 3 - Répartition des voyages selon le motif et le mode de transport principal (en milliers)

	Voiture		Train		Avion		Autocar		Autres et non déclarés		Total	
	milliers	%	milliers	%	milliers	%	milliers	%	milliers	%	milliers	%
Total tous motifs	132 157,1	70,4	27 486,6	14,6	11 469,0	6,1	5 774,7	3,1	10 907,2	5,8	187 794,6	100,0
Motif personnel	115 200,8	75,9	19 050,6	12,5	8 566,6	5,6	5 237,3	3,4	3 808,0	2,5	151 863,3	100,0
Motif professionnel	16 956,3	47,2	8 436,0	23,5	2 902,4	8,1	537,4	1,5	7 099,2	19,8	35 931,3	100,0

Source : TNS Sofres/Direction du Tourisme, enquête SDT

SES Infos rapides n°228, septembre 2004.
www.statistiques.equipement.gouv.fr

2 Placez les mots manquants. Faites les accords nécessaires.

écart - environ - important - indiquer - par rapport à - prépondérant - proportion - représenter - soit - tiers

Plus d'un (a) des voyages (35 %) se font dans la journée, (b) 66 millions d'allers-retours. Ils (c) 16 % de l'ensemble du kilométrage parcouru. (d) 2005, la progression est très (e). Ces statistiques (f) d'autre part que la voiture occupe une place (g) lors des voyages pour motif privé, loin devant le train. Les (h) sont respectivement de 75 % pour la voiture et de 13 % (i) pour le train, soit un (j) de 62 %.

TOURISME

On peut définir – abruptement – le tourisme en une phrase, lapidaire, c'est la moindre des choses. Le tourisme est la ruée de foules compactes vers des endroits, de préférence lointains, où il reste quelques débris admirables des monuments et autres choses surprenantes construites par des hommes il y a suffisamment longtemps.

Le maître mot du tourisme conscient et organisé est : « *On ne pourrait plus faire ça aujourd'hui !* » Et c'est bien vrai.

Je dois ici ouvrir une parenthèse. On donne abusivement le beau nom de « touriste » à des individus ou groupes d'individus se rendant en période estivale ou hivernale avec leur petite famille dans des lieux industriellement organisés pour bronzer. Je m'élève. Ces gens sont, au mieux, des vacanciers. Le touriste court le monde pour emmagasiner des tours Eiffel et des Notre-Dame avec son Nikon – dans son magnétoscope caché dans un cure-ongles, soyons à jour.

Les belles vieilles choses, donc. Or, de l'aveu même du touriste de tout à l'heure, ces belles vieilles choses deviennent sans cesse plus vieilles et plus vieilles. On a beau les consolider, les restaurer, les rajeunir, le temps s'écoule toujours de la gauche vers la droite (enfin, moi, je le vois comme ça, vous, je ne sais pas). Et savez-vous que c'est un miracle que ce siècle ait inventé le tourisme ? Car, jusque-là, les belles vieilles choses, on s'en foutait. Chaque époque imposait sa mode et l'on jetait joyeusement à bas les édifices et œuvres d'art de l'époque précédente pour substituer à ces vieilleries des nouveautés dans le vent. La Renaissance et les siècles suivants ont massacré, rasé à tour de bras. S'il reste des cathédrales et des églises romanes ou gothiques en Europe, c'est parce qu'on n'avait pas assez d'argent pour les foutre en l'air et les remplacer par du néoclassique ou du saint-sulpicien, les guerres avaient tout dévoré.

« *On ne pourrait plus faire ça, aujourd'hui.* » C'est vrai. Les pharaons ont laissé les Pyramides. Nous, nous laisserons celle du Louvre. Accourrais-tu de l'autre bout du monde pour contempler la pyramide à Tonton[1] ? Moi, pas.

Dans une ville vouée au tourisme, le touriste est roi. Il veut ignorer que cette ville, en plus d'être une chose à regarder, est une chose vivante, où des gens vont et viennent à leurs occupations nutritives, ou plutôt il les contemple se livrant à ces occupations comme il contemplerait des poissons exotiques évoluant dans un aquarium. Et c'est bien l'impression que j'ai, moi, quidam de Paris : d'être un poisson rouge que ces petits Chinois, forts de leur droit puisqu'ils ont payé pour me voir, regardent évoluer avec un indulgent sourire.

Telles que vont les choses, toute ville de la planète est objet de tourisme pour les habitants de toutes les autres villes. Tout citadin est poisson rouge et bête curieuse pour les citadins d'ailleurs. En même temps, l'uniformité des vêtements, des habitudes, des objets de la vie courante, étale sa grisaille sur toutes les villes. Des tours de verre, des barres de bétons, des voitures toutes pareilles, des jeunes en jeans, des vieux en pardessus, voilà la vérité, voilà le véritable aspect des villes. Oui, mais, au centre du cercle de béton et de verre, il y a, préservé, mignoté, mis sous globe, l'infime noyau de vieilles choses si tant historiques qui justifie le voyage. On veut de la vieille pierre, mais dormir dans un Sofitel. Et quand arrive l'imprévisible tsunami[2], on gueule contre le Sofitel qui n'a pas prévu le tsunami…

François CAVANNA, *Charlie Hebdo*, 29/06/2005.

1. Tonton : surnom du président François Mitterrand. – 2. Ce texte a été écrit après le tsunami qui a ravagé les côtes de l'Asie du Sud-Est en décembre 2004.

COMPRÉHENSION ÉCRITE

1. De quel type de texte s'agit-il ?
2. Quelle est la définition du tourisme de Cavanna ? La partagez-vous ?
3. Comment Cavanna voit-il le touriste ?
4. Quel est le ton de ce texte ? Quelle réaction provoque-t-il en vous ?
5. Proposez un titre à ce texte.

VOCABULAIRE

6. Reformulez les énoncés suivants :
   - **a.** *soyons à jour* (l. 29)
   - **b.** *on s'en foutait* (l. 43)
   - **c.** *on jetait à bas* (l. 45)
   - **d.** *quidam de Paris* (l. 77)
   - **e.** *mis sous globe* (l. 99)
7. Comment comprenez-vous l'expression *« son magnétoscope caché dans un cure-ongles »* (l. 28) ?

ATELIERS

1

Fiche d'information touristique

Objectif : écrire pour un magazine une fiche qui présente une région touristique de son pays ou de France.

Matériel : guide spécialisé, guide gastronomique, prospectus divers, sites Internet.

Déroulement :

Chaque groupe de trois étudiant(e)s :

– choisit une région,

– dégage les points intéressants de la région,

– rédige une fiche comprenant : une présentation historique, géographique, culturelle et gastronomique attrayante de la région, une proposition d'itinéraire (avec éventuellement une carte), les adresses des offices du tourisme, où manger et dormir.

2

Voyage dans une région française

Objectif : organiser un voyage en groupe dans une région française.

Matériel : guide touristique, guide gastronomique, prospectus divers, horaires de train et d'avion, sites Internet...

Déroulement :

Chaque groupe de trois étudiant(e)s :

– choisit une région,

– décide en commun des sites qu'il va visiter dans la région,

– se partage le travail : programme des visites, type de transport et horaires, lieux d'hébergement et restaurants.

Chaque groupe présente son programme en classe.

3

Carnet de voyages

Objectif : raconter un voyage jour après jour à l'aide de photographies.

Matériel : photographies personnelles ou découpées dans des magazines : photos de paysages, de villes (scènes de rue), de sites touristiques, de musées, de personnes, de restaurants...

Déroulement : à chaque groupe de trois étudiant(e)s est attribué un paquet de photographies.
Le groupe écrit son récit de voyage jour après jour (pour un séjour de quatre jours) en racontant les anecdotes et les incidents survenus et en donnant son appréciation sur : la ou les villes visitées, les sites ou monuments visités, l'hébergement, les restaurants, les événements (film, festival, autre événement culturel), les moyens de transports utilisés, les rencontres.

PRÉPARATION AU DELF B2

compréhension orale

Durée de l'épreuve : 30 minutes environ.
Note sur 25.

20

DOCUMENT 1 (une écoute – 6 points)

Écoutez ce reportage et répondez aux questions suivantes :

1. Où la plupart des Français partent-ils en vacances ? *(1 point)*

2. Quel mois partent-ils le plus souvent en vacances ? *(1 point)*

3. Citez les pays concernés. *(1 point)*

4. Pourquoi les seniors partent-ils plus facilement en vacances ? *(deux réponses – 2 points)*

5. Quel type de voyage est en régression ? *(1 point)*

Touristes seniors à Cable Beach, Broome, Australie.

21

DOCUMENT 2 (deux écoutes – 19 points)

Écoutez cette interview d'Oscar Lenoir et répondez aux questions suivantes :

1. Quelle est la profession d'Oscar Lenoir ? *(1 point)*

2. Citez trois moyens de transport mentionnés dans l'interview. *(1 point)*

3. Pourquoi Oscar Lenoir voyage-t-il actuellement ? *(1 point)*

4. Quand a-t-il commencé à voyager ? *(1 point)*

5. Voyage-t-il encore de la même façon ? Pourquoi ? *(2 points)*

6. Quel est son rêve de voyage ? *(1 point)*

7. Où préfère-t-il aller ? *(1 point)*

8. Pour quelle raison ? *(deux réponses - 2 points)*

9. Qu'aime-t-il dans le voyage ? *(2 points)*

10. Citez deux faits à l'origine d'incidents de voyage. *(2 points)*

11. Quelle décision a-t-il prise après ces incidents ? *(1 point)*

12. Que rapporte-t-il maintenant comme souvenir de ses voyages ? *(1 point)*

13. Dans quel type de logement habite-t-il ? Dans quelle ville ? *(1 point)*

14. Citez cinq des pays dont il est fait mention dans l'interview. *(2 points)*

ARTS
UNITÉ 5

- **Comprendre un texte non spécialisé concernant l'art**
- **Comprendre un récit radiodiffusé non spécialisé parlant d'art et d'histoire**
- **Dégager les points positifs et négatifs d'un texte**
- **Choisir un musée dans un guide**
- **Expliquer ses goûts et ses choix en matière d'art**
- **Écrire une lettre de déclaration de sinistre à un assureur**
- **Organiser un événement concernant un musée**
- **Rédiger un article présentant un musée**

- **Vocabulaire de l'art et de l'appréciation**
- **Les temps du passé, le passé simple**

« L'art est un jeu entre tous les hommes de toutes les époques. »

Marcel DUCHAMP

Les mystères du LOUVRE

Une émeute, un incident ? Non, c'est un jour ordinaire au Louvre, parmi le brouhaha, les exclamations, les bousculades. Un rideau de visiteurs ceinture la *Vénus de Milo*. Les éclairs de lumière des flashs illuminent le marbre. Un premier cordon pose devant elle – difficile de ne pas figurer sur le même cliché que le voisin, alors on se décale –, un second, plus dense, photographie l'ensemble. Malheureuse idole ! On ignore toujours qui elle est. S'agit-il d'Aphrodite ou d'Amphitrite, déesse de la Mer ? Ce que l'on sait, c'est qu'elle fut découverte en 1820 à Milo, dans les Cyclades, et que le marquis de Rivière en fit don à Louis XVIII qui à son tour l'offrit au Louvre. Les bras de cette déesse énigmatique, sculptée vers la fin du IIe siècle av. J.-C., n'ont jamais été retrouvés. À quelques salles de là, tout en haut de l'escalier Daru, la *Victoire de Samothrace* (vers 190 av. J.-C.) semble tout aussi démunie face à la chenille de touristes qui gravissent les marches avant de s'immobiliser à quelques mètres d'elle, en contrebas. Exhumée en 1863 sur une petite île du nord-est de la mer Égée, elle était placée dans une niche dominant le théâtre du sanctuaire des Grands Dieux. Ses pieds prenant appui sur la proue d'un navire, on imagine que cette niche comportait un bassin.

Une Vénus, une Victoire. Il manque encore une idole sur le podium gagnant du Louvre. Des panneaux fléchés indiquent où la dénicher. Depuis le début du mois d'avril, elle a retrouvé la salle des États, entièrement restaurée. Désormais, elle est entourée d'une vingtaine de chefs-d'œuvre de la peinture italienne de la Renaissance. Auprès de Titien, du Tintoret, elle fait face aux *Noces de Cana* de Véronèse. Elle n'est donc pas seule – comme l'auraient souhaité certains conservateurs –, cette femme au sourire énigmatique. Comment pourrait-elle l'être d'ailleurs ? C'est elle, et elle seule le plus souvent, que l'on vient admirer de tous les coins de la planète. Des chiffres ? Le

La Joconde, *de Léonard de Vinci, dans la salle des États entièrement restaurée.*

premier dimanche du mois de juin, sur les 45700 visiteurs qui se sont engouffrés sous la pyramide, 26000 ont dirigé leurs pas vers le portrait de cette belle Florentine.

Que serait le Louvre sans ces trois grâces ? Il resterait de toute façon le plus beau musée du monde, un palais où les histoires se croisent. La sienne d'abord. Celle de ses trésors ensuite. Enfant du siècle des Lumières, le Louvre doit son nom au lieu-dit sur lequel Philippe Auguste érigea à la fin du XIIe siècle un donjon et une enceinte destinés à protéger Paris des attaques des Anglais. L'endroit s'appelait Lupara, un nom dont l'étymologie demeure inconnue. Le lieu servit par la suite de prison, d'arsenal et, sous Philippe le Bel, à entreposer le trésor royal. Au fil des décennies, cet ouvrage militaire – dont on peut apercevoir aujourd'hui les vestiges au sous-sol du musée, dans le Louvre médiéval – se transforme. À partir du règne de François Ier, il n'est de souverain qui ne veuille lui apporter sa pierre : on étend des ailes, on érige des pavillons, on dresse des travées. Gigantesque Meccano, le Louvre devient Muséum central des Arts sous la Convention. Il ouvre ses portes au public le 10 août 1793. Le premier accrochage compte près de 600 tableaux ainsi que des objets d'art et des sculptures. Toutes ces pièces proviennent des anciennes collections royales et des saisies sur les biens de l'Église et des émigrés. Les premiers temps, les conditions d'accès sont réglementées. Sur les dix jours que compte la décade révolutionnaire, six sont réservés aux copistes et aux artistes, trois au public. À la fin du XIXe siècle, le Louvre – ouvert six jours sur sept – reçoit déjà 750 000 visiteurs chaque année. Détail : l'entrée est gratuite. Mais il est recommandé, à l'époque, de porter la redingote pour les messieurs.

Les grandes heures du Louvre commencent alors. Les artistes y sont les rois. C'est là qu'ils viennent prendre leurs leçons, c'est là qu'ils viennent aussi en donner. Baudelaire raconte avoir aperçu Delacroix, en compagnie de sa servante : « *Il ne dédaignait pas de montrer et d'expliquer les mystères de la sculpture assyrienne à cette excellente femme qui l'écoutait d'ailleurs avec une naïve application.* » Peintres, graveurs, sculpteurs, de Mme Vigée-Lebrun (qui un jour s'y retrouva enfermée, tant elle était restée absorbée dans la contemplation des collections) à Picasso, en passant par Degas ou Brancusi, tous fréquentèrent le Louvre ! Au fil des acquisitions, des dons, des fouilles réalisées sur des sites archéologiques, les collections du musée s'enrichissent, composant peu à peu l'imposante encyclopédie de notre histoire. Certes, ce beau livre est imparfait. Pour régler la question, Apollinaire avait suggéré d'y mettre le feu. Trop d'académisme, trop de passé, trop de poussière. Le monde était devant !

Et pourtant, que serions-nous sans le Louvre ? Que serions-nous sans cette prodigieuse mémoire dont on ne se lasse pas d'explorer les innombrables arcanes ? Il faut des jours, des jours, des semaines entières pour en venir à bout.

Bernard GENIÈS, *Le Nouvel Observateur*, 14/07/2005.

COMPRÉHENSION ÉCRITE

1. Quels sont les thèmes abordés dans cet article ?

2. Quelles sont les « trois grâces » dont il est fait mention ?

3. Quelles sont les différentes étapes de l'histoire du Louvre ?

4. Comment les collections du musée se sont-elles constituées ?

5. Quelle est l'atmosphère du Louvre, si on en croit cet article ? Quels sont les mots qui suscitent cette impression ?

6. Quels sont les éléments d'appréciation positive et négative qui apparaissent dans ce texte ?

VOCABULAIRE

7. Reformulez les énoncés suivants :

a. *la chenille de touristes qui gravissent les marches* (l. 18)
b. *le podium gagnant du Louvre* (l. 27)
c. *gigantesque Meccano* (l. 59)
d. *l'imposante encyclopédie* (l. 89)

8. Faites correspondre ces mots tirés du texte et leur synonyme.

a. *dénicher* (l. 28)	**1.** bâtir
b. *gravir* (l. 19)	**2.** déterrer
c. *exhumer* (l. 21)	**3.** entrer
d. *s'engouffrer* (l. 40)	**4.** monter
e. *ériger* (l. 48)	**5.** trouver
f. *une enceinte* (l. 49)	**6.** une longue veste
g. *un vestige* (l. 55)	**7.** un mur fortifié
h. *une redingote* (l. 73)	**8.** un reste

GRAMMAIRE LE PASSÉ

Échauffement

Dans la phrase suivante, quel est l'infinitif des verbes soulignés ? Quel est le temps de ces verbes ? Qu'est-ce que ce temps exprime ? Quel temps emploierait-on à l'oral ?

Ce que l'on sait, c'est qu'elle fut découverte en 1820 à Milo, dans les Cyclades, et que le marquis de Rivière en fit don à Louis XVIII qui à son tour l'offrit au Louvre.

Le passé simple

Le passé simple exprime un fait passé ponctuel, considéré de son début à sa fin. Il ne marque aucun contact entre ce fait et le présent. Il est utilisé uniquement dans la langue écrite littéraire, universitaire ou journalistique.
Dans la langue orale et dans la langue écrite non littéraire, il est remplacé, depuis le XXe siècle, par le passé composé.

Conjugaison

Il y a 4 conjugaisons différentes :

je chant**ai**	je part**is**
tu chant**as**	tu part**is**
il chant**a**	il part**it**
nous chant**âmes**	nous part**îmes**
vous chant**âtes**	vous part**îtes**
ils chant**èrent**	ils part**irent**
je b**us**	je v**ins**
tu b**us**	tu v**ins**
il b**ut**	il v**int**
nous b**ûmes**	nous v**înmes**
vous b**ûtes**	vous v**întes**
ils b**urent**	ils v**inrent**

Formation

Le passé simple se construit en général sur la forme du participe passé :

parler : parlé → je parlai
finir : fini → je finis
connaître : connu → je connus
avoir : eu → j'eus

Exceptions :

– les verbes en -andre / -endre / -erdre / -ompre / -ondre / -ordre
je perdis / je rendis / j'interrompis

– les verbes en -attre
je battis

– les verbes en -indre
je peignis / je craignis / je rejoignis

– les verbes en -frir et en -vrir
je couvris / je découvris / j'offris / j'ouvris / je souffris

– les verbes en -uire
je conduisis / je cuisis

et aussi :

convaincre	→ je convainquis	tenir	→ je tins
écrire	→ j'écrivis	vaincre	→ je vainquis
être	→ je fus	venir	→ je vins
faire	→ je fis	vêtir	→ je vêtis
mourir	→ je mourus	voir	→ je vis
naître	→ je naquis		

RAPPEL : LES TEMPS DU PASSÉ

On peut utiliser :

- le passé composé pour
  – une action passée ponctuelle
  *Hier, **j'ai visité** le musée du Louvre.*
  – le résultat passé ou présent d'une action passée
  *Il a acheté un produit efficace : toutes les taches de peinture **ont disparu**.*
- l'imparfait pour
  – le cadre d'une action, un état, une situation passés
  *Quand j'**étais** jeune, j'**habitais** à Marseille.*
  – une description
  *La dernière fois que je l'ai vue, elle **portait** un chapeau rouge et des lunettes noires.*
  – une habitude passée
  *Quand j'avais dix ans, on **allait** à la piscine le mercredi.*
  – une action en cours d'accomplissement dans le passé (généralement en relation avec un passé composé ou un passé simple)
  *Quand je suis entré, il **regardait** un documentaire sur le Louvre à la télévision.*
- le plus-que-parfait pour
  – un fait terminé antérieur à un autre passé
  *Quand je suis arrivé, il **était** déjà **parti**.*

N.B. : La distinction entre passé composé et imparfait existe également pour un sentiment, un état d'esprit.
– *Il **avait** peur avant l'examen.* (état d'esprit)
– *Quand il a crié, les enfants **ont eu** peur.* (réaction)

1. Dans le texte suivant, extrait des *Trois mousquetaires* d'Alexandre Dumas, qui conte l'entrée au Louvre de Mme Bonacieux et du duc de Buckingham, repérez les passés simples. Dites quelle serait leur forme au passé composé. Attention aux accords des participes passés.

Une fois entrés dans l'intérieur de la cour, le duc et la jeune femme suivirent le pied de la muraille pendant l'espace d'environ vingt-cinq pas ; cet espace parcouru, madame Bonacieux poussa une petite porte de service, ouverte le jour, mais ordinairement fermée la nuit ; la porte céda ; tous deux entrèrent et se trouvèrent dans l'obscurité, mais madame Bonacieux connaissait tous les tours et détours de cette partie du Louvre, destinée aux gens de la suite. Elle referma les portes derrière elle, prit le duc par la main, fit quelques pas en tâtonnant, saisit une rampe, toucha du pied un degré, et commença de monter un escalier : le duc compta deux étages. Alors elle prit à droite, suivit un long corridor, redescendit un étage, fit quelques pas encore, introduisit une clé dans une serrure, ouvrit une porte et poussa le duc dans un appartement éclairé seulement par une lampe de nuit, en disant : « Restez ici, milord-duc, on va venir. » Puis elle sortit par la même porte, qu'elle ferma à la clé, de sorte que le duc se trouva littéralement prisonnier.

Alexandre DUMAS, *Les Trois Mousquetaires,* 1844.

2. Mettez ce texte au passé. N'utilisez pas le passé simple.

Les quarante-trois années du règne de Philippe Auguste (1180 à 1223) voient un renforcement considérable du pouvoir monarchique à l'intérieur comme à l'extérieur du royaume. Paris, première ville du continent, est dotée d'une nouvelle et puissante enceinte fortifiée à partir de 1190 et le roi décide de la renforcer, à l'ouest, par une protection supplémentaire. Le château du Louvre naît alors, aux portes d'une cité qu'il est censé protéger du danger anglo-normand. Après la démolition de la Grosse Tour, les travaux se poursuivent jusque sous Louis XIV. Le château Renaissance de François Ier est complété par Henri II et ses fils jusqu'à ce que la construction du palais des Tuileries modifie sensiblement la donne : il est situé à environ 500 mètres du Louvre, et les rois veulent relier les deux édifices l'un à l'autre par un passage direct. Ce souhait est concrétisé par l'aménagement de la Grande galerie.

Les règnes de Louis XIII et Louis XIV marquent profondément les structures du Louvre et des Tuileries. Le cœur du monument prend alors l'aspect que nous lui connaissons encore de nos jours.

D'après : http://www.louvre.fr

3. Mettez ce texte au passé. Si vous le souhaitez, utilisez le passé simple.

Louis XIV naît en 1638 à Saint-Germain-en-Laye. Son père Louis XIII meurt quand il a cinq ans et il devient roi de France. Sa mère Anne d'Autriche assure la régence ; c'est le temps de la Fronde (1648-1653), la rébellion de la haute noblesse et du peuple de Paris. L'enfant se sent humilié par l'arrogance des Grands et menacé dans sa capitale.

En 1660, il épouse l'infante d'Espagne Marie-Thérèse. L'année suivante, lorsque son parrain et premier ministre, le cardinal Mazarin, meurt, le souverain de 23 ans annonce qu'il gouvernera par lui-même. Personne n'y croit. Pourtant il tient conseil chaque jour, conseil dont il écarte les grands seigneurs, s'entourant de ministres qui lui doivent tout.

Les vingt premières années du règne personnel sont les plus brillantes. Avec Colbert, il conduit la réorganisation administrative et financière du royaume, ainsi que le développement du commerce et des manufactures. Avec Louvois, il réforme l'armée et accumule les succès militaires. Enfin il favorise l'extraordinaire épanouissement des arts et des sciences.

Mais, à la fin de sa vie, sa politique de conquête et son sectarisme religieux mènent la France au bord de la ruine.

Le Roi-Soleil meurt en 1715, après 72 ans de règne.

D'après : http://www.chateauversailles.fr

RACONTER

PRODUCTIONS ORALE ET ÉCRITE

1. Écrivez un texte sur l'histoire d'un monument historique de votre pays. Parlez des dates approximatives de construction, de son style, de son rôle, de son image parmi vos concitoyens, de ce qu'il symbolise. (200 mots environ)
2. Faites-en une courte présentation (5 minutes environ), agrémentée de photos, aux autres étudiants de la classe.

CIVILISATION QUIZ

LA JOCONDE Pourquoi Léonard s'appelait-il de Vinci ?

1 Sur les 25 000 visiteurs qui entrent chaque jour d'ouverture au Louvre, combien se précipitent vers *La Joconde* ?

a. 30 % **b.** 60 % **c.** 90 %

2 La nouvelle présentation du tableau, réalisée à grands frais, a été très critiquée. Pourquoi ?

a. Elle est accrochée au milieu de la peinture vénitienne, qui n'a rien à voir.
b. Elle est accrochée juste avant les grands formats du XIXe siècle.
c. La vitrine est tellement mal foutue qu'on y voit les reflets des *Noces de Cana*, situé en face.
d. Il n'y avait pas de champagne au cocktail de presse.

3 Léonard de Vinci a peint Lisa Gherardini, épouse d'un notable florentin. Comment s'écrit le surnom de *La Joconde* ?

a. Mona Lisa
b. Monna Lisa.
c. Monalisa.

4 D'où vient le nom « la Joconde » ?

a. Surnom donné à une femme noble de caractère.
b. Expression désignant une femme facile.
c. Son époux s'appelait Francesco del Giocondo.

5 Quelle particularité physique présente-t-elle ?

a. Elle n'a ni sourcils ni cils.
b. Les macrophotographies ont détecté un début de calvitie, d'où un doute sur l'identité de la jeune femme (Monna Lisa avait 24 ans).
c. Son sourire pourrait être dû à une semi-paralysie faciale.
d. Comme l'a suggéré Dan Brown, auteur de *Da Vinci Code*, tout indique qu'il s'agit en fait d'un autoportrait de l'artiste en drag queen.

6 Pourquoi Léonard s'appelle de Vinci ?

a. Les artistes prenaient souvent le nom de leur village d'origine.
b. Les artistes devaient reprendre le nom de leur maître.
c. Les artistes devaient reprendre le prénom et le nom de leur père, s'il était peintre. C'est pourquoi les Américains l'appellent aussi « Leonardo Jr. ».

7 Quand un maçon-verrier italien vole le tableau, au Louvre, en 1911, pour le ramener à Florence, il dit vouloir restituer l'œuvre à son pays.

a. *La Joconde* a effectivement été pillée par l'armée napoléonienne.
b. Pas du tout, elle avait été commandée par François Ier, ayant appelé Léonard à ses côtés au château d'Amboise.
c. Elle avait été achetée par François Ier.

8 L'enquête a pataugé pendant deux ans et demi, sous les quolibets de la presse. Le juge d'instruction fut appelé :

a. Le Joe Condé.
b. Le cocu de Monna Lisa.
c. Le marri de Monna Lisa.

9 Pourquoi Picasso et Apollinaire furent-ils inquiétés ?

a. Picasso était membre de la cellule « étrangère » du PCF tout comme le maçon italien.
b. Picasso avait dérobé une figurine espagnole au Louvre pour réaliser *Les Ménines*.
c. Le secrétaire d'Apollinaire avait dérobé des figurines phéniciennes au Louvre et Picasso les avait eues entre les mains.

10 En décembre 1913, le voleur propose *La Joconde* à un antiquaire florentin, sous un faux nom. Lequel ?

a. Perrugia.
b. Leonardo.
c. Vinci.

11 Marcel Duchamp l'a affublée de moustaches, sur une toile acquise par Aragon qui la donna au PCF. Elle est désormais accrochée au centre Pompidou. Comment avait été baptisée cette Joconde ?

a. *Josèphe.*
b. *L.H.O.O.Q.*
c. *Rrose Sélavy.*
d. *La Joconde rasée.*

Vincent NOCE, *Libération*, 19/07/2005.

Marcel DUCHAMP, 1919.

LA JOCONDE

COMPRÉHENSION ORALE

1re écoute

1. À votre avis, d'où provient cet enregistrement ?
2. Quels sont ses thèmes ?

2e écoute

3. Comment Saint-Bris décrit-il le fond du tableau ?
4. Racontez le vol de *La Joconde*.
5. Quel est le mystère de *La Joconde* selon Saint-Bris ?
6. Que pensez-vous de cette hypothèse et du ton employé par le narrateur ?

VOCABULAIRE

7. Recherchez dans la transcription du texte p. 203 des synonymes de :

a. la peur
b. suspecté
c. caché
d. très pauvre
e. secrètement
f. policier
g. travesti
h. mort

EN 1911, MONNA LISA SE FAIT LA BELLE

Un ouvrier italien subtilise le tableau, ridiculisant la police durant deux ans.

Le 21 août 1911, le destin de Monna Lisa bascule. Un ouvrier italien, qui travaillait sur les vitrines du musée du Louvre, vole sans encombre le tableau. Vincenzo Perrugia emportera sa prise avec lui, à Florence. « *Inimaginable !* », titre *le Matin*. La presse parle d'une « *perte incalculable* ». Trois ans avant l'entrée en guerre, on évoque l'hypothèse d'un coup d'agents allemands. La sécurité du musée était défectueuse. *L'Intransigeant* s'indigne : « *Le Louvre est plus mal gardé qu'un musée espagnol !* » *Paris-Journal* suggère au public de « *réveiller les gardiens* ».

L'enquête patauge. Le préfet Lépine croit à une mauvaise plaisanterie. Le juge d'instruction est surnommé « *le marri de Monna Lisa* ». Père de la police scientifique, qui inspirera le personnage de Sherlock Holmes, Alphonse Bertillon* relève une empreinte digitale sur le cadre. Il prend les empreintes de tout le personnel du Louvre. 257 personnes. Mais pas celles de Perrugia. L'Assemblée s'enflamme, la presse se déchaîne, et promet des récompenses. On s'étonne que le tableau, estimé à 2 millions de francs de l'époque, n'ait pas été assuré contre le vol.

Pablo Picasso et Guillaume Apollinaire sont inquiétés. Le secrétaire du poète a, en effet, subtilisé des figurines phéniciennes au Louvre, qu'il tente de revendre. *Paris-Journal* lui en achète, pour ridiculiser les autorités. Apollinaire est jeté en prison. Picasso ne se résigne pas à jeter les figurines à la Seine. Elles seront rendues. En 1913, un antiquaire florentin alerte enfin les autorités : Perrugia, se faisant appeler « *Léonard* », a proposé de lui vendre *la Joconde*. La liesse est considérable quand le tableau rentre en France.

Mais, dès le premier jour, la foule s'était précipitée au musée du Louvre pour voir le lieu du crime, l'endroit d'où le tableau avait disparu. Dans cette période troublée, l'immense émotion suscitée par ce vol a contribué à faire de *la Joconde* un mythe planétaire. Comme si de l'absence était née une présence.

Vincent Noce, *Libération*, 06/04/2005.

** Alphonse Bertillon est le créateur de la police scientifique en France, il a instauré le relevé des empreintes digitales.*

COMPRÉHENSION ÉCRITE

1. Lisez cet article sur le vol de *La Joconde*. Relevez les points communs avec le récit de Gonzague Saint-Bris. Quelles sont les informations complémentaires ?
2. Quelle a été la réaction de la presse ?
3. Comment s'est déroulée l'enquête de la police ?
4. Quelle a été la réaction du public au moment du vol et au retour de *La Joconde* ?

VOCABULAIRE

5. *Libération* aime les jeux de mots. Comment comprenez-vous :

1) « Monna Lisa se fait la belle » :
a. elle se maquille
b. elle s'enfuit
c. elle prend sa revanche

2) « le marri de Monna Lisa »
marri signifie :
a. époux
b. propriétaire
c. attristé

6. Cherchez dans le texte des équivalents de :
a. facilement
b. de mauvaise qualité
c. se passionner
d. être suspecté
e. voler
f. essayer
g. la joie collective
h. provoqué

La Joconde déménage

Mieux exposée, mieux protégée et surtout mieux éclairée, *La Joconde* a regagné la salle des États, qui rouvre ses portes mercredi au public après quatre ans de fermeture pour travaux. Dans cette pièce, la plus vaste du musée du Louvre, Monna Lisa fait désormais face aux gigantesques *Noces de Cana* de Véronèse.

Même signées Titien ou Tintoret, la cinquantaine de peintures vénitiennes accrochées dans la salle des États risquent bien d'être éclipsées par ces deux tableaux qui rivalisent de superlatifs. [...]

Les deux tableaux étaient auparavant accrochés à angle droit. *« Les deux publics de fervents amateurs se confondaient et se gênaient »*, souligne Jean Habert, conservateur chargé de la peinture vénitienne du XVIe siècle. Les chefs-d'œuvre se font maintenant face à 28 mètres de distance.

La rénovation de la salle des États, qui a duré quatre ans, a surtout permis d'améliorer l'éclairage, qui est assuré par une verrière au plafond. [...]

Ce procédé permet d'être *« toujours au plus proche de la lumière du jour »*, relève Cécile Scailliérez, la conservatrice chargée de la peinture italienne du XVIe siècle et notamment de La Joconde. Alors que l'ancienne verrière n'éclairait que le centre de la pièce, la nouvelle *« boîte lumineuse »* au plafond *« éclaire les murs autant que le centre de la salle »*, note Jean Habert.

Le petit portrait de Léonard de Vinci (77 cm de large sur 55 cm de haut) est présenté sous une épaisse vitrine pare-balles, anti-reflets et étanche. Le mince panneau de peuplier (13 mm d'épaisseur) *« est maintenu dans un climat complètement stable »*, assure Cécile Scailliérez. Pour corriger les reflets et les ombres, une petite lumière a été installée sous le tableau, à l'extérieur de la vitre.

« Le paysage a beaucoup gagné au nouvel éclairage », se félicite Mme Scailliérez. *« Le ciel est plus bleu qu'on ne le voyait dans la salle Rosa »*, où Monna Lisa séjournait depuis avril 2001. D'après elle, on avait jusqu'à présent *« une vision un peu trop sombre »* du tableau. Aujourd'hui, dit-elle, *« la présentation est plus proche de l'expérience que j'ai quand le tableau est en dehors de la vitrine »*.

[...] Le tableau a regagné cette pièce dimanche soir.

En avril 2004, le musée du Louvre avait publié un communiqué affirmant que le panneau de peuplier sur lequel est peinte la Joconde présentait *« une déformation supérieure à celle qui avait été précédemment constatée »*. [...]

Les inquiétudes étaient levées mardi lors de la présentation à la presse de la salle rénovée. *« Le tableau va très bien, bien qu'il soit très fragile »*, a ainsi déclaré Cécile Scailliérez. D'après les dernières radiographies, *« la fente n'a absolument pas évolué depuis 1939 »*. [...]

Le panneau de bois est bombé et il est sensible aux variations de températures. *« Toutefois, il ne présente pas de risque de dégradation si les conditions de conservation actuelles sont respectées »*, affirme le Centre de recherche et de restauration des musées de France (C2RMF).

Interrogée pour savoir si Monna Lisa serait plus heureuse dans cette nouvelle installation, Cécile Scailliérez a estimé que la Joconde méritait toujours autant son surnom français (« gioconda » signifie « joyeuse » en italien) : *« Je n'ai pas noté de changement dans son sourire »*.

La Libre Belgique, 05/04/2005.

COMPRÉHENSION ÉCRITE

1. À quelle occasion cet article a-t-il été écrit ?
2. Pourquoi *La Joconde* déménage-t-elle ?
3. Quels travaux ont été effectués ?
4. Le résultat est-il positif ? Qu'est-ce qui le montre dans le texte ?
5. *La Joconde* est-elle menacée ?

VOCABULAIRE

6. Quelle est l'expression du texte qui montre l'importance de *La Joconde* ?
7. Cherchez dans le texte des équivalents de :
   a. cacher, masquer
   b. se mélanger
   d. noter
   e. revenir

Monna Lisa est une peste

Le lundi 4 avril, les visiteurs du Louvre ne verront pas *La Joconde*. Ce jour-là, le tableau retrouvera sa place dans une salle entièrement rénovée qui pourra accueillir 1 500 visiteurs par heure. La grande majorité des touristes qui séjournent à Paris visitent le Louvre, et plus de 90 % d'entre eux n'ont qu'une idée en tête : voir le célèbre sourire de Monna Lisa. La boutique du musée vend chaque année plus de 330 000 articles représentant La Joconde, dont 200 000 cartes postales, 20 000 magnets* et 10 000 puzzles. Tout cela a conduit le Louvre à informer 6 000 agences de voyages que le tableau ne serait pas accessible au public le 4 avril. Un message analogue clignote sur le site du musée et a été imprimé en dix langues sur les plans du Louvre.

Que se passerait-il si des visiteurs américains ou japonais trouvaient un mot d'excuse à la place du tableau ? Cette question complique singulièrement la vie de la conservatrice Cécile Scailliérez, qui ne peut se consacrer à *La Joconde* que le mardi, jour de fermeture du musée, ou à des heures impossibles. De leurs côtés, les conférenciers se plaignent de l'intérêt obsessionnel du public pour ce tableau, tandis que les gardiens protestent contre le bruit, les flashs des appareils photo et les pick-pockets.

Bref, Monna Lisa est devenue une véritable diva, aux exigences scandaleuses. « *C'est une peste. Elle fixe ses propres lois* », affirme Mme Scailliériez. Depuis vingt ans qu'elle occupe son poste de conservatrice, elle a vu l'idolâtrie prendre des proportions considérables. *La Joconde* suscite au moins une lettre par semaine, souvent « *bizarre* ». Mme Scailliériez tente de répondre à toutes, même à celle d'un numérologue qui prétendait avoir découvert une relation « *incroyable* » entre les dimensions du tableau et la date de naissance du peintre. L'historienne d'art et conférencière Sonia Brunel explique quant à elle qu'elle a souvent des difficultés à s'approcher du tableau pour le commenter. Elle doit parler de l'autre bout de la salle et attendre que les touristes aient fini de se prendre en photo devant le portrait. Même si l'ordre chronologique lui paraîtrait préférable, elle commence sa visite par la salle de *La Joconde* pour « *être plus détendue* » ensuite.

Pourtant, les conservateurs des autres départements, que la plupart des touristes visitent à la hâte pour mieux voir Monna Lisa, ne sont pourtant pas mécontents. Râler contre le succès de *La Joconde* serait « *comme se plaindre d'être riche* », observe Olivier Mesley, conservateur au département des peintures britanniques et espagnoles du musée.

Daniel MICHAELS et Anne-Michèle MORICE,
The Wall Street Journal, Courrier international, 31/03/2005.

* *magnet : aimant décoratif que l'on peut fixer par exemple sur un réfrigérateur.*

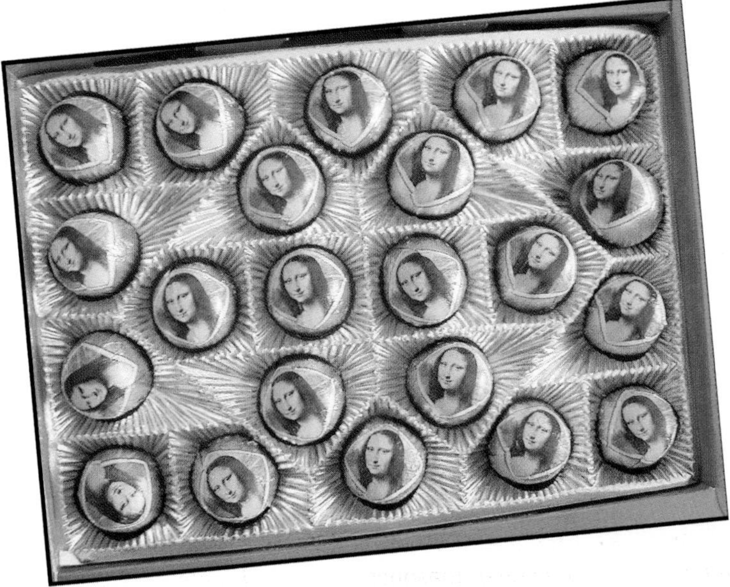

COMPRÉHENSION ÉCRITE

1. La tonalité de cet article est-elle la même que celle de « *La Joconde déménage* » ?
2. En quoi la Joconde est-elle une « *peste* » ?
3. La conclusion reflète-t-elle le contenu de l'article ?

VOCABULAIRE

4. Relevez toutes les expressions péjoratives de ce texte.

VOCABULAIRE L'ART

1 Recherchez dans la liste ci-contre :

a. différentes formes d'expression artistique (exemple : *le dessin*) ;
b. le matériel utilisé (exemple : *le crayon*).

2 Faites correspondre chaque mot à sa définition :

a. une esquisse
b. un cadre
c. une B.D.
d. un buste
e. un mécène

1. la bordure entourant un tableau
2. une personne riche qui aide les artistes
3. la première forme d'un dessin
4. une suite de dessins qui raconte une histoire
5. une sculpture représentant la tête et les épaules d'une personne

3 Placez les mots manquants. Essayez de le faire sans regarder la liste ci-dessous.

a. Zoe Crainquebric gagnait sa vie comme modèle ; elle ..... pour Toulouse-Lautrec.
b. Cézanne a peint de nombreuses ....., notamment des pommes posées sur une assiette.
c. L'expert pense que ce tableau est un faux, la ..... du peintre ne lui paraît pas authentique.
d. Les pyramides d'Égypte, le Colisée, le Louvre font partie du ..... culturel de l'humanité.
e. Michel-Ange a peint les ..... de la chapelle Sixtine.
f. Henri Daumier a dessiné de nombreuses ..... du roi Louis-Philippe. Il l'a représenté sous la forme d'une poire.
g. La peinture à l'....., c'est plus difficile. Mais c'est bien plus beau que la peinture à l'..... .
h. – Je suis invité au ..... de l'exposition de Tania, à la galerie Wargny.
– Tu as un carton d'invitation pour moi ?
i. – J'aime beaucoup ce tableau mais je trouve le ..... démodé.
– Vous préféreriez de l'aluminium à la place du bois ?
j. Ce portrait est très réussi. Vous avez un excellent coup de ..... .

cadre - caricature - crayon - eau - fresque - huile - nature morte - patrimoine - poser - signature - vernissage

L'art

l'artiste *(m. et f.)*
artistique
l'amateur d'art *(m.)*
l'antiquité *(f.)*
attribué à
la censure
le chef-d'oeuvre
la collection
le collectionneur
le connaisseur
la copie
le créateur
la création
le (la) critique
le disciple
esthétique
l'expert *(m.)*
exposer
l'exposition *(f.)*
la galerie
le maître
le marchand d'art
le mécénat
le mécène
le musée
l'œuvre d'art *(f.)*
original
le patrimoine culturel
le sponsor
sponsoriser
le vernissage

La peinture et le dessin

peindre
le peintre
l'aquarelle *(f.)*
l'atelier *(m.)*
l'autoportrait *(m.)*
la bande dessinée
la B.D.
la boîte de peinture
le cadre
la caricature
le crayon
le dessinateur
dessiner
encadrer
l'encre (de Chine)
l'esquisse *(f.)*
la fresque
l'huile *(f.)*
le modèle
la nature morte
le nu
la palette
la peinture à l'huile / à l'eau
le pinceau
le portrait
poser
représenter
la signature
le tableau
la toile
le trait

Le style

le courant
l'école *(f.)*
l'influence *(f.)*
le mouvement
l'avant-garde
d'avant-garde
classique
le cubisme
l'expressionnisme
l'hyperréalisme
l'impressionnisme
le réalisme
le romantisme
le surréalisme

DES MILLIERS DE CURIEUX AU LOUVRE

La prise de la pyramide

On l'apercevait à travers la palissade d'un chantier ; on la découvrait à partir d'une rustique plate-forme. Et déjà la polémique allait bon train. Le président de la République l'a consacrée vendredi 21 octobre. Ce week-end, les Français l'ont inaugurée.

La voici donc en chair et en os, en verre et en acier la fameuse pyramide de M. Pei. Éclatante au centre de la cour Napoléon, entourée de ses quatre petites sœurs et nimbée de la brume des puissants jets d'eau qui la cernent. Dimanche, l'air était doux, le ciel hésitait entre le bleu et le gris, la pierre du Louvre entre le beige et le rose. Des milliers de Parisiens, d'origine ou d'occasion, seuls, en couple ou en famille, s'engouffraient dans le passage Richelieu, naguère réservé au ministère des Finances, et découvraient soudain ce vaste espace devenu, en quelques heures, un nouveau Beaubourg. À l'évidence, c'était le plus important, le plus somptueux spectacle du jour. Théâtres et cinémas, concerts et expositions ne pouvaient rivaliser avec cette assemblée impromptue venue voir et commenter.

D'abord le choc. Le choc silencieux devant l'étrange alchimie de la nouvelle esplanade : le mariage ou le heurt de bâtiments qui paraissent si anciens (et qui ne datent pourtant que du XIXe siècle) et de cette pyramide plus futuriste qu'on ne l'imaginait. Et puis les commentaires. Innombrables, variés, pédants, admiratifs ou scandalisés, savants ou naïfs. Fragments d'un discours qui ne sera jamais couché dans les papiers officiels. Bruissement de propos saisis au vol au milieu des cris des gamins ravis de courir entre les bassins et déjà habitués à cette nouvelle architecture.

Exalté : *« C'est dingue, c'est fou, on n'a jamais vu ça ».*

Blasé : *« Dans dix ans, on n'en parlera plus ».*

Ménager : *« L'eau qui rebondit sur la pyramide va laisser des traces de calcaire ».*

Pratique : *« Ça va être difficile de nettoyer toutes ces vitres ».*

Architectural : *« Moi, je n'aurais laissé que les quatre petites pyramides ».*

Architectural (bis) : *« Moi, j'aurais enlevé les quatre petites pyramides. Elles tuent la grande ».*

Déçu : *« Elle n'est pas transparente. Je croyais qu'il n'y aurait qu'une seule vitre pour chaque côté de la pyramide ».*

Déçu (bis) : *« C'est la ferraille intérieure qui est moche et c'est pour cela qu'elle est ratée ».*

Historique : *« Napoléon n'aurait jamais permis une chose pareille ».*

Curieux : *« Ce monument, quand le visite-t-on ? »*

Connaisseur : *« C'est marqué sur la pancarte… au début de 1989 »…*

Prudent : *« Attendons l'ouverture du grand Louvre pour juger ».*

Indigné : *« Quelle honte ! »*

Politique : *« Les infirmières manifestent pour moins que ça. Le peuple français devrait descendre dans la rue pour démolir ces horreurs ».*

Le peuple français, en l'occurrence, est là, et il ne casse rien. Après les commentaires, de nouveau silencieux, il regarde, déambule et photographie. Étonné et étonné de son propre étonnement. En tout cas, personne ne semble se souvenir de ce qu'il y avait ici… avant. Un maigre square aux arbres rabougris et aux pelouses pelées où trônait une statue équestre. De qui ?

Claude SALES, *Le Monde*, 18/10/1988.

COMPRÉHENSION ÉCRITE

1. À quelle occasion cet article a-t-il été écrit ?
2. À partir de quoi a-t-il été composé ?
3. Qu'y avait-il à cet emplacement avant la pyramide ?
4. Les commentaires sont-ils plutôt positifs, négatifs ou attentistes ? Justifiez votre choix.

VOCABULAIRE

5. Notez les formules d'appréciation positives et négatives.
6. Cherchez dans le texte des équivalents de :
   - **a.** fou
   - **b.** place
   - **c.** choc
   - **d.** se promener
   - **e.** petit, en mauvaise santé
7. Reformulez les énoncés suivants :
   - **a.** *la voici donc en chair et en os* (l. 5)
   - **b.** *bruissement de propos saisis au vol* (l. 40)
   - **c.** *c'est la ferraille intérieure qui est moche* (l. 64)

PRODUCTION ORALE

8. Les appréciations des passants vous paraissent-elles pertinentes ?
9. Dans votre pays, la construction d'un monument a-t-elle provoqué passion et controverses ?
10. Pour vous, le mélange d'architecture moderne et classique est-il un mariage ou un heurt ?

VOCABULAIRE L'APPRÉCIATION

Appréciation positive

un admirateur
admirer
adorable
adorer
agréable
un amateur de
apprécier
attrayant
beau
la beauté
bien
bon
le bon goût
célèbre
la célébrité
l'éloge *(m.)*
élogieux
enchanter
enchanteur
l'enthousiasme *(m.)*
enthousiasmer
s'enthousiasmer (pour)
enthousiaste
excellent
expressif
fantastique
génial
le génie
impressionnant
impressionner
incomparable
inoubliable
intéressant
intéresser
s'intéresser à
joli
magique
magnifique
la maîtrise
merveilleux
la notoriété
original
l'originalité *(f.)*
parfait
la passion
passionné
la perfection
pittoresque
plaire
précieux
la qualité
ravir
ravissant
remarquable
la renommée
la réputation
réputé (pour)
splendide
unique
la valeur

Expression

faire un tabac

Appréciation négative

affreux
artificiel
banal
confus
la déception
décevoir
déplaire
détester
ennuyer
ennuyeux
l'exagération *(f.)*
exagéré
grotesque
une horreur
horrible
indifférent
impersonnel
insolite
kitsch
laid
la laideur
lamentable
mauvais
le mauvais goût
moche
monstrueux
moyen
nul
ordinaire
ridicule
le scandale
scandaleux
snob
vulgaire

Expression

Ça me laisse froid.

1 Classez ces expressions du plus positif au plus négatif.

Vous aimez ça ?

a. Oui, beaucoup.
b. Oh oui !
c. Pas tellement.
d. Bof !
e. Pas du tout.
f. Pas mal.

2 Classez ces expressions du plus positif au plus négatif.

a. Je n'aime pas tellement.
b. J'aime bien.
c. Je n'aime pas beaucoup.
d. J'aime assez.
e. Je n'aime pas son style.
f. Je n'aime pas du tout.
g. J'aime beaucoup.
h. J'aime.

3 Dites ce qui peut être : *beau, joli, mignon.*

a. une poupée
b. une statuette
c. le château de Versailles
d. la tour Eiffel
e. Marilyn Monroe
f. M. Muscle
g. une robe du soir
h. le nouveau petit ami de votre cousine
i. une petite maison
j. un village

4 Répartissez les adjectifs qui ont un sens voisin en quatre groupes.

a. affreux
b. bizarre
c. chouette *(fam.)*
d. épatant *(fam.)*
e. étrange
f. laid
g. moche *(fam.)*
h. nul
i. vraiment pas terrible *(fam.)*
j. super *(fam.)*
k. lamentable
l. drôle

23

INTONATION

5 Écoutez ces appréciations et dites si elles sont positives ou négatives et à quel point (+++ / ++ / + / – / – – / – – –).

Exemple : *J'adore ça.* +++

La Nuit des musées fait recette

800 musées français ont hier soir ouvert leurs portes jusque tard dans la nuit. Affluence et conférences au Louvre, qui fermait ses portes à minuit.

Visiteurs dans le jardin du musée Rodin pendant la Nuit des musées.

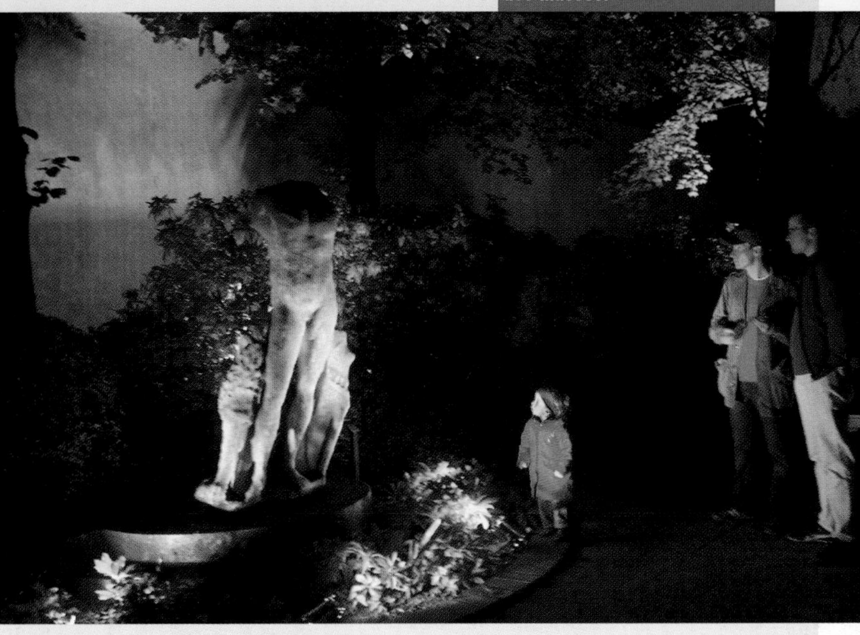

D'ordinaire, le Louvre est un couche-tôt qui ferme ses portes le samedi à 18 heures. Mais hier soir, c'était jour de fête et le plus célèbre musée de France a veillé tard. Instaurée par le ministère de la Culture à la place des traditionnels « Printemps des musées » qui se déroulaient depuis 1999, la première édition de la « Nuit des musées » a permis de repousser l'heure de fermeture d'environ 800 musées en France, pour le plus grand bonheur de centaines de milliers de visiteurs. Au Louvre, c'est à minuit que les lumières se sont éteintes.

Au fil des heures, la foule s'est faite hier en fin d'après-midi de plus en plus dense. *« Il y a autant de monde, si ce n'est plus, que les premiers dimanches matins de chaque mois quand l'entrée est libre »*, constatait, étonné, un gardien. Entrée libre + visite très tardive, la formule semble avoir fait recette. Lors des deux « nocturnes » hebdomadaires, c'est en effet à 21 h 45 tapantes que le Louvre ferme. *« La nuit, c'est encore plus magique d'être ici »*, résumait une très jeune touriste accompagnée de sa grand-mère.

Quelques musées avaient prévu des soirées culturelles mais aussi ludiques. Beaubourg a ainsi organisé quatre grandes animations spécialement conçues pour les enfants. Le musée de Feurs, dans la Loire, avait lui programmé un bal costumé XVIIIe siècle ; à Avignon, on pouvait visiter le palais des Papes à la lampe torche ; sur l'île d'Ouessant (Finistère), l'écomusée programmait une soirée contes et chants à la lueur des bougies. Au Louvre rien de tout cela : du sérieux, des films, des conférences. Victimes de leur succès, celles-ci se sont toutefois déroulées dans des conditions à la limite de l'audible.

Devant une foule compacte, une historienne a tant bien que mal tenté de conter l'histoire d'Ishtar, déesse mésopotamienne, de l'amour et de la fertilité. Dans la crypte bondée où se trouve le sarcophage de Ramsès III, un de ses collègues a décodé les hiéroglyphes qui l'ornent, commençant par l'une de ses faces, *« celle de la septième heure, où le dieu Soleil change de forme et tue le serpent qui a avalé l'eau du Nil »*. Ceux qui ont pu l'entendre sont restés captivés. Les autres, habitués du musée ou le découvrant pour l'occasion, ont fait demi-tour et sont allés trouver leur bonheur ailleurs.

Alexandre Duyck, *Le Journal du Dimanche,* 15/05/2005.

COMPRÉHENSION ÉCRITE

1. À quelle occasion cet article a-t-il été écrit ?
2. Cette manifestation a-t-elle eu du succès ? Quelles sont les expressions qui l'indiquent ?
3. Quelles sortes d'animations sont présentées dans ce texte ?
4. Quels sont les avantages et inconvénients de ce type de manifestation ?

VOCABULAIRE

5. En quoi, le Louvre est-il habituellement un « couche-tôt » ?
6. Cherchez dans le texte des équivalents de :
   a. établir, instituer
   b. juste, pile
   c. qui vous fait jouer
   d. faible lumière
   e. se passer, avoir lieu
7. Relevez tous les mots et expressions en relation avec le temps.

MUSÉES DE PARIS

PRODUCTION ORALE

1. Parmi les musées de Paris suivants, lesquels auriez-vous envie de visiter ? Pourquoi ?

2. Quels sont les éléments du texte qui ont attiré votre attention ?

Musée Zadkine

Ce musée est situé dans l'atelier qu'Ossip Zadkine, sculpteur d'origine russe, occupa de 1928 jusqu'à sa mort en 1967. Cette petite maison, inattendue au cœur de Paris, avait séduit l'artiste, qui écrivit à son ami : « Viens voir ma folie d'Assas et tu comprendras combien la vie d'un homme peut être changée à cause d'un pigeonnier, à cause d'un arbre. »
Le musée abrite quelque trois cents œuvres de Zadkine, léguées par sa veuve, la peintre Valentine Prax. Plus d'une centaine sont exposées ; elles permettent de suivre la carrière de ce sculpteur qui partit de l'esthétique cubiste pour évoluer vers l'expressionnisme et l'abstraction.

100 bis, rue d'Assas, au fond de la cour, porte à droite, 6e arr.

Musée de la Vie romantique

Confié à la Ville de Paris en 1982 par le ministère de la Culture, le musée de la Vie romantique présente des souvenirs de George Sand et organise des expositions autour du romantisme. Le musée occupe une belle demeure de style Restauration, qui fut habitée à partir de 1830 par le peintre Ary Scheffer.

16, rue Chaptal, 9e arr.

Musée du Vin

Situé dans des carrières exploitées dès le Moyen Âge et utilisées comme cellier par les moines de l'abbaye de Passy (XVe s.), ce musée rassemble dans ses galeries voûtées de nombreux objets et documents illustrant la culture de la vigne et le travail du vin : vendanges, tonnellerie, verrerie, œnologie…
Une dizaine de tableaux animés de personnages en cire évoquent l'histoire des lieux et les principaux vignobles français.

Rue des Eaux, entrée :
5, square Charles-Dickens, 16e arr.

Musée national du Sport

La vocation première du musée national du Sport est la préservation du patrimoine sportif français ; il comporte une documentation importante sur le monde du sport en général et sert également de cadre à des expositions régulières.

Stade du Parc des Princes,
24, rue du Commandant-Guilbaud, 16e arr.

Musée de la Poupée

Ouvert en 1955, ce petit musée présente deux cents poupées et bébés français en porcelaine, de 1860 à 1960, rassemblés par deux collectionneurs père et fils, Guido et Samy Odin. Ces poupées sont exposées au milieu d'objets qui rappellent l'époque de leur création. Chaque salle évoque un moment important de l'évolution de la poupée.

Impasse Berthaud (28, rue Beaubourg), 3e arr.

Guide bleu, Musées de Paris, 2000.

Musée de la Vie romantique. Reconstitution du salon de la maison de George Sand située à Nohant (Berry).

À PROPOS D'ART

PRODUCTION ORALE

Tirez au sort une des citations suivantes et dites ce que vous en pensez.

1

"L'ART EST LE PLUS BEAU DES MENSONGES."

Claude DEBUSSY

2

"N'importe quel objet peut être un objet d'art pour peu qu'on l'entoure d'un cadre."

Boris VIAN

3

"Pour moi, il n'y a dans l'art ni passé ni futur. Si une œuvre d'art ne parvient pas à vivre toujours au présent, elle ne doit pas compter du tout. L'art des Grecs, des Égyptiens, des grands peintres qui ont vécu en d'autres temps, n'est pas un art du passé, peut-être est-il plus vivant aujourd'hui que jamais."

Pablo PICASSO

4

"Sans la musique, la vie serait une erreur."

Friedrich NIETZSCHE

5

"L'histoire n'est pas une science, c'est un art. On n'y réussit que par l'imagination."

Anatole FRANCE

6

"La mission de l'art n'est pas de copier la nature mais de l'exprimer."

Honoré de BALZAC

DÉCLARATION DE VOL

Lors de votre retour de vacances, vous constatez avec horreur que des cambrioleurs se sont introduits dans votre appartement et ont volé plusieurs objets précieux.
Vous téléphonez immédiatement à votre assureur, qui vous demande de lui envoyer une lettre recommandée avec accusé de réception, précisant les faits, ainsi que le récépissé du dépôt de plainte délivré par la police et une liste détaillée des objets dérobés.

PRODUCTION ORALE

1. Vous téléphonez à votre assureur pour lui annoncer la nouvelle. Il vous demande des détails et vous recommande de lui envoyer une lettre.

Pour vous aider

- **le vol - voler - le voleur**
- **le cambriolage - cambrioler - le cambrioleur**
- **une effraction - casser - briser**
- **porter/déposer plainte**
- **une assurance - un assureur - un contrat (d'assurance) - une clause**

PRODUCTION ÉCRITE

2. Vous écrivez à l'assureur en lui donnant la liste des objets volés et leur description.

La Vie d'artiste

Je t'ai rencontrée par hasard,
Ici, ailleurs ou autre part,
Il se peut que tu t'en souviennes.
Sans se connaître on s'est aimés,
Et même si ce n'est pas vrai,
Il faut croire à l'histoire ancienne.
Je t'ai donné ce que j'avais
De quoi chanter, de quoi rêver.
Et tu croyais en ma bohème,
Mais si tu pensais à vingt ans
Qu'on peut vivre de l'air du temps,
Ton point de vue n'est plus le même.

Cette fameuse fin du mois
Qui, depuis qu'on est toi et moi,
Nous revient sept fois par semaine
Et nos soirées sans cinéma,
Et mon succès qui ne vient pas,
Et notre pitance incertaine.
Tu vois, je n'ai rien oublié
Dans ce bilan triste à pleurer
Qui constate notre faillite.
Il te reste encore de beaux jours
Profites-en mon pauvre amour,
Les belles années passent vite.

Et maintenant tu vas partir,
Tous les deux nous allons vieillir
Chacun pour soi, comme c'est triste.
Tu peux remporter le phono,
Moi je conserve le piano,
Je continue ma vie d'artiste.
Plus tard, sans trop savoir pourquoi,
Un étranger, un maladroit,
Lisant mon nom sur une affiche
Te parlera de mes succès,
Mais, un peu triste, toi qui sais,
Tu lui diras que je m'en fiche...

Léo Ferré en répétition, 03/11/1961.

Paroles : Léo FERRÉ et Francis CLAUDE.
Musique : Léo FERRÉ.

24 COMPRÉHENSION ORALE

1. À votre avis, à quelle date cette chanson a-t-elle été écrite ?
2. Qui chante cette chanson ?
3. À qui s'adresse cette chanson ?
4. À quelle occasion ?
5. Qu'est-ce que la vie d'artiste, la bohème ? Qu'est-ce qui le montre dans le texte ?
6. Trouvez-vous que la musique corresponde au texte ?

VOCABULAIRE

7. En quoi l'étranger sera-t-il un *« maladroit »* ?
8. Reformulez les énoncés suivants :
   - **a.** *vivre de l'air du temps* (l. 11)
   - **b.** *la pitance* (l. 18)
   - **c.** *la faillite* (l. 21)
   - **d.** *le phono* (l. 28)
   - **e.** *je m'en fiche* (l. 36)

ATELIERS

1

Organisation d'une animation

À l'occasion de la nuit des musées, organisez une animation pour un musée de votre ville ou un musée parisien.
– Décidez des modalités de cette animation.
– Rédigez un carton d'invitation.
– Faites une affiche pour populariser cet événement.

2

Rédaction d'un article

Pour un guide français, rédigez un court article illustré pour présenter un musée de votre ville (par groupe de deux ou trois étudiants).
– Recherchez des informations et des illustrations (sur place ou sur Internet).
– Rédigez l'article.

JACK PALMER A LA FIAC

↑ *plan du métro de Paris*

PRODUCTION ORALE

1. Où se trouve Jack Palmer ?
2. Comment pouvez-vous caractériser sa réaction ?
3. Et vous, appréciez-vous l'art moderne ?

PRÉPARATION AU DELF B2

production orale

Choisissez un des deux articles ci-dessous. Vous dégagerez le problème soulevé dans le document et présenterez votre opinion sur le sujet de manière construite et argumentée.
Préparation : 30 minutes.
Durée de l'épreuve : 20 minutes.
Note sur 25.

Document 1

Mozart écrase les prix

Tout Mozart – ou presque – en 170 CD, pour 99 euros ! C'est ce que propose l'éditeur néerlandais Brilliant Classics, spécialisé dans la réédition d'enregistrements historiques à prix modique. Mais 60 centimes l'unité, quand on sait qu'une nouveauté peut coûter jusqu'à 26 euros, c'est du jamais vu ! Et n'allez pas penser qu'il s'agisse de fonds de tiroir : les interprétations réunies dans cette intégrale – qu'on pense aux symphonies dirigées par Jaap ter Linden ou aux grands opéras sous la baguette de de sir Charles Mackerras – sont parmi les meilleures. L'acheteur peut donc se frotter les mains et fêter en fanfare la future année Mozart (pour le 250e anniversaire de sa naissance) en enrichissant sa discothèque de versions qu'il ne se serait pas forcément procurées au prix fort.

Cette aubaine pour le consommateur (déjà dix mille coffrets vendus en France) appelle quelques remarques. D'abord, elle consacre un type d'éditeur qui ne se met plus au service d'artistes en activité ou d'un répertoire, mais exploite des catalogues déjà existants. Elle marque ensuite la marchandisation absolue du disque classique (réduction au minimum des coûts, prix le plus attractif possible, pari sur la quantité écoulée) et le banalise, en marginalisant les éditeurs qui prennent des risques, découvrent des artistes, explorent des répertoires, accomplissent un travail d'accompagnement iconographique et textuel. Car tout cela, naturellement, a un coût.

Alors sommes-nous en train de vivre un moment historique dans l'histoire du disque compact classique ? Sa dématérialisation devient désormais inéluctable, comme pour les autres musiques, tout comme l'achat en ligne et le téléchargement (plus ou moins) légal.

Xavier LACAVALERIE, *Télérama*, 30/11/2005.

Document 2

Les chimpanzés ont leur Cézanne

Où va se nicher la modernité du monde de l'art contemporain ? Trois peintures ont été vendues aux enchères à Londres pour la somme de 21 600 €. Le client, un Américain qui se veut *« grand amateur de peinture moderne et contemporaine »*, a en effet beaucoup apprécié les œuvres de Congo, un chimpanzé ! Surnommé le « Cézanne du monde des singes », il a produit plus de 400 dessins et peintures dans les années 50, à l'initiative du célèbre anthropologue Desmond Morris, auteur du best-seller *Le Singe nu*. Ce dernier, persuadé du talent artistique des chimpanzés, a fait connaître Congo dès 1957, en exposant ses tableaux à Londres. On murmure même que Picasso avait une œuvre du singe prodige dans son atelier.

Congo, dont le style est qualifié d'« expressionnisme abstrait », a donc vendu trois de ses œuvres à la maison d'enchères Bonhams aux côtés de celles d'Auguste Renoir, Fernand Léger ou encore Andy Warhol ! Pourvu qu'Howard Hong, le client qui a réalisé cet investissement, n'ait pas réglé son achat en monnaie de singe !

Marianne, 02-08/07/2005.

QUELLE HISTOIRE !
UNITÉ 6

- Lire un texte non spécialisé parlant d'histoire
- Comprendre un récit biographique radiodiffusé
- Discuter à propos de faits et de personnages historiques
- Raconter la vie d'une personne
- Rédiger la biographie d'un personnage historique
- Réfléchir sur l'enseignement de l'histoire

- Prendre des notes et résumer une conférence portant sur l'histoire

- Vocabulaire de l'histoire
- L'expression du temps
- L'emploi du participe passé

- Découvrir différents aspects de l'histoire de France

« L'homme n'est pas entièrement coupable : il n'a pas commencé l'histoire ; ni tout à fait innocent puisqu'il la continue. »

Albert Camus

NOËL 1914, TRÊVE DE TRANCHÉES

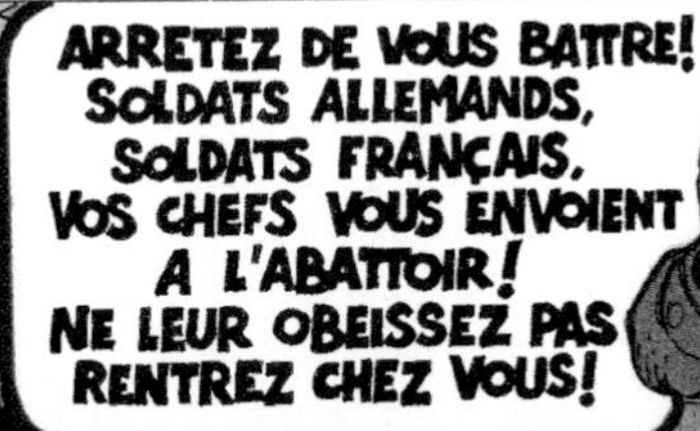

TARDI, *La Fleur au fusil*, 1979.

Savions-nous que des soldats allemands, français et anglais trinquaient ensemble dans les tranchées de 1914 ? Un film de Christian Carion, *Joyeux Noël*, et l'ouvrage d'un collectif d'historiens, *Frères d'armes*, éclairent un moment étonnant de fraternisation.

On nous a appris tant d'horreurs sur la Grande Guerre. L'enfer des tranchées. Le soldat chair à canon. La haine inextinguible entre les peuples. Une gigantesque boucherie qui a occulté les brefs moments d'humanité qui ont pu la ponctuer. Le soir de Noël 1914, comme le raconte le film de Christian Carion, on s'est serré la main entre ennemis plutôt que de serrer son fusil. Les chorales remplacent les balles. Chacun y va de ses cadeaux. Les Allemands font rouler les tonneaux de bière, distribuent les cigares, étrennes du Kaiser[1]. Les Français se chargent du vin. Les Anglais apportent whisky et pudding. Grande foire au village sur le no man's land ! On se découvre entre voisins de tranchées. Jusque-là, on s'entendait parler, tousser, rigoler. Mais là, l'ennemi a un visage. Stupéfaction. *« Ils n'ont pas une aussi sale bobine que j'aurais cru. » « Ils ont des figures comme nous. »* Les soldats ont souvent rapporté l'événement dans leurs lettres. Nos manuels d'histoire ont enterré la scène qui faisait désordre. Un ouvrage, *Frères d'armes* (Perrin), répare cet oubli. Et relie cette trêve à un phénomène plus vaste et diffus : la fraternisation entre soldats ennemis.

Mais revenons à ce 24 décembre 1914. Ce jour-là, le ciel est bleu, la neige brille au soleil et les tranchées, décorées de sapins, ont un air de Holiday on Ice. Après des semaines de pluie et de boue, la nature aussi joue l'apaisement. De chaque côté, les soldats vivent leur premier hiver et découvrent les mêmes épouvantables conditions. *« Pauvres clochards, ils sont dans la même mouise[2] que nous »*, écrit un poilu français. Début décembre, on s'interpelle déjà entre *« pauvres bougres »*. On fraternise entre gars de l'infanterie, pris au piège des tranchées. Une première dans l'histoire de la guerre. Certes, en Espagne, les troupes de Napoléon et de Wellington avaient joué aux cartes ou puisé l'eau aux mêmes puits. Idem en Crimée. Mais, en 1914, la guerre s'enterre et immobilise des ennemis proches à se toucher. *« Il me semble que je vois des larmes en face dans les yeux de mes guetteurs »*, écrit un soldat à sa fiancée.

La trêve ne sera pas générale. Un appel lancé par le pape sera ignoré. Ni organisé ni contagieux, ce repos des balles vaudra surtout pour les 50 kilomètres tenus par les Britanniques. Les Français, dont le territoire est envahi, auront plus de mal à faire la paix avec les « Fritz »[3]. La population insultera même les soldats anglais coupables de pactiser avec le « boche »[3]. Un élément a joué en faveur d'un rapprochement germano-anglais. Avant la guerre, de nombreux réservistes allemands ont travaillé à Londres comme serveurs ou chefs de rang. Un « poilu boche » retrouve ainsi son ancien « barber » et se fait coiffer dans le no man's land. Ces Allemands maîtrisent la langue de Shakespeare, ce qui aide à nouer des contacts. Ils connaissent aussi des chants anglais. La musique, on le sait, adoucit les mœurs.

Autre temps fort : l'enterrement des morts qui gisent entre les lignes. Les deux camps tiennent à rendre les honneurs. Des offices communs sont célébrés. On savoure aussi le calme, le silence, irréels. On parle peu de la guerre, sujet tabou. On improvise des matchs de foot. Seule la presse anglaise s'en fera l'écho, favorable du reste, photos de troufions à l'appui, ce qui entraînera l'interdiction des appareils dans les tranchées. La hiérarchie s'en tiendra à des rappels à l'ordre, préférant nier ces agissements. Il est vrai que le Code pénal de l'armée n'avait pas prévu ce cas de figure.

FRÈRES DE MISÈRE. Cette trêve ne sera pourtant que la manifestation la plus spectaculaire d'un phénomène plus large qui voit l'agressivité se négocier à la baisse. Pour apprivoiser l'ennemi, tous les moyens sont bons. Combat d'insultes. Compétition de tirs sur des bouteilles. Concours d'imitation de cris d'animaux. Dictés par le bon sens, des accords tacites s'instaurent. On met les pouces lors des corvées d'eau et de chiottes[4]. Les travailleurs sur les parapets et les chevaux de frise sont épargnés. Parfois, on emprunte le maillet et les barbelés de l'autre. On s'avertit des horaires d'explosion des mines. Le principe est toujours le même : *« Si on les embête pas, ils nous tirent pas dessus car ils en ont assez comme nous. »* De surcroît, ces frères de misère ont des ennemis communs. Le général Hiver et les généraux. Les artilleurs aussi qui marmitent[5] et mettent de l'huile sur le feu. Quand on apprend que son artillerie va donner, on prévient l'ennemi. Lors d'une inspection, on canarde[6] pour la forme.

Selon les historiens, cette sympathie n'aurait fait le lit ni du pacifisme ni des désertions de 1917. Il s'agirait surtout d'une logique de survie. D'une gestion au quotidien de l'horreur. D'une résistance à la propagande. Mais le temps, l'usure, les morts auront raison de cette résistance. Ainsi, Noël 1915 ne verra pas se renouveler le miracle de l'an 1914. Un miracle dont un poilu résuma l'absurdité : *« J'étais là à serrer la main des hommes que j'avais essayé de tuer quelques heures auparavant. »*

François-Guillaume Lorrain, *Le Point*, 03/11/2005.

Soldats allemands jouant aux cartes dans une tranchée près de Reims.

1. le Kaiser : l'empereur d'Allemagne. – 2. la mouise : la misère. – 3. un boche / un Fritz : un Allemand (très péjoratif). – 4. la corvée de chiottes : le nettoyage des WC (grossier mais officiel). – 5. marmiter : bombarder. - 6. canarder : tirer.

COMPRÉHENSION ÉCRITE

1. À quelle occasion cet article a-t-il été écrit ?

2. Que s'est-il passé à Noël 1914 ? Résumez le déroulement des événements.

3. Comment ces événements s'expliquent-ils ?

4. Cette trêve est-elle un cas isolé ?

5. Décrivez la situation des soldats dans les tranchées.

VOCABULAIRE

6. Relevez tous les mots utilisés pour désigner les soldats.

7. Que signifient :
- **a.** *une gigantesque boucherie* (l. 12)
- **b.** *les étrennes du Kaiser* (l. 19)
- **c.** *mettre les pouces* (l. 88)

8. Reformulez les énoncés suivants :
- **a.** *nos manuels d'histoire ont enterré la scène qui faisait désordre* (l. 27)
- **b.** *seule la presse anglaise s'en fera l'écho* (l. 74)
- **c.** *les artilleurs qui mettent de l'huile sur le feu* (l. 96)

PRODUCTION ORALE

9. Connaissez-vous de tels exemples de fraternisation dans l'histoire de votre pays ?

10. Approuvez-vous l'attitude des soldats ?

11. Comprenez-vous l'attitude d'une partie de la population française (souvent des réfugiés) qui insulte les soldats coupables de pactiser avec l'ennemi ?

12. Pouvez-vous expliquer l'absence de tels épisodes dans les manuels scolaires ?

VOCABULAIRE L'HISTOIRE

Généralités

l'archéologie *(f.)*
un(e) archéologue
la civilisation
la découverte
découvrir
l'époque *(f.)*
l'ère *(f.)*
les fouilles *(f.)*
l'historien(ne)
l'histoire *(f.)*
historique

La période

la préhistoire
l'Antiquité
le Moyen Âge
la Renaissance
la royauté
la Révolution
l'Empire
la République

La préhistoire

l'âge de pierre
l'âge de bronze
la caverne
la grotte
paléolithique
préhistorique

L'Antiquité

une dynastie
égyptien(ne)
l'empereur *(m.)*
l'empire *(m.)*
gallo-romain(e)
la Gaule
gaulois(e)
grec / grecque
la momie
le pharaon
la tribu
romain(e)
le tyran

Le Moyen Âge

la chevalerie
le chevalier
la croisade
le croisé
féodal
la féodalité
médiéval
le seigneur

Quels sont les mots qui correspondent à ces définitions ?

a. Succession de souverains du même sang.
b. Cadavre desséché et conservé grâce à des procédés d'embaumement.
c. Système politique dans lequel le pouvoir est entre les mains d'un seul homme.
d. Avantage et droit dont bénéficiaient certaines personnes en raison de leur naissance.
e. Siège réservé à un souverain, utilisé à l'occasion des cérémonies officielles.

La royauté

l'aristocrate
l'aristocratie *(f.)*
aristocratique
le baron / la baronne
le duc / la duchesse
la colonie
le comte / la comtesse
la Cour
la couronne
le couronnement
couronner
le courtisan
le marquis / la marquise
le monarque
la monarchie
le noble
la noblesse
le prince / la princesse
le privilège
royal
le roi / la reine
le règne
régner
le royaume
le souverain
succéder (à)
le trône

L'HISTOIRE ET VOUS

PRODUCTION ORALE

1. Vous intéressez-vous à l'histoire ? Lisez-vous des livres historiques ? Allez-vous voir des films, des expositions historiques ?

2. Quelle est la période historique qui vous intéresse le plus ? Dans quel pays ?

3. Quels sont les personnages historiques les plus importants de votre pays ? Présentez-les rapidement.

4. Avez-vous assisté à un événement historique ? Quel est, à votre avis, l'événement historique le plus important des dix dernières années dans votre pays, sur la planète ?

5. À quelle époque auriez-vous aimé vivre ?

LA GUERRE DE FERDINAND GILSON

COMPRÉHENSION ORALE

1re écoute

1. Qui est la personne interrogée ? Notez le maximum d'informations sur elle.
2. Quelle est la période couverte par cette interview ?

2e écoute

3. Où cet homme s'est-il battu ?
4. A-t-il été blessé ?
5. Quels sont ses sentiments à l'égard des Allemands ?

VOCABULAIRE

6. Cherchez dans le texte de la transcription (p. 204) des équivalents de :
   a. têtu / entêté (2 expressions)
   b. un massacre horrible
   c. détester
   d. l'arrêt des combats
7. Reformulez les énoncés suivants :
   a. *j'ai reçu le baptême du feu* (l. 16)
   b. *c'est le fruit empoisonné de la méchanceté humaine* (l. 37)
   c. *je ne veux pas perdre la main* (l. 59)
   d. *nos sangs ne font plus qu'un* (l. 62)

Ferdinand Gilson, 106 ans, le 8 novembre 2004. Au premier plan, une photo le montre en uniforme militaire pendant la première guerre mondiale.

PRODUCTION ÉCRITE

À l'aide de la transcription p. 204, rédigez une courte biographie de Ferdinand Gilson.

LETTRE DE RÉSILIATION

PRODUCTION ÉCRITE

Vous êtes abonné(e) à un magazine ou un quotidien qui vient de prendre une position qui vous choque (pour ou contre l'élargissement de l'Europe, l'énergie nucléaire, une loi sur la bioéthique...). Écrivez une lettre pour protester et résilier votre abonnement.

Pour vous aider

ANNONCER UNE MAUVAISE NOUVELLE

J'ai le regret de vous informer que...

Je suis au regret de vous faire savoir que...

Je me vois dans l'obligation de...

JUSTIFIER VOTRE ATTITUDE

En effet...

C'est à cause de...

C'est en raison de...

À la suite de...

REPROCHER QUELQUE CHOSE À QUELQU'UN

J'ai un reproche à vous faire.

Ce n'est pas sérieux.

Vous n'avez pas à écrire des choses pareilles.

Vous dépassez les bornes.

C'est inacceptable / inadmissible.

Je trouve cela scandaleux.

Si vous voulez exprimer un reproche, vous pouvez aussi montrer de l'étonnement...

C'est incroyable.

C'est invraisemblable.

C'est la première fois que je lis une chose pareille dans votre magazine.

On croit rêver.

Ce n'est pas possible !

...ou de la déception.

Je m'étonne de votre attitude.

Votre comportement me déçoit.

Je ne comprends pas comment vous pouvez écrire une chose pareille.

CIVILISATION LE JEU DE L'HISTOIRE

À chaque portrait, associez le nom d'un homme d'État, les dates de son règne ou de sa présidence et une réalisation qui lui est contemporaine.

1. Louis XIV
2. Napoléon III
3. George Pompidou
4. François Ier
5. Henri IV
6. Louis XIII
7. Clovis
8. François Mitterrand
9. Charles de Gaulle
10. Napoléon Ier

a. 486-511
b. 1515-1547
c. 1589-1610
d. 1610-1643
e. 1643-1715
f. 1804-1815
g. 1852-1870
h. 1958-1969
i. 1969-1974
j. 1981-1995

I l'opéra Garnier
II le château de Versailles
III le palais du Luxembourg
IV l'Arc de Triomphe
V le Louvre
VI la Défense
VII Beaubourg
VIII la pyramide du Louvre
IX Paris devient la capitale de la France
X le château de Chambord

Rois et régentes du XVIIe siècle

Depuis le Xe siècle, des rois capétiens règnent sur la France. Lorsqu'un roi meurt, c'est en principe son fils aîné qui lui succède. Si celui-ci est très jeune, un régent ou une régente exerce le pouvoir à sa place en attendant qu'il soit majeur. Cela s'est produit deux fois au cours du XVIIe siècle.

Le règne d'Henri IV

Le XVIIe siècle commence bien. Henri IV, qui règne depuis 1589, est réputé pour sa simplicité, sa bonhomie : on l'appelle « le bon roi Henri ».
Cependant, Henri IV est un roi absolu. Il règne avec autorité. Il charge son ministre Sully de rétablir la prospérité du royaume. Mais, en 1610, il est assassiné par un fanatique catholique, Ravaillac.

La régence de Marie de Médicis

Lorsqu'Henri IV meurt, son fils, Louis XIII, n'a que neuf ans. C'est la reine mère, Marie de Médicis, qui est nommée régente.
Les grands seigneurs tentent de reprendre l'autorité que leur a enlevée Henri IV. Marie de Médicis essaie de négocier avec eux : en 1614, elle convoque les États généraux du royaume. Cette réunion n'aboutit à aucun résultat.

Le règne de Louis XIII

En 1614, Louis XIII est déclaré majeur (il n'a que treize ans). L'année suivante, il est marié à Anne d'Autriche. Mais ce n'est que vingt-trois ans plus tard que, de leur union, naîtra un fils, le futur Louis XIV.
Louis XIII est soucieux de ses devoirs et affirme son autorité. En 1624, il prend comme Premier ministre le cardinal, duc de Richelieu. Celui-ci met tout en œuvre pour renforcer la royauté absolue. Il lutte contre tous ceux qui s'y opposent. Par la guerre, Richelieu fait de la France la première puissance européenne. Louis XIII lui-même participe aux expéditions militaires. Il aime la gloire des armes.

La régence d'Anne d'Autriche

À la mort de Louis XIII, en 1643, Anne d'Autriche devient régente. Elle nomme le cardinal Mazarin Premier ministre. Celui-ci veille à l'éducation du jeune roi Louis XIV.
Mazarin doit faire face à l'opposition des grands seigneurs. Il fait preuve de souplesse et réussit à maintenir la paix à l'intérieur du royaume jusqu'en 1648. Mais c'est alors que commence la révolte appelée la Fronde. Le 5 janvier 1649, la régente et le jeune roi sont obligés de quitter le palais du Louvre et de se réfugier à Saint-Germain. Ils ne peuvent revenir à Paris qu'en octobre 1652.
En 1660, Mazarin négocie le mariage de Louis XIV avec Marie-Thérèse, fille du roi d'Espagne. Il meurt un an plus tard. Louis XIV a vingt-trois ans : désormais, il règne seul sur la France.

Assassinat d'Henri IV par François Ravaillac, 14 mai 1610.

COMPRÉHENSION ÉCRITE

1. À votre avis, d'où ce texte est-il tiré ? À qui s'adresse-t-il ?
2. Comment les rois et reines de France sont-ils présentés ? De façon plutôt positive ou plutôt négative ? Justifiez votre réponse.
3. Quel type de régime est présenté dans ce texte ? Sur quoi repose-t-il ?
4. Quelle image ce texte donne-t-il du régime ?
5. Qu'est-ce que la régence ?
6. À quel temps sont les verbes ? Pourquoi ?

VOCABULAIRE

7. Relevez les énoncés exprimant la notion de temps. Exemple : *depuis*.

PRODUCTION ORALE

8. Que pensez-vous de cette représentation de l'histoire ? Est-elle similaire dans les manuels scolaires de votre pays ?

VOCABULAIRE • GRAMMAIRE

LE TEMPS

1 **Quels sont les énoncés qui indiquent le temps et comment se construisent-ils (+ indicatif, subjonctif, infinitif...) ?**

a. Louis XVI a épousé Marie-Antoinette alors qu'il n'avait que 14 ans.
b. Il l'a reconnue au moment où elle a commencé à chanter.
c. Il faut visiter les jardins du château de Versailles avant qu'il ne pleuve.
d. Depuis qu'il a rencontré cette famille d'aristocrates, il est très snob.
e. Ce pays obtiendra son indépendance dès que le traité de paix sera signé.
f. Ayant fini son exposé, il ramassa ses papiers et sortit.
g. Je resterai devant le palais jusqu'à ce que la reine apparaisse à la fenêtre.
h. Une fois que tu auras fait tes devoirs, tu pourras aller jouer dehors.
i. Après avoir soutenu sa thèse, il est devenu professeur d'histoire.
j. Une fois les fouilles finies, un centre commercial sera construit.

Généralités

le temps
temporaire
l'époque *(f.)*
l'ère *(f.)*
le moment

Attention ! En français, on utilise assez peu le mot *temps*, sauf dans certaines expressions *(un certain temps, en même temps...)* et pour la météo. Vous lui préférerez *moment, période* ou *époque*.
Exemples : *J'ai passé de bons moments. / À cette époque, il était encore étudiant.*

Le présent

à ce jour
à notre époque
à présent
actuellement
aujourd'hui / d'aujourd'hui
ces jours-ci
de nos jours
désormais
dorénavant
en ce moment
maintenant
pour l'instant
pour le moment

+ indicatif
maintenant que

Le passé

à l'époque
à l'instant
autrefois
en ce temps-là
récemment
une fois

+ nom
il y a

L'avenir

à jamais
à l'avenir
bientôt
dans un délai de
d'un moment à l'autre

+ nom
dans

L'antériorité

au préalable
auparavant
avant / d'avant
d'ici là
plus tôt

+ nom
avant
en attendant
jusqu'à

+ infinitif
avant de

+ subjonctif
avant que
d'ici à ce que
en attendant que
jusqu'à ce que

La simultanéité

à ce moment-là
au même moment
alors
en même temps
simultanément

+ nom
au cours de
au moment de
lors de

+ indicatif
alors que
au moment où
comme
en même temps que
lorsque
pendant que
quand
tandis que

La postériorité

après
ensuite
par la suite
plus tard

+ nom
à partir de
après

+ infinitif passé
après

+ participe passé
une fois

+ indicatif
après que
une fois que

Le commencement

au début
à l'origine

+ nom
à partir de
de... à...
dès
depuis

La fin

à la fin
enfin
en fin de compte
finalement

+ nom
jusqu'à

+ indicatif
jusqu'au moment où

+ subjonctif
jusqu'à ce que

La durée

brièvement
continuellement
définitivement
en un clin d'œil
en un rien de temps
longtemps
sans arrêt
un certain temps
un instant
un moment

+ nom
ça fait... que
depuis
durant
en
il y a... que
pendant
pour

+ indicatif
tant que

L'immédiateté

aussitôt
immédiatement
soudain
tout à coup
tout d'un coup
tout de suite

+ nom
dès

+ indicatif
aussitôt que
dès que

Le rythme

par étapes
petit à petit
peu à peu
progressivement

+ indicatif
à mesure que
au fur et à mesure que

La répétition

de nouveau
encore
encore une fois
une nouvelle fois

2 ***INTONATION***

5 Écoutez les phrases suivantes et dites ce qu'elles signifient. Répétez-les et utilisez-les dans un court dialogue.

2 Choisissez l'énoncé correct. Faites une phrase avec l'énoncé inutilisé.

a. Désolé, monsieur, ... la princesse ne peut vous recevoir. (à l'instant / pour l'instant)
b. ....., j'ai discuté avec plusieurs spécialistes de l'antiquité égyptienne. (de nos jours / ces jours-ci)
c. J'ai rencontré Paul en 2001, ... il était encore étudiant en histoire. (en ce moment / à ce moment-là)
d. J'ai changé d'avis, ... je participerai aux fouilles avec vous. (enfin / finalement)
e. Tais-toi un peu, tu vas m'écouter ..... ! (enfin / à la fin)
f. Pendant ....., j'ai cru qu'il avait oublié. (un temps / un moment)
g. Le ministre vient de faire un discours de deux heures mais il a ..... des forces. (de nouveau / encore)

3 Complétez les phrases avec l'énoncé correct.

a. Je ne suis pas pressé, ...
b. Je suis passé au musée mais c'était fermé : ...
c. Moi aussi, j'ai des photocopies à faire : ...
d. Il y a une queue gigantesque pour l'exposition sur les Pharaons, ...
e. Le train part dans dix minutes ? Dans ce cas, ...

1. ...je n'ai pas de temps à perdre.
2. ...prenez votre temps !
3. ...j'ai perdu mon temps.
4. ...vous en avez encore pour longtemps ?
5. ...ça n'en finit pas.

4 Mettez, si nécessaire, l'énoncé manquant (il y a parfois plusieurs solutions).

a. Alex a écrit sa thèse sur les Mayas ..... trois ans.
b. Il était parti en Argentine ..... six mois mais il y est resté ..... cinq ans.
c. ..... le souverain a accédé au trône, c'est l'anarchie dans le pays.
d. J'ai rencontré cet archéologue ..... un séjour en Grèce.
e. Monsieur le Comte va beaucoup mieux ..... une semaine.
f. Le couronnement de la reine Gertrude a commencé ..... un quart d'heure.
g. Il va partir ..... deux jours. Oui, c'est ça, après-demain.
h. ..... des années que je ne l'ai pas vu.

« NOS ANCÊTRES » N'ÉTAIENT PAS TOUS DES « GAULOIS »

On sourit aujourd'hui en pensant à ces instituteurs de la IIIe République parlant de « nos ancêtres les Gaulois » aux petits élèves des anciennes colonies françaises. Mais, de nos jours, de nombreux jeunes ne se retrouvent guère davantage dans l'histoire telle qu'elle leur est racontée dans les manuels scolaires. « *Un certain nombre d'élèves, des départements d'outre-mer*[1] *ou issus de l'immigration, considèrent l'histoire de France comme une histoire étrangère qui ne les concerne pas et n'a pas de sens pour eux* », observe François Durpaire. D'où parfois des réflexions comme celle qu'il rapporte dans son livre *Enseignement de l'histoire et diversité culturelle* : « *Monsieur, on s'en fiche de Charlemagne. Nos ancêtres étaient des esclaves* »...

Ce type de réactions, François Durpaire en a lui-même fait l'expérience. Enseignant, il exerce en effet dans un lycée de la banlieue parisienne où, si l'on prend en compte les multiples vagues d'immigration, des plus anciennes – italienne, espagnole ou portugaise – aux plus récentes – en particulier d'Asie du Sud et du Sud-Est –, 75 % des élèves sont d'origine immigrée, et un lycéen sur deux d'origine africaine ou antillaise. C'est d'ailleurs ce constat (valable dans bien d'autres établissements français) qui, raconte-t-il, lui a fait prendre conscience de l'obligation d'adapter l'enseignement de l'histoire aux Français d'aujourd'hui.

Les cultures d'origine vues comme un obstacle à l'intégration

Mais si le multiculturalisme est aujourd'hui une réalité dans de nombreuses écoles françaises, il est en revanche encore « *peu pris en compte dans les orientations et les programmes scolaires* ». Une lacune que l'auteur explique par « *les réticences qu'il y a en France à reconnaître la diversité au sein de l'école et de la société. Les cultures d'origine sont vues comme des handicaps bloquant les apprentissages, voire comme un obstacle à l'intégration, une menace pour l'unité nationale* ». Une tendance qui peut aboutir à des absurdités, comme lorsque l'on enseigne à un élève d'origine africaine que son pays, la France, était colonisateur, alors que lui-même vient d'une ancienne colonie...

Certes, reconnaît François Durpaire, l'institution scolaire a déjà démontré une certaine évolution sur ces questions. Mais les orientations définies dans les textes officiels restent encore souvent confuses, voire contradictoires, comme lorsque l'on demande de « *prendre en compte la diversité culturelle tout en transmettant des valeurs communes* »... Ce que chaque enseignant interprète à sa façon : c'est ainsi que dans une école de La Réunion, l'une des deux classes de CM1[2] étudie les étapes du peuplement de l'île quand l'autre n'entend parler que de l'histoire de la métropole (les Mérovingiens[3] ou le traité de Verdun[4]...) Et si F. Durpaire se réjouit de l'insertion dans les programmes de thèmes tels que la traite négrière et l'esclavage grâce à la loi du 10 mai 2001 proposée par Christiane Taubira, il remarque cependant que tous les nouveaux manuels n'accordent pas à ces sujets la place qu'ils méritent – quand ils ne les éludent pas totalement : « *La mise à l'écart prolongée de cette histoire est-elle si profonde que les recommandations officielles ne suffisent pas à la faire sortir de l'oubli ?* »

Européens à Biskra, Algérie (non daté).

L'Afrique noire, grande absente des programmes d'histoire

L'absence totale de l'Afrique noire dans les programmes d'histoire de sixième et de cinquième où est étudiée la notion de civilisation est un autre « oubli » particulièrement regrettable. Car « *il conforte certains dans leurs préjugés et d'autres dans le sentiment de ne pas avoir un passé aussi riche que leurs voisins »*, déplore François Durpaire. Or, indique l'enseignant, les jeunes originaires d'Afrique, surtout ceux nés en France qui connaissent mal leur pays d'origine, sont particulièrement demandeurs d'un enseignement concernant leur continent.

La prise en compte de la culture de l'élève peut constituer ainsi un formidable levier pédagogique. *« Certains élèves qui semblent totalement désinvestis de leurs études deviennent soudain des bourreaux de travail quand il s'agit d'effectuer des recherches sur un thème qu'ils ont choisi en rapport avec leur histoire »*, témoigne l'enseignant. Surtout, estime-t-il, *« intégrer l'histoire des groupes minoritaires à l'histoire nationale est l'une des clés pour intégrer les groupes minoritaires à la nation »*. Et c'est là aussi l'un des principaux défis posés aujourd'hui à l'école française : parvenir à offrir un enseignement qui s'adresse réellement à l'ensemble des élèves dont elle a la charge, quels que soient leur milieu ou leur origine.

Enseignement de l'histoire et diversité culturelle. Nos ancêtres ne sont pas les Gaulois, par François Durpaire, co-édité par le Centre national de documentation pédagogique et Hachette Éducation.

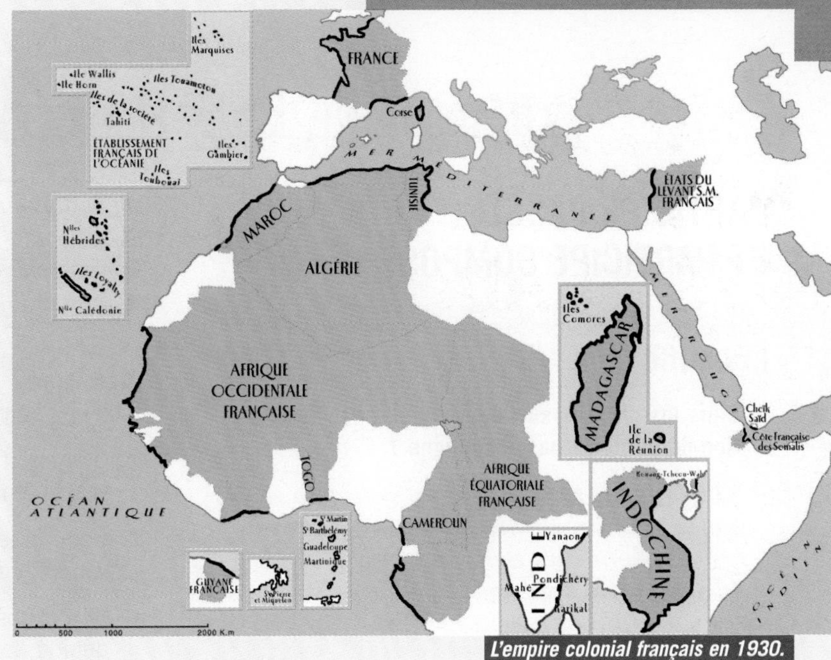

L'empire colonial français en 1930.

Catherine LE PALUD, *MFI HEBDO : Éducation*, 02/05/2002.

1. un département d'outre-mer : division administrative française hors de la métropole (Guyane, Guadeloupe, Réunion et Martinique). – 2. le CM1 : Cours Moyen 1, classe de l'école primaire (les élèves ont 9 ans). – 3. les Mérovingiens : première dynastie des Rois de France (476-751). – 4. le traité de Verdun : traité de paix signé en 843 qui partage l'empire d'Occident entre les trois fils de Louis le Pieux.

COMPRÉHENSION ÉCRITE

1. Quel est le thème de cet article ? À quelle occasion a-t-il été écrit ?
2. Quels sont les problèmes soulevés par l'auteur ?
3. Quelles en sont les conséquences ?
4. Y a-t-il, à son avis, une évolution positive ?
5. Quelles sont les solutions proposées ?

CIVILISATION

6. Quels sont les pays ou régions qui ont été colonisés par la France ?

VOCABULAIRE

7. Reformulez les phrases suivantes.
- **a.** *« de nombreux jeunes ne se retrouvent guère davantage dans l'histoire telle qu'elle leur est racontée dans les manuels scolaires »*
- **b.** *« Monsieur, on s'en fiche de Charlemagne. »*
- **c.** *« Certains élèves qui semblent totalement désinvestis de leurs études deviennent soudain des bourreaux de travail* [...] *»*
- **d.** *« La prise en compte de la culture de l'élève peut constituer ainsi un formidable levier pédagogique. »*

PRODUCTION ORALE

8. L'enseignement de l'histoire occupe-t-il une place importante dans le système scolaire de votre pays ? Dans quelles classes ?
9. Comment est-il organisé (chronologique, par grands dossiers...) ?
10. Enseigne-t-on l'histoire très récente dans votre pays ? Jusqu'à quand ?
11. Y a-t-il dans votre pays des problèmes liés à l'enseignement de l'histoire (colonialisme, guerres récentes...) ? Pourquoi ?

PRODUCTION ÉCRITE

12. Écrivez le chapeau de cet article (4 ou 5 lignes).
13. Écrivez à l'auteur pour lui faire part de votre réaction (lettre de 200 mots environ).

GRAMMAIRE LES PARTICIPES

PARTICIPE PASSÉ ET PARTICIPE COMPOSÉ

Échauffement

1. **Dans les phrases suivantes, quelle est la fonction du participe passé souligné ?**

- *Ni organisé, ni contagieux, ce repos des balles vaudra surtout pour les 50 kilomètres tenus par les Britanniques.*
- *Dictés par le bon sens, des accords tacites s'instaurent.*

2. **Dans quels cas peut-on trouver un participe passé employé seul ?**

Le participe passé employé seul

Il se comporte comme un adjectif. Il s'accorde avec le nom auquel il se rapporte.

- Il peut éviter de répéter l'auxiliaire *être*.
  ***Partie** à huit heures, elle est arrivée en fin de journée.*
  = Elle est partie à huit heures et elle est arrivée en fin de journée.
- Le participe passé des verbes transitifs a une valeur passive.
  ***Peint** par Manet en 1862,* Le Déjeuner sur l'herbe *est célèbre dans le monde entier.*
  = Le Déjeuner sur l'herbe *a été peint par Manet en 1862 et est célèbre dans le monde entier.*

Le participe composé

Généralement placé en tête de phrase, le participe composé a un sens causal. Il a une valeur d'antériorité par rapport au verbe de la principale. On l'emploie plutôt à l'écrit, littéraire ou professionnel.

Construction : participe présent du verbe *avoir* ou du verbe *être* + participe passé.
*N'**ayant** pas **reçu** ma commande du 12 novembre, je vous écris cette lettre de réclamation.*
= Comme je n'ai pas reçu ma commande du 12 novembre, je vous écris cette lettre de réclamation.

***Étant sortie** plus tôt, elle n'était pas là quand il a téléphoné.*
= Comme elle était sortie plus tôt, elle n'était pas là quand il a téléphoné.

3. **Transformez les phrases suivantes en introduisant un participe passé ou un participe composé.**

a. Comme il s'était perdu, il a demandé son chemin à un passant.
b. Comme je suis intéressé par l'histoire, je voudrais des renseignements sur vos cours.
c. Son exposition a eu du succès, alors il a décidé de se consacrer totalement à la sculpture.
d. Comme il était fatigué par la longue attente, il s'assit sur une banquette.
e. Je me permets de vous contacter car j'ai lu votre petite annonce.

ACCORD DU PARTICIPE PASSÉ

4. **Justifiez les accords des participes passés dans les phrases suivantes.**

a. La marquise a vu sa sœur hier.
b. Les courtisans sont venus assister au spectacle.
c. Les nouvelles que le président a reçues ne sont pas bonnes.
d. La reine s'est levée à huit heures.
e. Ils se sont aperçus que vous aviez raison.
f. Je n'aime pas les lunettes qu'il s'est achetées.
g. Dès que Pierre et Jeanne se sont vus, ils se sont plu.
h. Les années se sont succédé, aussi heureuses les unes que les autres.
i. Les soldats ont fait tous les efforts qu'ils ont pu.
j. C'est un spécialiste des livres d'histoire ancienne. Il en a beaucoup lu.
k. Ils n'ont pas aimé la nouvelle robe qu'elle s'est fait faire.

Accord du participe passé avec le verbe *avoir*. Le participe passé s'accorde avec le complément d'objet direct si celui-ci est placé avant le participe passé (**c**)*. Sinon il reste invariable (**a**, **i**).

Accord du participe passé avec le verbe *être*. Le participe passé s'accorde avec le sujet (**b**).

Accord du participe passé avec le verbe *être* + un verbe pronominal.
– Même règle qu'avec *avoir* : le participe passé s'accorde avec le complément d'objet direct si celui-ci est placé avant le participe passé (**d**, **f**, **g** « *vus* »). Sinon, il reste invariable (**g** « *plu* », **h**).
Toutefois, le pronom réfléchi n'est pas toujours complément d'objet direct.
– Dans le cas des verbes qui ont toujours une construction pronominale, le participe passé s'accorde avec le sujet (**e**).

Cas particuliers
– En principe, pas d'accord avec *en* qui n'est pas considéré comme un complément d'objet direct (**j**).
– *Fait* ne s'accorde pas quand il est suivi d'un infinitif (**k**).

* *Les lettres en gras renvoient à l'exercice 4, p. 112.*

VERBES ESSENTIELLEMENT PRONOMINAUX

Le participe passé s'accorde automatiquement avec le sujet :

- s'abstenir
- s'en aller
- s'apercevoir
- se douter
- s'échapper
- s'efforcer
- s'emparer
- s'enfuir
- s'envoler
- s'évanouir
- se méfier
- se moquer
- se plaindre
- s'y prendre
- se réfugier
- se soucier
- se souvenir

Exemple : *Quand ils ont aperçu le vigile, les voleurs se sont enfui**s**.*

Cas particulier : pour les verbes suivants, le participe passé est invariable quand il est suivi d'une subordonnée complétive

- s'imaginer
- se figurer
- se rappeler
- se rendre compte

Exemple : *En arrivant devant le guichet du musée, elle s'est rend**u** compte qu'elle avait oublié son porte-monnaie.*

5. **Mettez les participes passés et faites l'accord, si c'est nécessaire.**

a. Les diplomates se sont ..... (saluer) mais ils ne se sont pas ..... (parler).

b. Elles ne se sont pas ..... (souvenir) de cet épisode.

c. Elle s'est ..... (casser) la jambe en fuyant.

d. Ils se sont ..... (revoir) en 1945.

e. Le roi adore les huîtres. Hier, il en a ..... (manger) trois douzaines.

f. Quelle leçon n'avez-vous pas ..... (comprendre) ?

g. Les cadeaux qu'il lui a ..... (offrir) sont magnifiques.

h. Vous n'avez pas ..... (trouver) les lettres ? Je les ai ..... (mettre) sur votre bureau.

i. Ils se sont ..... (laver) les mains avant de passer à table.

j. Elle s'est ..... (enfuir) de chez elle.

6. **Mettez les phrases suivantes au passé composé.**

a. Les livres qu'il me <u>prête</u> ne sont pas très intéressants.

b. L'ambassadeur nous <u>envoie</u> un courriel.

c. Vous <u>voyez</u> la nouvelle villa qu'ils se <u>font</u> construire ?

d. Ils se <u>rappellent</u> qu'ils avaient un rendez-vous.

e. Il ne nous <u>écrit</u> pas depuis son mariage.

f. Ils se <u>téléphonent</u> souvent.

g. Elle a l'habitude des interviews. Elle en <u>donne</u> beaucoup.

h. Ils s'en <u>vont</u> discrètement.

i. Elle se <u>rend</u> compte de son erreur.

j. La gravure qu'elle vous <u>montre</u> vous <u>plaît</u> ?

La prise des Tuileries

Dans *L'Éducation sentimentale*, Gustave Flaubert décrit la prise du palais des Tuileries lors de la révolution de 1848, dont son héros, Frédéric Moreau, est témoin. Le palais des Tuileries, qui a brûlé en 1871, était situé à l'extrémité du Louvre.

Gustave Flaubert.

La place du Carrousel avait un aspect tranquille. L'hôtel de Nantes s'y dressait toujours solitairement ; et les maisons par derrière, le dôme du Louvre en face, la longue galerie de bois à droite et le vague terrain qui ondulait jusqu'aux baraques des étalagistes, étaient comme noyés dans la couleur grise de l'air, où de lointains murmures semblaient se confondre avec la brume, – tandis qu'à l'autre bout de la place, un jour cru, tombant par un écartement des nuages sur la façade des Tuileries, découpait en blancheur toutes ses fenêtres. Il y avait près de l'Arc de Triomphe un cheval mort, étendu. Derrière les grilles, des groupes de cinq à six personnes causaient. Les portes du château étaient ouvertes ; les domestiques sur le seuil laissaient entrer.

En bas, dans une petite salle, des bols de café au lait étaient servis. Quelques-uns des curieux s'attablèrent en plaisantant ; les autres restaient debout, et, parmi ceux-là, un cocher de fiacre. Il saisit à deux mains un bocal plein de sucre en poudre, jeta un regard inquiet de droite et de gauche, puis se mit à manger voracement, son nez plongeant dans le goulot. Au bas du grand escalier, un homme écrivait son nom sur un registre. Frédéric le reconnut par derrière.

– Tiens, Hussonnet !

– Mais oui, répondit le bohème. Je m'introduis à la Cour. Voilà une bonne farce, hein ?

– Si nous montions ?

Et ils arrivèrent dans la salle des Maréchaux. Les portraits de ces illustres, sauf celui de Bugeaud percé au ventre, étaient tous intacts. Ils se trouvaient appuyés sur leur sabre, un affût de canon derrière eux, et dans des attitudes formidables jurant avec la circonstance. Une grosse pendule marquait une heure vingt minutes.

Tout à coup *la Marseillaise* retentit. Hussonnet et Frédéric se penchèrent sur la rampe. C'était le peuple. Il se précipita dans l'escalier, en secouant à flots vertigineux des têtes nues, des casques, des bonnets rouges, des baïonnettes et des épaules, si impétueusement que des gens disparaissaient dans cette masse grouillante qui montait toujours, comme un fleuve refoulé par une marée d'équinoxe, avec un long mugissement, sous une impulsion irrésistible. En haut, elle se répandit, et le chant tomba.

On n'entendait plus que les piétinements de tous les souliers, avec le clapotement des voix. La foule inoffensive se contentait de regarder. Mais, de temps à autre, un coude trop à l'étroit enfonçait une vitre ; ou bien un vase, une statuette déroulait d'une console, par terre. Les boiseries pressées craquaient. Tous les visages étaient rouges, la sueur en coulait à larges gouttes ; Hussonnet fit cette remarque :

– Les héros ne sentent pas bon !

– Ah ! vous êtes agaçant, reprit Frédéric.

Et poussés malgré eux, ils entrèrent dans un appartement où s'étendait, au plafond, un dais de velours rouge. Sur le trône, en dessous, était assis un prolétaire à barbe noire, la chemise entr'ouverte, l'air hilare et stupide comme un magot. D'autres gravissaient l'estrade pour s'asseoir à sa place.

– Quel mythe ! dit Hussonnet. Voilà le peuple souverain !

Le fauteuil fut enlevé à bout de bras, et traversa toute la salle en se balançant.

– Saprelotte ! comme il chaloupe ! Le vaisseau de l'État est ballotté sur une mer orageuse ! Cancane-t-il ! cancane-t-il !

On l'avait approché d'une fenêtre, et, au milieu des sifflets, on le lança.

– Pauvre vieux ! dit Hussonnet, en le voyant tomber dans le jardin, où il fut repris vivement pour être promené ensuite jusqu'à la Bastille, et brûlé.

Alors, une joie frénétique éclata, comme si, à la place du trône, un avenir de bonheur illimité avait paru ; et le peuple, moins par vengeance que pour affirmer sa possession, brisa, lacéra les glaces et les rideaux, les lustres, les flambeaux, les tables, les chaises, les tabourets, tous les meubles, jusqu'à des albums de dessins, jusqu'à des corbeilles de tapisserie. Puisqu'on était victorieux, ne fallait-il pas s'amuser ! La canaille s'affubla ironiquement de dentelles et de cachemires. Des crépines d'or s'enroulèrent aux manches des blouses, des chapeaux à plumes d'autruche ornaient la tête des forgerons, des rubans de la Légion d'honneur firent des ceintures aux prostituées. Chacun satisfaisait son caprice ; les uns dansaient, d'autres buvaient. Dans la chambre de la reine, une femme lustrait ses bandeaux avec de la pommade ; derrière un paravent, deux amateurs jouaient aux cartes ; Hussonnet montra à Frédéric un individu qui fumait son brûle-gueule accoudé sur un balcon ; et le délire redoublait son tintamarre continu des porcelaines brisées et des morceaux de cristal qui sonnaient, en rebondissant, comme des lames d'harmonica.

[…]

Le palais regorgeait de monde. Dans la cour intérieure, sept bûchers flambaient. On lançait par les fenêtres des pianos, des commodes et des pendules. Des pompes à incendie crachaient de l'eau jusqu'aux toits. Des chenapans tâchaient de couper des tuyaux avec leurs sabres. Frédéric engagea un polytechnicien à s'interposer. Le polytechnicien ne comprit pas, semblait imbécile, d'ailleurs. Tout autour, dans les deux galeries, la populace, maîtresse des caves, se livrait à une horrible godaille. Le vin coulait en ruisseaux, mouillait les pieds, les voyous buvaient dans des culs de bouteille, et vociféraient en titubant.

– Sortons de là, dit Hussonnet, ce peuple me dégoûte.

Tout le long de la galerie d'Orléans, des blessés gisaient par terre sur des matelas, ayant pour couvertures des rideaux de pourpre ; et de petites bourgeoises du quartier leur apportaient des bouillons, du linge.

– N'importe ! dit Frédéric, moi, je trouve le peuple sublime.

Gustave FLAUBERT, *L'Éducation sentimentale*, 1869.

Le peuple prend le palais des Tuileries (1848).

COMPRÉHENSION ÉCRITE

1. Racontez les événements auxquels assiste Frédéric Moreau. Montrez l'évolution de l'attitude du peuple.
2. Quelle image du peuple Flaubert nous donne-t-il ?
3. Flaubert prend-il lui-même parti ? Montrez comment.
4. Quelle impression l'entrée du peuple dans le palais donne-t-elle ? Quels sont les mots qui suggèrent cette impression (mouvements, sons…) ?
5. Ce texte illustre-t-il l'image que vous aviez d'une révolution en France au XIXe siècle ?

L'ÎLE-DE-FRANCE AU TEMPS DES GAULOIS

Écoutez deux fois cette conférence, prenez des notes et faites-en un résumé de 150 mots environ.

ASTÉRIX

René GOSCINNY et Albert UDERZO, *La Serpe d'or,* 1962.

PRODUCTION ORALE

Résumé : C'est la catastrophe ! Panoramix (le druide du village) vient de casser sa serpe d'or, or le gui[1] doit être coupé impérativement avec une serpe d'or pour avoir des pouvoirs magiques et être utilisé dans les potions magiques.
Astérix et Obélix partent donc à Lutèce pour acheter une serpe d'or à Amérix, cousin d'Obélix. Mais ce dernier a été enlevé par des truands[2] qui dirigent un réseau de trafic de serpes[3] d'or. Les deux Gaulois auront fort à faire pour démanteler le réseau impliquant des personnes haut placées et libérer Amérix.

1. Connaissez-vous Astérix et Obélix ? Qui sont-ils ? Décrivez-les.
2. Quelle image donnent-ils dans ce passage ?
3. Relevez les clichés sur Paris contenus dans cet extrait.
4. Dans votre pays, y a-t-il un personnage de B.D. qui vous paraît représentatif de vos compatriotes ?

1. le gui est une plante sacrée chez les Gaulois. – 2. un truand : un criminel. – 3. la serpe est un outil.

1

Enquête

Quelles sont les dix personnalités mondiales les plus importantes pour l'histoire de l'humanité ?

1. Débat en groupe de deux ou trois étudiants et élaboration de la liste.
2. Présentation (et explication des choix) en classe.
3. Débat avec les autres étudiants

2

Portrait

Faites le portrait d'une personnalité historique de votre pays (ou française).

1. Choix de la personnalité (groupe de deux ou trois étudiants).
2. Recherche de documents et d'illustrations dans des livres d'histoire, des dictionnaires, des vidéos, sur Internet...
3. Élaboration en groupe d'une grande affiche composée d'illustrations et de courts textes présentant ce personnage historique.
4. Affichage sur les murs de la classe.

3

Une date importante dans l'histoire de votre pays (ou l'histoire de France)

1. Choix de la date (groupe de deux ou trois étudiants).
2. Recherche de documents dans des livres d'histoire, des dictionnaires, des vidéos, sur Internet... (ne pas oublier de présenter les causes de l'événement, son cadre socio-économique...)
3. Mise en commun dans chaque groupe.
4. Exposé en classe.

PRÉPARATION AU DELF B2

production écrite

Durée de l'épreuve : 1 heure.
Note sur 25.

1. **LETTRE FORMELLE**

Lisez l'annonce ci-dessous et répondez sous la forme d'une lettre formelle (150 mots environ). Exprimez votre intérêt pour cette association, demandez des précisions sur ses buts, son fonctionnement et les conditions d'adhésion.

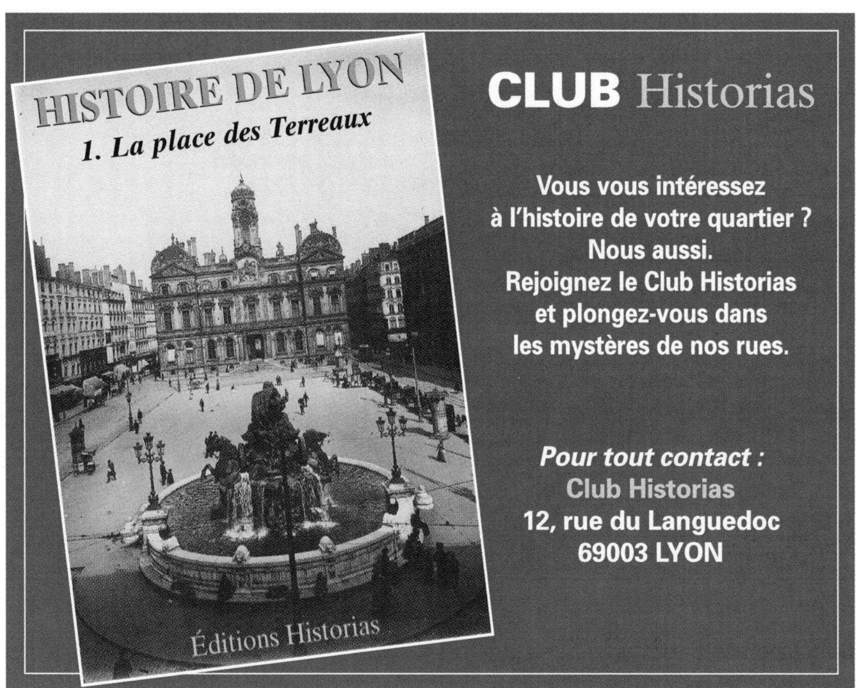

2. **ARTICLE CRITIQUE**

Le ministère de l'Éducation nationale a décidé de réduire les horaires de l'enseignement de l'histoire dans les collèges et les lycées. Vous écrivez à votre quotidien habituel pour lui donner votre avis sur la question. Votre article fera environ 250 mots.

UN CORPS SAIN

UNITÉ 7

- Comprendre un débat sur l'alimentation
- Comprendre une émission radiodiffusée sur le corps et la santé
- Comprendre un texte concernant l'alimentation
- Comprendre une recette de cuisine
- Exprimer ses goûts à propos de la cuisine
- Débattre de problèmes de santé
- Expliquer ses goûts en matière de sport
- Conseiller quelqu'un

- Écrire une recette de cuisine

- Vocabulaire de la cuisine
- L'expression de la quantité
- Le gérondif, le participe présent et l'adjectif verbal
- Les pronoms relatifs

- La cuisine française

«Un esprit sain dans un corps sain.»

Michel DE MONTAIGNE

ALIMENTATION

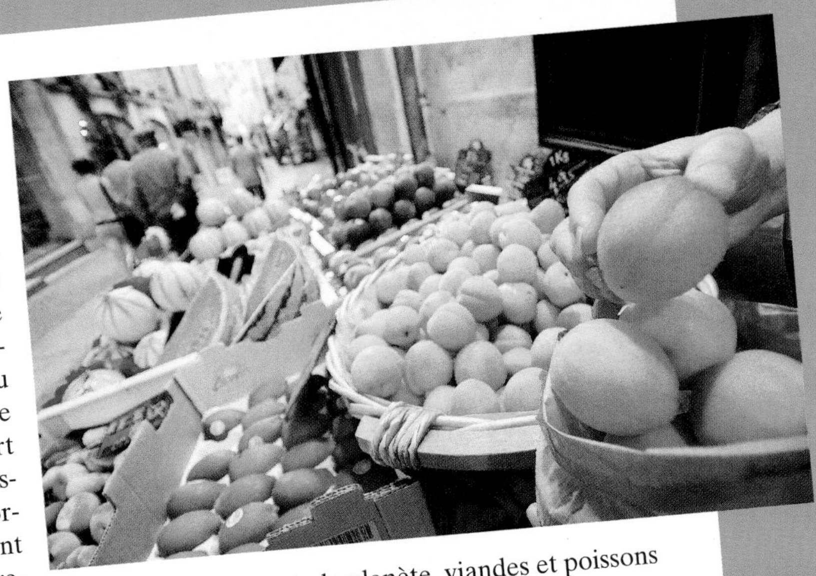

Jamais, à l'échelle de l'Histoire, un mangeur n'a eu accès à une telle diversité alimentaire, comme aujourd'hui en Occident. Les progrès de l'agro-business au niveau des techniques de conservation, de conditionnement, de transport réduisent considérablement la pression de la niche écologique. Désormais, les marchés ne raisonnent plus à l'échelle nationale. Les entreprises transnationales agroalimentaires distribuent sur toute la planète, viandes et poissons surgelés, conserves appertisées[1], fromages, Coca-Cola, ketchup, hamburger, pizza…

Les aliments se déplacent d'un pays à l'autre et font, au cours de leur vie qui va de la semence pour les végétaux ou de la naissance pour les animaux, jusqu'aux plats cuisinés, des voyages considérables. Pour ceux qui disposent de ressources financières, les haricots verts du Sénégal, les cerises du Chili, sont présents sur les étals en plein mois de décembre. Le jus d'oranges pressées en Californie arrive en Europe comme un produit frais conditionné en brique. L'aliment moderne est délocalisé, c'est-à-dire déconnecté de son enracinement géographique et des contraintes climatiques qui lui étaient traditionnellement associées.

En France par exemple, de nombreux produits méconnus il y a encore trente ans, comme l'avocat, le kiwi, l'ananas, sont devenus des aliments de consommation courante. Les rayons exotiques se développent dans la grande distribution et le nombre de produits ne cesse d'augmenter. La sauce soja, le nuoc mâm, le guacamole, les tacos, le tarama, sont présents dans les supermarchés. Les plats cuisinés jadis exotiques comme le couscous, la paella, le taboulé, les nems, les crabes farcis, les vapeurs asiatiques, la moussaka… font désormais partie des menus quotidiens. Un salon professionnel, baptisé « ethnic food », entièrement consacré aux produits exotiques a même vu le jour.

Cependant, revers de la mondialisation et de l'industrialisation de la sphère alimentaire, les produits se standardisent, s'homogénéisent. Les réglementations sur l'hygiène et les « politiques de qualité » mises en place par le secteur industriel cherchent à garantir la stabilité des caractéristiques organoleptiques[2] et microbiologiques des produits, tout le long de leur vie. La chasse au micro-organisme est ouverte. Souvent, le goût passe par « pertes et profits » de ces progrès agro-industriels. Les fruits et les légumes sont calibrés, quelques variétés mises au point par la recherche agronomique s'imposent par leur rendement et leur aptitude à la conservation. Et l'on pleure sur la disparition de plusieurs dizaines de variétés de pomme ou de poire.

McDonald's est devenu le premier restaurateur mondial. Premier restaurateur, en France « pays de la gastronomie » où ses premières implantations, en 1974, n'avaient déclenché que sourires entendus et mépris. Dans l'imaginaire français, McDonald's occupe aujourd'hui une position paradoxale, tout à la fois le symbole de la « mal bouffe », de l'industrialisation de l'alimentation et une formule de restauration complètement intégrée dans les pratiques d'un nombre croissant de nos contemporains. Faire applaudir une salle en critiquant McDonald's est devenu un jeu d'enfant et pourtant avec plus de 800 restaurants dans l'hexagone, en l'an 2000, il doit y avoir quelques Français qui fréquentent les fameux fast-food et consomment de la supposée « mal bouffe » et sans doute même parmi ceux qui applaudissent.

Mais c'est surtout une erreur de croire que les particularismes nationaux et régionaux disparaissent aussi rapidement. Ils sont encore très forts et les sociétés transnationales de l'alimentation sont contraintes de les prendre en compte. McDonald's lui-même, qui apparaît comme une caricature d'homogénéisation, a dû mettre en place des stratégies de micro-diversification pour s'adapter aux goûts des marchés locaux. La stratégie de départ de cette chaîne de restaurants rapides, d'inspiration « marketing de l'offre », considérait son offre – c'est-à-dire sa gamme de produits qui résultait d'une organisation très sophistiquée –, comme inchangeable, se donnant pour objectif de lever les obstacles à son acceptation en jouant sur la communication. Cependant, face à la résistance des marchés, peu à peu une série de modifications de l'offre a été introduite pour l'adapter aux habitudes locales ; véritable révolution copernicienne[3] pour les hommes de marketing. En France par exemple, on sert de la bière dans les restaurants McDonald's, alors qu'aux États-Unis, il n'y a que des boissons non alcoolisées. En France toujours, en Hollande, en Belgique… la mayonnaise accompagne les frites, alors qu'aux États-Unis le ketchup est roi dans cet usage.

Jean-Pierre Poulain, *Sociologies de l'alimentation*, 2002.

1. conserves appertisées : préparations alimentaires stérilisées et conservées dans des récipients fermés hermétiquement. – 2. les caractéristiques organoleptiques d'un produit sont son goût, son odeur, sa couleur, son aspect, sa consistance… – 3. révolution copernicienne : innovation considérée comme fondamentale.

COMPRÉHENSION ÉCRITE

1. Proposez un titre à ce texte.
2. Quelles évolutions constate-t-on ?
3. Pourquoi parle-t-on de McDonald's ?
4. L'évolution de la consommation paraît-elle irrémédiable ?
5. Quelle est la thèse de l'auteur ?

VOCABULAIRE

6. Qu'est-ce que la « mal bouffe » ?
7. Faites la liste des produits et plats « exotiques » (pour des Français) qui apparaissent dans ce texte. Les connaissez-vous ? Pouvez-vous dire quelle est leur provenance ?
8. Reformulez les énoncés suivants :
   - **a.** *ceux qui disposent de ressources financières* (l. 16)
   - **b.** *ils sont présents sur les étals* (l. 17)
   - **c.** *la sphère alimentaire* (l. 29)
   - **d.** *les produits s'homogénéisent* (l. 30)
   - **e.** *c'est devenu un jeu d'enfant* (l. 44)

PRODUCTION ORALE

9. Assiste-t-on au même phénomène dans votre pays ?
10. Quels sont les nouveaux produits que l'on peut y trouver désormais ?
11. Qu'en pensez-vous ?

UN FAST-FOOD À LA TOUR EIFFEL ?

PRODUCTION ORALE

Folies Burger, le géant du hamburger, pense s'installer au pied de la tour Eiffel. La Mairie de Paris est contre. Et vous, qu'en pensez-vous ?

VOCABULAIRE L'ALIMENTATION

Les légumes

l'asperge *(f.)*
l'artichaut *(m.)*
l'aubergine *(f.)*
la betterave
la carotte
le céleri
le champignon
le chou
le chou de Bruxelles
le chou-fleur
le concombre
le cornichon
la courgette
l'endive *(f.)*
les épinards *(m.)*
le fenouil
le haricot blanc
le haricot vert
le navet
l'oignon *(m.)*
le poireau
les petits pois *(m.)*
le poivron
la pomme de terre
le radis
la tomate
la salade
le cresson
la frisée
la laitue
la mâche
le mesclun
la scarole

L'avocat *(m.)* est consommé en France comme un légume.

Les fruits

l'abricot *(m.)*
l'amande *(f.)*
le brugnon
le cassis
la cerise
la châtaigne
le citron
la clémentine
la figue
la fraise
la framboise
la groseille
le kiwi
la mandarine
le marron
le melon
la mirabelle
la mûre
la myrtille
la nectarine
la noisette
la noix
l'orange *(f.)*
la pastèque
la pêche
la poire
la pomme
la prune
le raisin

Sont importés et consommés en France :
l'ananas *(m.)*
la banane
la cacahuète
la datte
la mangue
le pamplemousse

La viande

l'agneau *(m.)*
le bœuf
le lapin
le mouton
le porc
le veau

La volaille :
la caille
le canard
le coq
la dinde
l'oie *(f.)*
la pintade
la poule
le poulet

Le gibier :
le faisan
le lièvre
la perdrix
le sanglier

Les morceaux :
l'aile *(f.)*
le blanc
la cuisse
le filet
l'escalope *(f.)*
le gigot
le foie
la côte
la côtelette
l'entrecôte *(f.)*
l'épaule *(f.)*
le rumsteck

1 Dans le vocabulaire de la viande, quels sont les morceaux qui correspondent au poulet, au bœuf, au mouton ?

2 Dans le vocabulaire des fruits de mer, quels sont les coquillages, quels sont les crustacés ?

Le poisson

le cabillaud
le colin
le hareng
le merlan
la morue
la sardine
le saumon
la sole
le thon
la truite

Les fruits de mer

le coquillage
la coquille Saint-Jacques
le crustacé
le crabe
la crevette
le homard
l'huître *(f.)*
la langouste
la langoustine
la moule

Les épices et les condiments

l'ail *(m.)*
le basilic
la cannelle
le curry
le paprika
le persil
le piment
le poivre
le sel
la vanille

LES ALIMENTS ET VOUS

PRODUCTION ORALE

1. Quelle est la base de l'alimentation dans votre pays, les produits les plus consommés ?
2. Y trouve-t-on les mêmes produits qu'en France métropolitaine ?
3. Vous-même, avez-vous une alimentation spéciale ? Mangez-vous de tout ?
4. Quels sont les produits que vous préférez, ceux que vous détestez ?
5. Observez le dessin. Selon vous, qu'est-ce qui explique la modification des habitudes alimentaires au cours des années ?
6. Cette évolution des comportements est-elle la même dans votre pays ?
7. En France, un repas complet traditionnel comprend : entrée, plat garni, fromage et dessert. Est-ce le cas dans votre pays ?
8. À votre avis, existe-t-il un bon modèle alimentaire ? (par exemple, végétarien)
9. Prenez-vous chaque repas en famille ?

PESSIN, *Ça change tout !*, 2001.

Brasserie des Affaires

MENU

Fruits de mer

Arrivage direct de Bretagne

- Plateau de fruits de mer pour 2 personnes ......60 €
- claires n° 4 la dz ......10 €
- spéciales n° 2 les 9 ......14 €
- colchester n° 0 les 6 ......17 €
- belons n° 4 la dz ......11 €
- palourdes les 9 ...... 9 €
- moules d'Espagne la dz ...... 6 €

Spécialités

- Foie gras de canard préparé par le chef......14 €
- Pâté de foie de volaille ...... 8 €
- Saumon cru mariné aux baies roses ...... 7 €
- Salade de la mer (crudités, poissons) ...... 6 €

Entrées froides

- Terrine de petits légumes au coulis de tomates fraîches ...... 6 €
- Terrine de poisson sauce cresson ...... 6 €
- Filets de maquereaux frais marinés...... 5 €
- Assiette de charcuterie ......10 €

Entrées chaudes

- Soupe du pêcheur avec sa rouille...... 5 €
- Soupe à l'oignon gratinée ...... 4 €
- Potage aux légumes...... 4 €
- Escargots de Bourgogne, la douzaine...... 9 €
- Moules d'Espagne farcies ...... 8 €
- Sardines fraîches grillées ...... 6 €
- Gâteau de foie sauce forestière ...... 9 €
- Tarte aux poireaux ...... 4 €

Poissons

- Filets de morue fraîche au curry ......10 €
- Filets de truite au beurre rouge......10 €
- Petites soles meunière......14 €
- Noix de lotte à la florentine beurre d'écrevisses de mer ......15 €
- Filets de barbue pochée sauce hollandaise 15 €
- Bar grillé beurre nantais......15 €

Nos spécialités

- Foie de veau meunière au gratin ......10 €
- Foie à la vénitienne émincé au vin blanc ...11 €
- Cuisse de canard confit pommes sarladaises ......10 €
- Choucroute aux poissons......12 €
- Choucroute garnie......10 €
- Gigot d'agneau du Limousin aux flageolets....12 €
- Brochette d'épaule d'agneau riz basquaise... 9 €
- Steak tartare pommes frites...... 8 €
- Pièce de bœuf sauce poivre vert......10 €
- Hamburger pommes frites ...... 8 €
- Escalope de veau normande ......10 €
- Poule au pot ...... 9 €
- Fricassée de poulet à l'estragon riz pilaf...... 8 €

Le plateau de fromages

7 €

- Camembert......4 €
- Brebis des Pyrénées......4 €
- Chèvre...... 4 €

Les desserts maison

- Île flottante ...... 7 €
- Soupe d'oranges fraîches et confites ...... 7 €
- Mousse au chocolat ...... 7 €
- Poire Belle-Hélène ...... 9 €
- Cassolette aux 3 sorbets...... 6 €
- Tarte du jour ...... 5 €
- Nougat glacé sauce pistache...... 8 €
- Vacherin au cassis...... 8 €

carafe d'eau gratuite - service 15 % compris

4

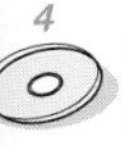

COMPRÉHENSION ORALE

1. Écoutez les commandes des clients, consultez la carte de la Brasserie des Affaires et dites ce qu'ils désirent. Notez les structures qu'ils utilisent pour effectuer leur commande (exemple : *je voudrais*).

5

COMPRÉHENSION ET PRODUCTION ORALES

2. Vous êtes le garçon / la serveuse. Écoutez les questions des clients et répondez-leur.

VOCABULAIRE

3. Observez les trois noms de plats ci-dessous. Dites comment chacun d'eux est composé en mettant les éléments **a**, **b**, **c**, **d** et **e** dans l'ordre.

   Exemple : *épaule d'agneau riz basquaise.*
   b e a d

   1) cuisse de canard confit pommes sarladaises
   2) escalope de veau normande
   3) filets de barbue pochée sauce hollandaise

   a. garniture
   b. morceau ou partie
   c. sauce
   d. type de cuisson ou de préparation
   e. nom de la viande ou du poisson

4. Relevez tous les mots concernant la garniture qui figurent dans le menu de la p. 124.
   Exemple : *pommes frites.*

5. Relevez les différents types de préparation qui figurent dans ce menu.
   Exemple : *grillé.*

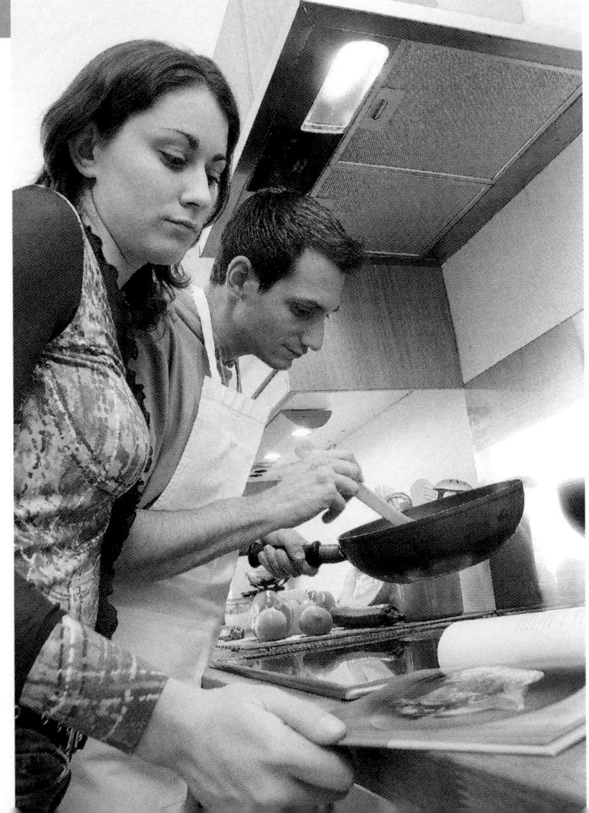

LA CUISINE ET VOUS

PRODUCTION ORALE

1. Pour vous, manger est-ce important ?

2. Quels sont vos plats préférés ?

3. Faites-vous la cuisine, aimez-vous la faire ? Si oui, quelles sont vos spécialités ?

4. Que préférez-vous et pourquoi ?
   – inviter des amis chez vous et leur faire la cuisine
   – être invité(e) en famille
   – aller au restaurant

5. Connaissez-vous des cuisines étrangères ? Si oui, quelle est votre préférée ? Pourquoi ?

DÉLICE AUX FRAMBOISES

Pour 4 personnes

Préparation : 10 min + 12 h

• 500 g de framboises • 250 g de mascarpone • 1 grosse meringue • 40 g de sucre • 2 œufs • 2 branches de menthe fraîche • 1 pincée de sel • quelques copeaux de chocolat
Sirop : 2 sachets de sucre vanillé • 4 cl de crème de cassis • 100 g de sucre

1. Émiettez la meringue et réservez-la.
2. Fouettez le sucre, les jaunes d'œufs et le mascarpone. Ajoutez la menthe hachée. Montez les blancs en neige bien fermes et incorporez-les au mélange.
3. Disposez une couche de framboises dans 4 verres puis recouvrez d'une couche de mascarpone. Répartissez quelques éclats de meringue. Renouvelez l'opération.
4. Mettez au réfrigérateur pendant 12 heures. Avant de servir, ajoutez une dernière couche de framboises, saupoudrez de menthe et décorez de copeaux de chocolat.

Le conseil de la pâtissière Annick Le Viennesse :
Votre dessert sera meilleur s'il est accompagné d'un sirop.

COMPRÉHENSION ÉCRITE

1. Dites à quel type de plat correspond cette recette (entrée, plat, dessert...).
2. Comment cette fiche-cuisine se présente-t-elle ?

VOCABULAIRE

3. Relevez tous les verbes qui concernent la préparation. Pouvez-vous expliquer ce qu'ils signifient ? (exemple : *émietter = réduire en miettes*)
4. Relevez tous les mots qui expriment une quantité. (exemple : *une pincée*)
5. Quel temps verbal utilise-t-on ?

VOCABULAIRE LA CUISINE ET LA GASTRONOMIE

L'entrée

la soupe
la crème
le potage
le velouté
la charcuterie
le boudin
le foie gras
le jambon
le pâté
la saucisse
le saucisson
la terrine

1 Faites correspondre chaque plat et sa catégorie.

a. camembert
b. côtes d'agneau
c. crème caramel
d. crème d'asperges
e. escargots de Bourgogne
f. religieuse au café
g. sole normande
h. tarte aux poireaux
i. truite meunière
j. velouté de champignons

1. entrée
2. viande
3. poisson
4. fromage
5. dessert

Le plat

Quelques spécialités françaises :

la blanquette de veau →
la bouillabaisse
le bœuf bourguignon
le cassoulet
la choucroute
les crêpes *(f.)*
la quiche lorraine
la ratatouille
le thon basquaise

La cuisson de la viande :

bleu
saignant
à point
bien cuit

Le dessert

le gâteau
la glace
le sorbet
la tarte

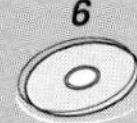
6

INTONATION

2 Écoutez ces appréciations et dites si elles sont plutôt positives ou négatives. Répétez-les et réutilisez-les dans de courts dialogues.

VOCABULAIRE LA QUANTITÉ

1 **Donnez un exemple pour chaque quantité.**

Exemple : *une part de tarte.*

7 *INTONATION*

2 **Écoutez les phrases suivantes. Relevez l'expression qui exprime la quantité.**
Dites à quoi elle correspond : « un peu » ou « beaucoup » ?

PRODUCTION ÉCRITE

3 **À votre tour, écrivez une recette de cuisine typique de votre pays en imitant la présentation d'une fiche cuisine (ingrédients, recette, conseils).**

le gramme
le kilo
le litre
la livre

le bouquet
la branche
le brin
la cuillerée à café
la cuillerée à dessert
la cuillerée à soupe
la douzaine
le grain
la louche
le morceau
la part
la pincée
la poignée
la pointe
la rondelle
le sachet
la tasse
la tranche
le verre
le zeste

LE GOÛT DU NOIR

COMPRÉHENSION ÉCRITE

1. Quel est le nom du restaurant dont on fait la critique ?
2. Qu'y mange-t-on et qui fait le service ?
3. Quels sont les buts de l'initiateur du projet ?
4. Comment a-t-il eu cette idée ?
5. Quel est le ton de cet article ? Relevez les traits d'humour.

VOCABULAIRE

6. Relevez les mots en relation avec le *noir.*
7. Relevez les mots en relation avec la *vision.*
8. Que signifie *« le restaurant de Zurich* [...] *fait un tabac depuis quatre ans »* ?

PRODUCTION ÉCRITE

9. À votre tour, écrivez un courriel à un(e) ami(e) pour lui faire part d'une expérience positive ou négative dans un restaurant.
Vous parlerez du lieu, du cadre, des plats, du service et de votre impression finale.

Se régaler dans l'obscurité totale, c'est l'expérience inédite proposée par un restaurant parisien. Allez-y les yeux fermés.

[...] On vient en famille, en couple ou en bande d'amis se plonger dans les ténèbres et se nourrir d'aliments invisibles... À la carte, un menu classique de plats méditerranéens riches en saveurs ou un « menu surprise » pour les amateurs de devinettes gustatives. *« Nous proposons une aventure à la fois ludique, sensorielle et humaine, un peu folle, mais c'est justement pour cela qu'elle devrait marcher »*, s'enthousiasme Édouard de Broglie, 41 ans, l'instigateur du projet. [...] Fasciné par le restaurant de Zurich qui fait un tabac depuis quatre ans sur le même principe, il se lance dans l'aventure. [...] Et décide de faire équipe (pour le service en salle) avec les jeunes aveugles de l'association Paul Guinot, qui organise, depuis 1999, des dîners de sensibilisation au handicap. Cependant, « Dans le noir ? *n'est pas un projet associatif ou humanitaire*, tient-il à préciser. *C'est avant tout un lieu original, dont l'atmosphère met à mal bon nombre d'a priori et permet une approche différente des choses et des gens* ». Le mardi soir, par exemple, est réservé aux célibataires : un rendez-vous que les amateurs de *blind date* au sens littéral ne sauraient manquer.

Dans le noir ?, 51 rue Quincampoix, Paris (IVe).

Marion VIGNAL, *L'Express*, 13/09/2004.

GRAMMAIRE

PARTICIPE PRÉSENT, GÉRONDIF, ADJECTIF VERBAL

Échauffement

Quelle est la fonction des mots soulignés dans les phrases suivantes ? Qu'expriment-ils ?

- *Faire applaudir une salle en critiquant McDonald's est devenu un jeu d'enfant.*
- *La stratégie de départ de cette chaîne de restaurants rapides considérait son offre comme inchangeable, se donnant pour objectif de lever les obstacles à son acceptation en jouant sur la communication.*
- *Est-ce angoissant, drôle, déprimant ?*

Voir mémento p. 194-195.

1. **Dans les phrases suivantes, dites si les mots soulignés correspondent à un participe présent, un gérondif ou un adjectif verbal. Qu'expriment-ils ?**

Exemple : *Je déjeune en écoutant la radio.*
Gérondif : exprime la simultanéité.

a. Les personnes désirant un rendez-vous doivent contacter le poste 241.
b. Lui prenant la main, il l'emmena dans le meilleur restaurant de la ville.
c. Je l'ai vue préparant un gâteau d'anniversaire dans la cuisine.
d. Il avait des arguments convaincants.
e. En travaillant dur, vous pourriez devenir chef cuisinier.
f. Il s'est blessé en coupant la viande en morceaux pour les brochettes.
g. Il est devenu un vrai cordon-bleu en regardant les émissions de cuisine à la télé.
h. Convainquant son interlocuteur, il le fit signer le contrat le jour même.
i. Annick et Jacqueline ont des opinions divergentes.
j. Je passerai vous voir en allant au marché.

2. **Remplacez les gérondifs ci-dessous par une autre forme.**

Exemple : *Je déjeune en écoutant la radio.*
→ *Pendant que je déjeune, j'écoute la radio.*

a. C'est en pratiquant qu'on fait des progrès.
b. Je l'ai rencontré en courant dans le bois de Vincennes.
c. En cultivant nos fruits et nos légumes, on ferait des économies.
d. C'est en suivant un régime végétarien qu'il a perdu du poids.
e. Il a été malade en mangeant des champignons.

3. **Mettez les verbes entre parenthèses à la forme qui convient (participe présent, gérondif ou adjectif verbal).**

a. Il a mangé (faire) beaucoup de bruit.
b. Je mémorise la liste (la répéter) sans cesse.
c. J'ai feuilleté *Cuisine magazine* (t'attendre).
d. Vous (dépêcher), vous pourriez arriver à l'heure au cours.
e. J'ai vu deux hommes (se diriger) vers la sortie du bar.
f. Ce sont deux propositions (équivaloir).
g. (comprendre) qu'il ne réussirait pas à la convaincre, il est sorti de la pièce.
h. Il fait une chaleur (suffoquer).
i. La serveuse s'est trompée (faire) l'addition.
j. On a surpris ce petit garçon (voler) des bonbons.

4. **Formez les participes présents suivants. Accordez-les si nécessaire (dites à chaque fois s'il s'agit de la forme verbale ou de l'adjectif).**

a. Nous vous transmettons les produits (correspondre) à votre commande.
b. Ils arrivent surpris mais (sourire).
c. Je cherche une recette (comporter) des conseils détaillés.
d. Ce restaurant a d'(exceller) plats à sa carte.
e. Tu n'as pas tenu compte de mes conseils (concerner) la présentation.
f. Laissez votre manteau et vos paquets (encombrer) à l'entrée du restaurant.
g. Les commandes reçues les jours (précéder) une fête ne sont traitées qu'après celle-ci.
h. Nous pouvons vous accorder une réduction (équivaloir) à 25 % du total.
i. Nous vous serions très (reconnaître) de nous faire parvenir ce document.
j. Ils se sont montrés (négliger) dans cette affaire.

LES OGM : QUELLES CONSÉQUENCES ?

8

COMPRÉHENSION ORALE

Une directive européenne autorise sous contrôle l'exploitation et l'expérimentation des cultures transgéniques.

1re écoute

1. À votre avis, d'où cet extrait provient-il ?
2. Quel est son thème ?
3. Qui est la personne qui intervient ?

2e écoute

4. Qui a pris position pour les OGM ?
5. Quels sont les arguments anti-OGM ?
6. Selon l'intervenant, est-on capable actuellement de prendre une décision ?
7. Que propose-t-il ?

VOCABULAIRE

Lisez la transcription p. 206.

8. Donnez la signification de :
  a. *avoir des effets indésirables* (l. 7)
  b. *mourir comme des mouches* (l. 12)
  c. *je trouve qu'il est extrêmement sain* (l. 22)

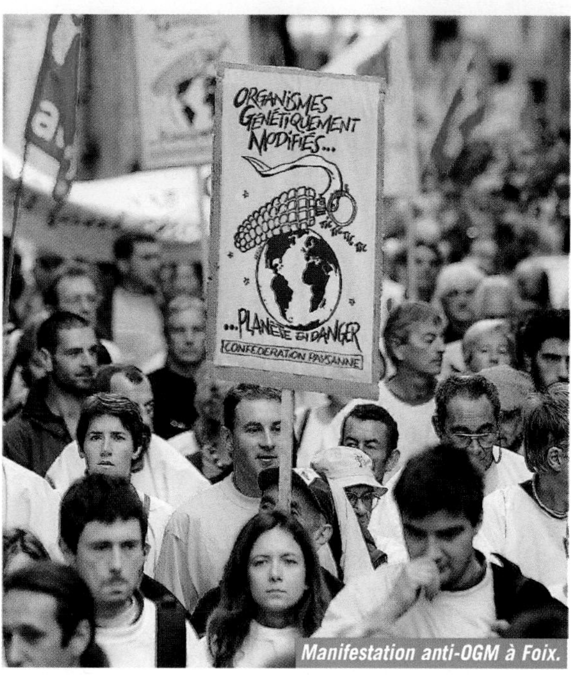

Manifestation anti-OGM à Foix.

PRODUCTION ORALE

9. Avez-vous peur des OGM ? Souhaitez-vous que votre pays interdise la culture de plantes génétiquement modifiées, l'importation de produits contenant des OGM ? Comprenez-vous les militants écologistes qui, en France, détruisent des plants transgéniques ?

10. Pensez-vous manger de façon équilibrée ?

11. Consommez-vous des produits bio ? Êtes-vous prêt(e) à payer plus cher des produits sains ?

12. Plus généralement, pensez-vous que la qualité des produits soit satisfaisante ? Les gens s'alimentent-ils correctement ?

13. Y a-t-il, dans votre pays, des campagnes télévisées contre la surconsommation de sucre, de sel, de matières grasses. Qu'en pensez-vous ?

14. Dans votre alimentation, suivez-vous le rythme des saisons ou mangez-vous souvent des produits d'origine lointaine ou cultivés sous serre ?

Reproduction du texte de la publicité :
Le Programme National Nutrition Santé conseille pour protéger efficacement sa santé de manger au moins 5 fruits et légumes au cours de la journée.
Les études montrent que les personnes qui consomment suffisamment de fruits et légumes sont moins souvent atteintes de maladies cardiovasculaires, de cancers, d'obésité et de diabète. Pourtant, plus de 60 % des Français n'en consomment pas assez.

LE CULTE DE SOI

9

COMPRÉHENSION ORALE

1re écoute

1. À votre avis, d'où est tiré ce dialogue ?
2. Qui sont les intervenants ?
3. Quel est le thème du dialogue ?

2e écoute

4. À quelle évolution assistons-nous ?
5. Qu'est-on prêt à faire pour être beau ?
6. Qu'est-ce qui nous différencie de nos parents ?
7. Est-il important d'être beau dans notre société ?

VOCABULAIRE

Lisez la transcription p. 207.

8. Pouvez-vous expliquer les expressions suivantes (avec l'aide d'un dictionnaire) ?
a. *l'avènement du corps* (l. 5)
b. *le court-termisme* (l. 44)
c. *un marqueur social* (l. 48)

VOTRE CORPS ET VOUS

PRODUCTION ORALE

1. Êtes-vous satisfait(e) de votre corps ?
2. En prenez-vous soin (maquillage, produits de beauté, régime, sport…) ?
3. Avez-vous déjà envisagé de recourir à la chirurgie esthétique ?
4. Que pensez-vous des personnes qui mettent une perruque, se font teindre les cheveux, ont recours à la chirurgie esthétique ?
5. Les hommes achètent de plus en plus de produits de beauté. Qu'en pensez-vous ?
6. Pourriez-vous être amoureux d'une femme trop grosse ou trop maigre si elle est riche ou intelligente ?
7. Pourriez-vous être amoureuse d'un homme chauve et bedonnant s'il est riche ou intelligent ?
8. L'importance donnée au corps dans notre société vous paraît-elle normale ou excessive ?
9. Pensez-vous qu'une personne considérée comme « belle » ait plus de chances de réussir dans ses études, son travail ?

VOCABULAIRE EXPRESSIONS CORPORELLES

10

INTONATION

Écoutez ces expressions imagées. Dites quelle est la partie du corps concernée. Trouvez un équivalent dans la liste suivante. Répétez-les puis réutilisez-les dans un court dialogue.

a. J'ai très faim.
b. Aide-le.
c. C'est son adjoint.
d. Il est inquiet.
e. C'est un bon jardinier.
f. Il est intelligent.
g. Tu compliques les choses.
h. Elle est encore vive et alerte.
i. Il est prétentieux.
j. Ça marche bien.
k. Il n'écoute pas les conseils des autres.
l. Il n'est pas courageux.
m. J'étais inquiet.
n. Reste calme.
o. Tu es beaucoup moins bon que lui.

CONSEILS DE SANTÉ

PRODUCTION ÉCRITE

Écrivez dix conseils de santé pour un quotidien ou un magazine. Variez les structures (voir ci-dessous). Exemple : *Mangez des fruits et des légumes tous les jours. Cinq fruits ou légumes par jour est la quantité recommandée. Ils sont riches en fibres et en vitamines et vous protégeraient contre certaines maladies (obésité, diabète...).*
Autres exemples possibles : tabac, gymnastique, boisson, dentiste, vaccination...

Pour vous aider

Pour donner un conseil à quelqu'un, vous pouvez utiliser :

- **l'impératif**
- **il faut / faudrait que + subjonctif**
- **il faut / faudrait + infinitif**
- **il n'y a qu'à (y a qu'à, *fam.*) + infinitif**
- **vous n'avez qu'à + infinitif**
- **tu n'as qu'à (t'as qu'à, *fam.*) + infinitif**
- **il vaudrait mieux que + subjonctif**
- **il vaudrait mieux + infinitif**
- **je te / vous conseille de + infinitif**
- **je te / vous recommande de + infinitif**
- **je te / vous suggère de + infinitif**
- **tu devrais / vous devriez + infinitif**
- **tu pourrais / vous pourriez + infinitif**
- **à ta / votre place, je + conditionnel présent**
- **si j'étais toi / vous, je + conditionnel présent**
- **je serais toi, je + conditionnel présent**
- **rien ne t' / vous empêche de + infinitif**

RICKY FAIT DU SPORT

Frank MARGERIN, *Radio Lucien*, 1984.

PRODUCTION ORALE

1. Observez la bande dessinée. Où est Ricky ? Quelles activités sportives pratique-t-il ?
2. À votre avis, le sport est-il indispensable pour être en bonne santé ?

Athlètes d'âge mûr

UN ÉVÉNEMENT important a eu lieu, dimanche 19 juin, sur un stade de Miyazaki, dans le sud du Japon. Un coureur à pied, sprinter de tempérament, s'est aligné, seul de sa catégorie, pour tenter de battre le record du 100 m. Jusque-là, rien que de très banal, encore qu'on puisse se poser la question : n'est-il pas mieux de tenter sa chance lors d'une course groupée, pour profiter de l'émulation que peut donner à sept ou huit gaillards le retentissement du coup de pistolet en l'air ?

Mais, dimanche, Kozo Haraguchi – c'est son nom – était seul dans le starting-block à l'appel du juge. Détail important : il pleuvait. L'homme s'est élancé, a couru le plus vite que ses jambes le lui permettaient, pour passer la ligne après 22 secondes et 4 centièmes. Vous avez bien lu : Kozo Haraguchi est devenu recordman du monde du 100 mètres avec un temps qu'on n'ose appeler de sénateur, n'ayant encore jamais vu les élus de la Chambre haute jouer les sprinters dans les allées du Luxembourg*.

Pour être complet, il convient de préciser que le champion crédité de ce nouveau record était en compétition dans la catégorie des 95-99 ans. Benjamin de cette classe-là, puisqu'il n'est âgé que de 95 ans, il a amélioré la précédente marque de deux secondes. Une sacrée performance donc, pour ce sportif qui a découvert les joies de l'athlétisme à… 65 ans.

« *C'est la première fois que je courais sous la pluie,* a reconnu le lauréat. *Je n'ai pas cessé de penser à éviter de glisser jusqu'à la ligne d'arrivée.* » Autrement dit, Kozo Haraguchi aurait pu faire bien mieux si le ciel n'avait pas été aussi maussade. Que ses concurrents nonagénaires le sachent : il ne semble pas près de raccrocher ses pointes. Une formalité reste à remplir : l'homologation de ce nouveau record par le World Masters Athletics, un organisme qui gère les compétitions d'athlètes d'âge mûr.

Pour mesurer la persévérance de Kozo Haraguchi, notons qu'il n'en est pas à son coup d'essai. Dans la catégorie des 90-94 ans, il avait déjà établi le record de 18 secondes et 8 centièmes en l'an 2000, effaçant des tablettes l'Autrichien Erwin Jaskulski, lequel avait avalé la ligne droite en 24 secondes et 1 centième en 1999.

On serait curieux de connaître les intentions de cet athlète pas comme les autres. Veut-il accomplir d'autres prouesses ? Espère-t-il être le premier recordman centenaire ? Cela ferait une belle affiche, non ? Courir le 100 mètres à 100 ans, un mètre par année d'âge…

Surtout, il serait sans doute intéressant, pour peu qu'il soit aussi prompt à parler qu'à sprinter, de connaître les motivations profondes du vénérable champion. Pourquoi courez-vous, monsieur Haraguchi ? Après quoi ? Est-ce votre jeunesse que vous poursuivez ainsi ? Est-ce l'envie de ne jamais finir de vivre ? Est-ce le bonheur de sentir encore votre cœur battre et cogner fort dans votre poitrine ?

En découvrant cet acte supposé gratuit, on s'interroge sur les ressorts ultimes du sport : garder la santé, garder l'énergie, continuer jusqu'au bout d'habiter son corps, se dépasser pour mieux rester soi-même. N'est-ce pas là un objectif que tout athlète devrait préserver jalousement de tous les autres enjeux, bien avant d'atteindre la limite d'âge ? À l'évidence, Kozo Haraguchi est un sage.

Éric FOTTORINO, *Le Monde*, 21/06/2005.

* *Le Palais du Luxembourg est le siège du Sénat à Paris.*

COMPRÉHENSION ÉCRITE

1. Résumez cet article en 10 lignes.
2. Comment le journaliste apprécie-t-il cette performance ? Justifiez votre opinion.
3. Quelles sont les hypothèses qui expliquent l'attitude de K. Haraguchi ?
4. Comment l'article est-il construit ? Le journaliste entre-t-il immédiatement dans le vif du sujet ?

VOCABULAIRE

5. Relevez tous les mots qui qualifient K. Haraguchi.
6. Donnez la signification de :
   - **a.** *un gaillard* (l. 14)
   - **b.** *le starting-block* (l. 18)
   - **c.** *il convient de* (l. 32)
   - **d.** *un nonagénaire* (l. 51)
   - **e.** *prompt* (l. 82)
   - **f.** *cogner* (l. 91)
7. Reformulez les énoncés suivants :
   - **a.** *un temps de sénateur* (l. 26)
   - **b.** *le benjamin de cette classe* (l. 36)
   - **c.** *un ciel maussade* (l. 49)
   - **d.** *raccrocher les pointes* (l. 52)
   - **e.** *l'homologation d'un record* (l. 54)
   - **f.** *effacer des tablettes* (l. 67)

GRAMMAIRE LES PRONOMS RELATIFS

Échauffement

Dans les phrases suivantes, quelle est la fonction des mots soulignés ?

- *ce sportif qui a découvert les joies de l'athlétisme à... 65 ans*
- *effaçant des tablettes l'Autrichien Erwin Jaskulski, lequel avait avalé la ligne droite en 24 secondes et 1 centième en 1999.*
- *Est-ce votre jeunesse que vous poursuivez ainsi ?*

1. **Justifiez l'emploi des pronoms relatifs dans les phrases suivantes.**

a. Voilà un médecin en qui j'ai toute confiance.

b. Quel est le nom du club auquel tu t'es inscrit ?

c. C'est la recette que ta grand-mère t'a apprise ?

d. C'est une histoire dont je ne me souviens pas.

e. J'ai un ami dont les parents étaient champions de patinage.

f. Je me rappellerai toujours le jour où je l'ai rencontré.

g. Voici un livre qui vous intéressera.

h. C'est l'anecdote à laquelle je pensais.

i. C'est le restaurant mexicain à côté duquel tu habitais, non ?

j. Elle pratique plusieurs sports, dont la natation.

Voir mémento p. 193.

2. **Transformez les phrases comme dans l'exemple.**
J'ai un frère. Il est médecin. Il habite à Marseille.
→ *J'ai un frère qui est médecin et qui habite à Marseille.*

a. C'est un ami. Je le vois souvent. Je lui téléphone chaque jour.

b. J'ai vu un film. Il date de 1980. Je ne m'en souvenais pas.

c. Voici un livre. Je te le recommande. Tu en as besoin pour tes études.

d. Je te présenterai une collègue. Je travaille avec elle régulièrement. Ses résultats sont excellents.

e. J'ai perdu mon stylo. Ma femme me l'avait offert. J'écrivais toujours avec ce stylo.

f. C'est Sylvain, mon associé. J'ai confiance en lui. Ses parents sont mes voisins.

g. C'est un club de gym sympa. J'y vais tous les samedis. Il n'est pas très cher.

h. C'est un homme énorme. Je me sens tout petit à côté de lui.

i. C'est une cousine. Je la vois rarement mais j'ai trouvé du travail grâce à elle.

j. Je vais te montrer un terrain. Je vais l'aménager. Je vais faire construire ma future maison au milieu de ce terrain.

3. **Complétez avec un pronom relatif et, si nécessaire, une préposition.**

a. Ce sont des livres ..... mon professeur m'a parlé et ..... j'ai envie de lire.

b. La salle ..... nous a été attribuée et ..... nous travaillons est vraiment bruyante.

c. C'est l'année ..... nous avons déménagé à Lyon.

d. Voilà les amis ..... j'ai parlé de votre problème.

e. C'est une histoire ..... je me rappelle bien et ..... est souvent évoquée dans les journaux.

f. Je n'aime pas beaucoup le personnage ..... passe à la télé, mais j'admire l'excellent cuisinier ..... il est resté.

g. Le musée a acheté le bureau en chêne ..... possédait Victor Hugo et ..... il a écrit *Les Misérables*.

h. J'ai vu cinq ou six films de Truffaut, ... *Adèle H.* et *Les 400 coups*.

i. Le restaurant à côté ..... je vais à la pêche a une spécialité de truite aux amandes ..... tu apprécieras.

j. C'est un véritable ami ..... m'est très cher et ..... je peux compter.

SCÈNE I

Intérieur bourgeois anglais, avec des fauteuils anglais. Soirée anglaise. M. Smith, Anglais, dans son fauteuil et ses pantoufles anglais, fume sa pipe anglaise et lit un journal anglais, près d'un feu anglais. Il a des lunettes anglaises, une petite moustache grise, anglaise. À côté de lui, dans un autre fauteuil anglais, Mme Smith, Anglaise, raccommode des chaussettes anglaises. Un long moment de silence anglais. La pendule anglaise frappe dix-sept coups anglais.

Mme SMITH

Tiens, il est neuf heures. Nous avons mangé de la soupe, du poisson, des pommes de terre au lard, de la salade anglaise. Les enfants ont bu de l'eau anglaise. Nous avons bien mangé, ce soir. C'est parce que nous habitons dans les environs de Londres et que notre nom est Smith.

M. SMITH, *continuant sa lecture, fait claquer sa langue.*

Mme SMITH

Les pommes de terre sont très bonnes avec le lard, l'huile de la salade n'était pas rance. L'huile de l'épicier du coin est de bien meilleure qualité que l'huile de l'épicier d'en face, elle est même meilleure que l'huile de l'épicier du bas de la côte. Mais je ne veux pas dire que leur huile à eux soit mauvaise.

M. SMITH, *continuant sa lecture, fait claquer sa langue.*

Mme SMITH

Pourtant, c'est toujours l'huile de l'épicier du coin qui est la meilleure…

M. SMITH, *continuant sa lecture, fait claquer sa langue.*

Mme SMITH

Mary a bien cuit les pommes de terre, cette fois-ci. La dernière fois elle ne les avait pas bien fait cuire. Je ne les aime que lorsqu'elles sont bien cuites.

M. SMITH, *continuant sa lecture, fait claquer sa langue.*

Mme SMITH

Le poisson était frais. Je m'en suis léché les babines. J'en ai pris deux fois. Non, trois fois. Ça me fait aller aux cabinets. Toi aussi tu en as pris trois fois. Cependant la troisième fois, tu en as pris moins que les deux premières fois, tandis que moi j'en ai pris beaucoup plus. J'ai mieux mangé que toi, ce soir. Comment ça se fait ? D'habitude, c'est toi qui manges le plus. Ce n'est pas l'appétit qui te manque.

M. SMITH, *fait claquer sa langue.*

Mme SMITH

Cependant, la soupe était peut-être un peu trop salée. Elle avait plus de sel que toi. Ah, ah, ah. Elle avait aussi trop de poireaux et pas assez d'oignons. Je regrette de ne pas avoir conseillé à Mary d'y ajouter un peu d'anis étoilé. La prochaine fois, je saurai m'y prendre.

M. SMITH, *continuant sa lecture, fait claquer sa langue.*

Mme SMITH

Notre petit garçon aurait bien voulu boire de la bière, il aimera s'en mettre plein la lampe, il te ressemble. Tu as vu à table, comme il visait la bouteille ? Mais moi, j'ai versé dans son verre de l'eau de la carafe. Il avait soif et il l'a bue. Hélène me ressemble : elle est bonne ménagère, économe, joue du piano. Elle ne demande jamais à boire de la bière anglaise. C'est comme notre petite fille qui ne boit que du lait et ne mange que de la bouillie. Ça se voit qu'elle n'a que deux ans. Elle s'appelle Peggy.

Eugène IONESCO, *La Cantatrice chauve*, 1954.

COMPRÉHENSION ÉCRITE

1. Présentez les personnages.
2. Quels sont les éléments descriptifs fournis par l'auteur ? Qu'en pensez-vous ?
3. Est-ce une situation tirée de la vie quotidienne ? Reconnaissez-vous quelqu'un ?
4. À votre avis, pourquoi M. Smith claque-t-il la langue ?
5. Choisissez deux adjectifs pour qualifier cette scène : comique - absurde - réaliste - tragique.
6. Qu'est-ce qui vous fait rire ou sourire dans cette scène ? Pourquoi ?

VOCABULAIRE

7. Relevez les mots qui se rapportent à la comparaison ou à l'appréciation.
8. Reformulez les énoncés suivants :
 a. *se lécher les babines* (l. 40)
 b. *aller aux cabinets* (l. 42)
 c. *comment ça se fait ?* (l. 45)
 d. *s'en mettre plein la lampe* (l. 59)

INTONATION

9. Jouez cette scène.

PRODUCTIONS ÉCRITE ET ORALE

10. Imaginez les pensées de M. Smith pendant le monologue de sa femme. Écrivez-les et jouez-les.
11. À votre tour, écrivez, dans le style de Ionesco, une courte scène en relation avec un autre moment de la vie quotidienne et jouez-la devant la classe.

ATELIERS

1

La cuisine régionale française

Chaque groupe de trois étudiants va présenter les spécialités gastronomiques d'une région de France : Alsace et Lorraine, Bourgogne, Bretagne, Corse, région lyonnaise, Massif central, Normandie, Provence, Sud-Ouest.
- Choix d'une région.
- Recherche dans des guides, des livres de cuisine, sur Internet : plats, fruits et légumes, poissons et fruits de mer, fromages, pâtisseries...
- Choix de photos.
- Mise en commun des recherches dans chaque groupe.
- Présentation en classe.

2

Questionnaire de satisfaction pour un restaurant

Un restaurant de votre pays vous demande d'élaborer un questionnaire de satisfaction à destination de ses clients français.
- Chaque groupe de trois étudiants fait d'abord la liste des points qui figureront sur la fiche (qualité du repas, service, cadre...).
- Rédaction du questionnaire.

3

Débats

Vous devez organiser un débat :

a. pour ou contre une activité sportive controversée (la boxe professionnelle, le full-contact, une course automobile ou de motos dans une zone naturelle protégée...).

b. pour ou contre la chirurgie esthétique.

1. La classe décide du thème du débat.
2. On définit le nombre des interlocuteurs :
   a. un ou deux modérateurs, pratiquants, organisateurs, élus, habitants, médecins, défenseurs de l'environnement.
   b. un ou deux modérateurs, personnes ayant modifié leur corps (bonnes et mauvaises expériences), médecins, chirurgien plasticien, psychologues.
3. Chaque étudiant tire au sort le personnage qu'il va jouer.
4. Le groupe des « pour » et le groupe des « contre » se réunissent séparément pour préparer leurs arguments.
5. Les modérateurs organisent le débat.

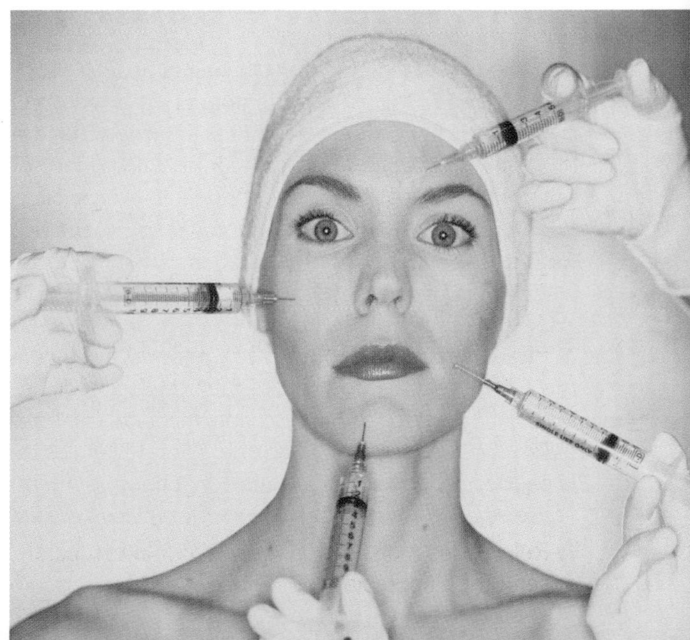

PRÉPARATION AU DELF B2

production orale

Choisissez un des deux articles ci-dessous. Vous dégagerez le problème soulevé par le document et présenterez votre opinion sur le sujet de manière construite et argumentée.
Préparation : 30 minutes.
Durée de l'épreuve : 20 minutes.
Note sur 25.

Document 1

Du poisson dans les fraises ?

A priori, un gène de poisson n'a naturellement rien à faire dans une fraise. Mais les techniques du génie génétique permettent aujourd'hui d'introduire des gènes de n'importe quel organisme dans les plantes. On a déjà ainsi introduit en laboratoire des gènes de poissons dans des fraises pour leur permettre de résister aux gelées.

Nombre de produits transgéniques tels que celui-ci n'atteindront sans doute jamais les étals de nos supermarchés. Mais aux États-Unis, au Canada ou encore en Argentine, on sème actuellement, sur des millions d'hectares, des plantes génétiquement modifiées qui produisent leur propre insecticide ou sont tolérantes à de fortes doses d'herbicide. Les plantes une fois récoltées sont ensuite transformées et introduites dans notre alimentation quotidienne, soit sous la forme d'ingrédients et d'additifs issus de plantes transgéniques, soit et surtout, par le biais des produits animaux et issus d'animaux (lait, viande, œufs, crème, beurre, etc) que nous consommons. Environ 80 % des Organismes Génétiquement Modifiés (OGM) cultivés sont en effet destinés à nourrir nos vaches, nos cochons, nos volailles et nos poissons d'élevage.

La dissémination d'OGM dans les champs et dans la chaîne alimentaire entraînera une « contamination génétique » irréversible de notre environnement. Ceci va totalement à l'encontre du respect du principe de précaution.

Arnaud APOTEKER, *Du poisson dans les fraises,* 1999.
http://www.greenpeace.fr/detectivesOGM/dossier.php3

Document 2

La révolution esthétique

« Spécial botox : pour Thanksgiving, offrez-vous une injection à 11 dollars ! » Cette année, en novembre, pour la fête américaine célébrant la « journée d'action de grâce », les cliniques d'esthétique californiennes ont multiplié les offres promotionnelles. Avec succès. En attendant une hypothétique grâce spirituelle, les Américains sont en effet de plus en plus nombreux à chercher la grâce physique. Au vu et au su de tous.

C'est la grande différence avec la France. *« Mes patientes me disent toutes : surtout que cela ne se voie pas »*, note le docteur Katia Taoueb, médecin esthétique. Chez nous, plus que le changement radical, l'embellissement discret est la norme. D'où le succès de la médecine et de la chirurgie du rajeunissement. *« On ne peut pas prolonger la vie sans offrir aussi une qualité de vie,* défend le professeur Maurice Mimoun, chef du service de chirurgie plastique, reconstructrice et esthétique de l'hôpital Rothschild à Paris. *La chirurgie esthétique du vieillissement met en adéquation l'apparence du patient avec la santé que lui apporte la médecine de la maladie. »* Constat similaire du docteur Pomarède, dermatologue : *« L'extérieur révèle l'intérieur. »* Ce droit à l'esthétique ne connaît plus de limite d'âge. [...] Pourquoi faudrait-il refuser de s'offrir quelques années supplémentaires de bien-être esthétique ? Mais à voir certains, acharnés des injections ou des liftings, se retrouver avec des visages plus lisses qu'une face de lune, comment ne pas craindre de perdre son identité ? De finir « esthético-dépendants » ?

Claire FLEURY, *Le Nouvel Observateur,* semaine du 19/01/2006.

NATURE
UNITÉ 8

- Comprendre un texte concernant les problèmes liés à l'environnement
- Comprendre un débat non spécialisé concernant l'environnement
- Débattre à propos d'environnement
- Décrire un site géographique
- Comprendre un bulletin météo radiodiffusé
- Parler des animaux
- Écrire une lettre à un magazine pour défendre son point de vue
- Résumer un texte complexe traitant de l'environnement

- Vocabulaire de l'environnement
- Vocabulaire de la météorologie
- Vocabulaire de la géographie et de la faune
- L'expression du lieu
- Les pronoms personnels

- Les Parcs naturels régionaux français

« C'est une triste chose de songer que la nature parle et que le genre humain n'écoute pas. »

Victor HUGO

Sauver la terre et les hommes

Le développement durable ? Une succession de défis pour réconcilier l'homme et sa planète. Rien n'est facile, tout est possible.

Déforestation, Brésil.

Plus de « si », plus de « mais », il faut agir. En quelques décennies, l'homme a réussi à bouleverser des équilibres que la planète a mis 4,5 milliards d'années à façonner. La Terre est vulnérable et nous savons désormais que notre mode de vie n'est pas durable. Les rapports d'experts du monde entier établissent ce même constat : notre type de développement n'est pas compatible avec les ressources de la planète. Au-delà du seul pétrole qui monopolise aujourd'hui l'attention de nos sociétés de consommation, ce sont les ressources vitales, à commencer par l'eau douce, qui sont affectées au point de ne plus pouvoir satisfaire les besoins de l'humanité. Faut-il rappeler que les forêts naturelles régressent au rythme annuel de près de 16 millions d'hectares, et qu'avec elles disparaissent non seulement tout un monde animal et végétal, mais également des remparts contre les catastrophes naturelles du fait de l'érosion ? Faut-il rappeler les effets du réchauffement climatique dû à l'activité humaine, alors qu'ils envahissent d'ores et déjà une actualité tragique récurrente : inondations, canicules, tempêtes… ? Cela ne fait que commencer. D'autant que notre façon de vivre s'étend progressivement à l'ensemble des continents. Avec l'émergence des pays en développement qui entendent adopter des modes de consommation identiques aux nôtres, nous sommes dans une impasse planétaire.

Comment faire rimer développement et avenir

Et cette surexploitation n'aura pas eu le mérite de profiter à tous. Aujourd'hui 3 milliards d'hommes, sur les 6 milliards qui peuplent la Terre, vivent avec moins de 2 dollars par jour. Et des conflits éclatent pour le pétrole, pour l'eau, pour la pêche… Ils sont l'inévitable pendant d'une répartition inéquitable des richesses et des ressources. Qu'en sera-t-il pour les 8 à 12 milliards d'hommes et de femmes qui vivront sur la Terre en 2050 ? Voici le défi à relever : concilier l'expansion continue de l'humanité et les ressources limitées de la planète. Concilier les exigences économiques et les impératifs écologiques. Pour Nicolas Hulot*, « *c'est une occasion unique de redonner du sens au progrès. C'est un combat humaniste : il s'agit de préserver l'avenir de l'humanité. Derrière cela, il y a une question sociétale et une question philosophique : quel est le sens de l'humanité ? Et quel est le sens du progrès ? Consommer plus ou consommer mieux ? Produire plus ou produire mieux ? Privilégier « l'avoir » ou « l'être » ? À nous d'inventer de nouveaux modes de consommation, de nouveaux modes de vie, respectueux de l'environnement et plus équitables envers les pays du Sud.* » Déjà, dans les années 70, économistes, scientifiques et écologistes s'interrogeaient sur la compatibilité d'une croissance infinie avec une planète aux ressources limitées. Certains prônaient alors la croissance zéro de la démographie afin d'épargner les ressources naturelles épuisables ; d'autres cherchaient le moyen de concilier la logique de production économique et le progrès social dans le respect de l'environnement. C'est ainsi qu'est né le concept de développement durable. Il se définit comme « *un développement qui répond aux besoins des générations présentes sans compromettre la capacité des générations futures à répondre aux leurs* », selon la formule du rapport établi en 1987, pour l'ONU. Le concept est popularisé lors du Sommet de la Terre à Rio en 1992. La formule fait mouche : elle est large, ce qui fait sa force et sa faiblesse, rassurante, fédératrice. Chacun peut s'y trouver citoyen. Aujourd'hui, pas une déclaration internationale, nationale, locale qui ne fasse référence au « développement durable ». Mais a-t-on compris qu'il ne s'agissait pas de tendre vers plus de croissance économique ? En a-t-on saisi réellement les enjeux ? Force est de constater que si l'expression est largement utilisée, les pratiques évoluent peu.

Il est vrai que la mise en œuvre d'un tel concept est pour le moins complexe. De plus, les populations des pays riches se représentent tout changement dans leur façon de vivre sous la forme de privations. George Bush senior n'a-t-il pas déclaré en 1992 que « *le style de vie des Américains n'est pas négociable* » ! Preuve, s'il en est, que le problème est mal posé. « *Il nous faut entrer dans une société de modération, mais non de privation. Nous devons sortir de cette civilisation du gâchis,* poursuit Nicolas Hulot. *Peut-on s'accommoder, par exemple, sachant que plus d'un milliard de personnes n'ont pas accès à l'eau potable, de voir l'agriculture consommer 72 % de notre eau alors qu'une infime partie de cette ressource suffit à la plante ? Pourquoi accepter qu'un produit nous parvienne avec cinq ou six emballages ?* » Les changements de comportements seront forcément progressifs. Mais une société de développement durable exige, en revanche, une mobilisation de tous les acteurs de la société, politiques, industriels, chercheurs et citoyens. Il s'agit d'optimiser le développement des ressources, de rationaliser leur consommation, de trouver des alternatives, de partager équitablement… Cette société exige enfin une réelle volonté politique avec des actes à la mesure de l'enjeu. « *En vingt ans, avec des incitations fiscales, il est possible de réorienter la consommation, de changer le parc des transports et de développer les habitats à faible impact environnemental* », affirme Thierry Thouvenot, chargé de mission à WWF-France.

Concilier écologie avec économie et progrès social… Les réponses existent. Anne-Marie Sacquet, directrice du Comité 21, en est convaincue : en Allemagne, l'énergie éolienne emploie 45 000 personnes ; au Brésil, 25 % de la production de canne à sucre est utilisée pour la fabrication de biocarburants ; au Japon, 292 000 véhicules roulent au gaz naturel… Les pays occidentaux ont tout intérêt à entamer au plus tôt leur révolution écologique, pour devenir des pays en voie de développement durable et démontrer au reste du monde qu'un autre modèle existe.

Éolienne dans le Lauragais, France.

Martine Betti-Cusso, *Le Figaro Magazine,* 08/10/2005.

** Nicolas Hulot : journaliste et animateur de télévision. C'est l'un des porte-parole les plus médiatisés pour la protection de l'environnement.*

COMPRÉHENSION ÉCRITE

1. Quel est le thème de cet article ? L'auteure prend-elle parti ?
2. Comment peut-on qualifier la situation de la planète ? Cherchez des exemples dans l'article.
3. Qu'est-ce que le « développement durable » ?
4. Quels sont les obstacles à une politique de développement durable ?
5. Que faudrait-il faire ?
6. Quelles sont les propositions concrètes contenues dans ce texte ? Quelles en sont les limites ?

VOCABULAIRE

7. Relevez toutes les menaces qui pèsent sur l'environnement.
8. Trouvez le lexique qui exprime la nécessité. Exemple : *il faut agir.*
9. Cherchez dans le texte des expressions équivalentes de :
   a. fragile
   b. protection
   c. concilier
   d. toucher juste
   e. gaspillage
   f. commencer

PRODUCTION ÉCRITE

Résumez ce texte en 200 mots environ.

VOCABULAIRE L'ENVIRONNEMENT

L'environnement

l'écologie *(f.)*
écologique
l'écologiste
l'écolo *(fam., f. et m.)*
la faune
la flore
le milieu
la nature
naturel

La pollution et ses remèdes

biodégradable
la couche d'ozone
le trou dans la couche d'ozone
la décharge
la décharge sauvage
le déchet
l'élimination *(f.)* **des déchets**
le stockage des déchets
la déforestation
dépolluer
la dépollution
la désertification
la destruction
détruire
le dioxyde de carbone
l'effet *(m.)* **de serre**
l'énergie renouvelable *(f.)*
l'énergie propre *(f.)*
l'énergie solaire *(f.)*
l'éolienne *(f.)*
l'espèce protégée *(f.)*
l'espèce en voie d'extinction *(f.)*
le gaspillage
gaspiller
la géothermie
la marée noire
nocif
la nuisance
les nuisances sonores
le parc naturel
polluant
polluer
le pot catalytique
la préservation
la protection
protéger
radioactif
la radioactivité
le reboisement
le réchauffement
le recyclage
recycler
la sauvegarde
sauvegarder
toxique
le traitement

1 **Relevez dans la liste les différents phénomènes qui menacent l'environnement et dites quels sont les différents moyens de réagir.**

2 **Placez les mots manquants et les articles.**

animal - climatique - disparition - élévation - extinction - hausse - île - inondation - météorologique - réchauffement

(a) de la planète est une préoccupation internationale. (b) des températures provoque (c) progressive des glaciers et (d) du niveau des mers. Certaines (e) seront rayées de la carte.
Ce phénomène (f) entraînera le développement de maladies tropicales ainsi que (g) de plusieurs espèces végétales et (h).
La fréquence des cyclones et (i) risque également d'augmenter.
La cause principale de cette dégradation (j) est la présence en masse des gaz à effet de serre.

DÉBAT L'ENVIRONNEMENT

Écoutez le dialogue.

1. Quels sont les sujets d'inquiétude dont les différents participants font état ?
2. Quelles sont les différentes propositions qui sont faites ?
3. Ces propositions vont-elles toutes dans le même sens ?
4. De quelle(s) position(s) vous sentez-vous le (la) plus proche ?

L'ENVIRONNEMENT ET VOUS

PRODUCTION ORALE

1. Citez les différentes nuisances et menaces contre l'environnement.
2. Quelle est la menace qui vous dérange le plus ? Celle qui vous paraît la plus dangereuse ?
3. Quelle est la principale nuisance dans la région où vous vivez ?
4. Que fait-on pour la défense de l'environnement dans votre pays ?
5. Pouvez-vous faire une comparaison avec la politique française en matière d'écologie ?
6. Avez-vous des solutions à proposer ?

VOCABULAIRE **LA MÉTÉO**

Pour parler de météo

il fait... beau / bon / mauvais / chaud / gris / lourd / doux / froid / frais / frisquet...

il y a du soleil / de la pluie...

le temps est... glacial / ensoleillé / nuageux / humide...

le ciel est... bleu / gris / couvert...

Expressions

Il fait un temps de chien / un temps de cochon.

Il fait un froid de canard.

Il pleut des cordes.
Il pleut comme vache qui pisse. *(fam.)*

1 **Écoutez le bulletin météorologique et retranscrivez les indications pour le temps, les températures maximales d'aujourd'hui et le nom des villes concernées sur la carte de France ci-jointe en vous aidant des légendes.**

 **Soleil**

 **Éclaircies**

 **Ciel variable**

 **Couvert**

 **Averses**

 **Orages**

 **Neige**

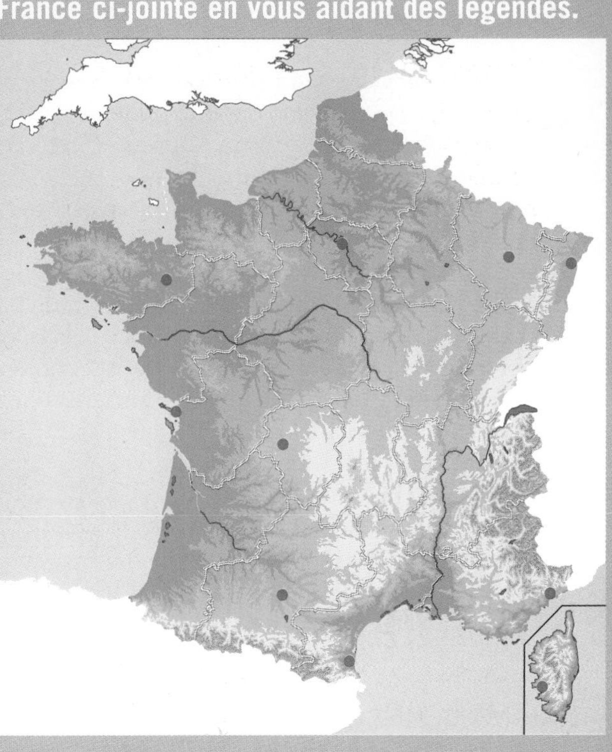

2 **Quels sont les adjectifs qui correspondent à ces noms ?**

a. le gel
b. la brume
c. le brouillard
d. la neige
e. l'orage
f. la pluie
g. la sécheresse
h. le soleil
i. le vent
j. le verglas

3 **Placez les mots manquants. Faites les accords nécessaires.**

air - équateur - moyenne - nuage - pluie - polaire - rayon - sécheresse - solaire - tropical

La latitude
Au niveau de l'(a), les pays reçoivent les rayons du Soleil verticalement : l'énergie solaire est très importante, il fait très chaud. Plus on s'éloigne de cette zone, plus les (b) frappent la Terre de façon oblique et mettent de temps à toucher le sol : l'énergie (c) est moins forte, la chaleur est moindre.

L'influence des vents
Les vents sont des masses d'(d) qui se déplacent au-dessus de nos têtes et déterminent le temps qu'il fait. Ils véhiculent la chaleur, le froid et l'humidité, mais aussi les (e). La France est sous l'influence de deux masses d'air : le vent (f) maritime (froid) et l'air (g) maritime (chaud et humide).

Chaleur et sécheresse
Le soleil et la chaleur sont tellement présents tout au long de l'année que l'eau des (h) s'évapore très vite. La (i) des sols est très importante et rappelle par endroits celle des déserts. En été, les températures montent jusqu'à 30°. En hiver, la température est très douce : 8° en (j).

D'après Pascal COATANLEM, *La France, Premières notions de géographie*, 2001.

PRODUCTION ORALE

4 **Quel est le climat de votre pays ? (saisons, températures, pluies, vents...)**

LA CORSE EST DEVENUE UNE VITRINE DU CONSERVATOIRE DU LITTORAL

Depuis 1975, cette institution a racheté 20 % des côtes de l'île et elle ambitionne d'en posséder 40 % en 2050. Les élus comprennent de plus en plus que la préservation des sites est aussi importante que les revenus attendus de l'urbanisation.

« L'année dernière, j'ai pris des photos de la plage avec mon appareil, et j'ai gommé les voitures… – Eh bien, vous voyez, cette année, c'est nous qui les avons effacées ! » Jean-Philippe Grillet, délégué régional du Conservatoire du littoral pour la Corse et son adjoint, Michel Muracciole, sont contents : les premiers vacanciers de l'été apprécient les aménagements apportés à la plage de la Testa Ventilegne, un vaste espace sauvage à la richesse écologique reconnue, sur le territoire de la commune de Figari, dans l'extrême sud de l'île.

Jusqu'en 2004, les voitures se garaient sur la plage, les roues au ras de l'eau, et les 4 x 4 venaient faire voler le sable jusqu'aux pieds des baigneurs. Maintenant, c'est fini. Les vieux murs de pierre, remontés à l'identique, servent aussi de chicanes* ; des clôtures de bois ont été plantées, des pistes et des parkings établis en retrait de la plage, dans la végétation. Tous ces travaux, inaugurés à la mi-juin en présence du préfet de Corse Pierre-René Lemas, concrétisent le début de reconquête du site par le Conservatoire du littoral, près de quatre ans après son acquisition.

PATRIMOINE EXCEPTIONNEL

L'histoire de la Testa Ventilegne est emblématique des combats pour la préservation de l'environnement en Corse. Ici, en 1970, un groupe financier prévoyait d'implanter 100 000 lits touristiques. Des irrégularités et des difficultés en cascade, alliées à une mobilisation générale contre ces projets, ont conduit les propriétaires successifs à réduire leurs ambitions, avant de renoncer. En 1996, le Conservatoire du littoral a acheté quelque 2 000 hectares. Puis, en 2001 et 2002, il a acquis les derniers 400 hectares auprès de l'ultime propriétaire, le groupe Axa, tandis que la commune de Figari en achetait un peu plus de 200.

Aujourd'hui, Roger Simoni, maire de Figari depuis 2002, envisage seulement de restaurer quelques bergeries anciennes autour d'une belle maison de maître, pour en faire des gîtes communaux, avec une vue imprenable et magnifique. La force de Figari, *« c'est notre patrimoine naturel »*, dit-il. Et il n'est *« pas question de marchander le foncier de la commune »* pour du bétonnage mercantile : l'équipe communale et sa population ne sont *« plus dans cette démarche »*, même si le maire sait que l'urba-

Désert des Agriates, Corse.

nisation apporterait beaucoup plus de rentrées financières à sa commune.

La satisfaction des responsables du Conservatoire et de l'élu est à peine ternie par les critiques d'un collectif d'associations environnementales, qui reproche aux limitations d'accès de bouleverser les habitudes des usagers du site, et accuse le maire de préparer un lotissement de luxe au cœur de la Testa : l'histoire du Conservatoire en Corse est une *success story*.

Après trente ans d'action continue et de négociations opiniâtres, le Conservatoire, créé en 1975, s'est constitué dans l'île un patrimoine exceptionnel souvent composé, à la différence des autres régions, de parcelles d'une surface importante. De ce point de vue, l'acquisition et la protection du mythique désert des Agriates, entre l'Ile-Rousse et Saint-Florent, est l'une de ses réussites les plus éclatantes.

Plus de 5 000 hectares, adossés à 5 000 autres restés propriété des communes, ont été achetés en près de vingt ans par Emmanuel Lopez, devenu directeur du Conservatoire après avoir été, de 1976 à 1993, délégué régional dans l'île. Ces territoires forment aujourd'hui un immense domaine naturel sans route goudronnée, paradis des randonneurs.

Pour parvenir à ce résultat, M. Lopez a pris en compte les spécificités de la société corse, notamment son très fort égalitarisme : pour éviter les inégalités de traitement entre propriétaires, il fallait opter pour le « *tout ou rien* ». Ou le Conservatoire achetait tout, ou il renonçait. M. Lopez a décidé de tout acheter. Ce qu'il a fait, morceau par morceau : aux groupes Rothschild et Casanis, principaux propriétaires, mais aussi à des familles corses. Il est convaincu que le désert des Agriates, ainsi préservé, représentera un jour « *une richesse mondiale* ».

DOUBLER LES SUPERFICIES

La Corse est donc devenue une sorte de vitrine prestigieuse de l'institution. Mais la réciproque est vraie : « *Le Conservatoire, c'est une image de marque fabuleuse pour la Corse !* », s'exclame Sébastien Rocca-Serra, maire de Zonza, au nord de Porto-Vecchio ; il a vendu plusieurs dizaines d'hectares de sa commune au Conservatoire. Et il pousse ce dernier à de nouvelles acquisitions, qu'il ne juge pas incompatibles avec une urbanisation en retrait des zones protégées.

Pour son trentième anniversaire, le Conservatoire se retrouve propriétaire de 20 % des 1 000 kilomètres du linéaire côtier de l'île : autant que ce qu'il souhaite acquérir à l'échelon national d'ici à 2050. Il ne s'arrêtera pourtant pas là. Au même horizon 2050, l'objectif est de doubler les superficies possédées, pour l'essentiel par l'extension des terrains déjà acquis. 80 % du littoral corse sont encore vierges. Il y a donc le choix pour faire de l'île la seule région française où le Conservatoire posséderait 40 % d'un littoral précieux comme l'or.

Parallèlement, il faut convaincre les élus que, même si le Conservatoire protège les sites côtiers les plus remarquables, il ne faut pas faire n'importe quoi ailleurs. Le « *mitage* », autrement dit la multiplication désordonnée des constructions à flanc de montagne ou dans les vallées, est une menace, redoutable elle aussi. Il y a là un autre combat à mener, pour les militants du paysage que sont les fonctionnaires du Conservatoire.

Dans l'immédiat, le Conservatoire surfe sur la vague d'une prise de conscience. Le maire de Figari et celui de Zonza font la même constatation que M. Grillet. « *Les gens commencent à comprendre* » qu'ils doivent oublier leurs rêves de richesse et de spéculation immobilière ; ou que la préservation du littoral est devenue un enjeu patrimonial et économique essentiel. Les groupes financiers saisissent l'occasion de se désengager d'un territoire qu'ils jugent miné. Et certains propriétaires individuels vendent au Conservatoire, parce qu'ils ont la certitude que les paysages qu'ils ont hérités de leur famille resteront tels qu'ils les ont connus et aimés.

Jean-Louis ANDREANI,
Le Monde, 09/07/2005.

** une chicane : un obstacle destiné à ralentir ou à empêcher le passage des véhicules.*

COMPRÉHENSION ÉCRITE

1. Qu'est-ce que le Conservatoire du littoral ? Quel est son objectif ?
2. Quelles actions mène-t-il ?
3. Le résultat est-il positif ?
4. Qu'est-ce qui menace la Corse ?

VOCABULAIRE

5. Relevez le lexique du lieu et classez-le : noms, adjectifs, adverbes, prépositions.

6. Cherchez dans le texte des équivalents de :
a. au bord de
b. discuter le prix du terrain
c. symbolique
d. changer complètement
e. choisir

7. Reformulez les énoncés suivants :
a. *j'ai gommé les voitures* (l. 8)
b. *des difficultés en cascade* (l. 48)
c. *une vue imprenable* (l. 67)
d. *le bétonnage mercantile* (l. 72)
e. *à l'échelon national* (l. 151)

VOCABULAIRE LA GÉOGRAPHIE

1 Quels sont les différents types de relief et de végétation qui existent dans votre pays ?

2 Quels sont les adjectifs qui correspondent aux noms suivants ?

a. le nord
b. le sud
c. l'est
d. l'ouest
e. le territoire
f. la Terre
g. le monde
h. le tropique
i. l'équateur
j. le Midi

3 Placez les mots manquants. Faites les accords nécessaires.

culminer - dépasser - dôme - élevé - estuaire - éteint - fleuve - lave - littoral - orage - montagne - plage - roche - source - temps

Les Pyrénées
Âgées de 60 millions d'années, les Pyrénées (a) à 3 298 m et possèdent de nombreux lacs et torrents en altitude. En été, vous pourrez être surpris par la particularité des Pyrénées : le brusque changement de (b). Chaleur et ciel bleu, le matin, nuages et pluie d'(c) le midi !

La star de l'Europe
Nées il y a trente millions d'années, les Alpes (qui s'étirent de la Méditerranée jusqu'en Autriche) sont les plus grandes (d) d'Europe. Elles possèdent des sommets (e) parfois 4 000 m, notamment l'endroit le plus (f) d'Europe, le mont Blanc. Au cœur des Alpes françaises, il culmine à 4 807 m.

Les volcans
Les volcans d'Auvergne sont comme d'énormes cheminées d'où surgit, il y a huit millions d'années, une matière issue des profondeurs de la Terre : le magma en fusion, la (g). Recouverts d'herbe, ces volcans en forme de (h) s'étendent sur 70 km d'est en ouest dans la chaîne des Puys. Les quatre-vingts volcans du Massif central sont (i) depuis six mille ans.

La Loire
Avec ses 1 012 km, la Loire est le plus long (j) de France. Elle prend sa (k) à 1 408 m, au mont Gerbier-de-Jonc, en Ardèche, dans le Massif central. La Loire finit sa course dans l'(l) de Nantes où elle rejoint l'océan Atlantique.

Les côtes sableuses
Là où les plaines rejoignent la mer, on trouve d'immenses étendues de (m) de sable ou de galets : ce sont les côtes sableuses. Composé de débris de (n) que la mer a arrachés petit à petit aux côtes rocheuses, le sable est transporté sur le (o) grâce aux courants, aux vagues et aux marées.

D'après Pascal COATANLEM,
La France, Premières notions de géographie, 2001.

Généralités

l'atlas *(m.)*
la carte géographique
le plan

l'équateur *(m.)*
le globe
l'hémisphère *(m.)*
l'horizon *(m.)*
la latitude
la longitude
austral
l'est *(m.)*
méridional
le midi
le monde
le nord
l'occident *(m.)*
occidental
l'orient *(m.)*
oriental
l'ouest *(m.)*
le sud
la terre
terrestre
le tropique

la capitale
la frontière
indigène
le pays
le peuplement
peupler
le territoire
territorial

le désert
désertique
forestier
la forêt
la jungle
l'oasis *(f.)*
la plaine
un plateau
le pôle
la prairie
rural
la savane
le sol
la steppe

Expressions

le monde entier
la planète bleue
la grande bleue
le toit du monde

L'eau et les cours d'eau

le bassin
la berge
le canal
la cascade
la chute
couler
le courant
le delta
l'embouchure *(f.)*
l'estuaire *(m.)*
l'étang *(m.)*

le fleuve
flotter
fluvial
se jeter dans
le lac
le marais
la profondeur
la rive
la rivière
le ruisseau
la source
le torrent

Expressions

en amont
en aval

la dune
la falaise
le golfe
l'île *(f.)*
insulaire
le littoral
la marée
marin
l'océan *(m.)*
océanique
la péninsule
la plage
la presqu'île
le sable
la vague

La mer

l'archipel *(m.)*
l'atoll *(m.)*
la baie
le bord de mer
le cap
la côte
le détroit

Expressions

la marée basse
la marée descendante
la marée haute
la marée montante
la mer d'huile

Le port

la digue
le phare
le quai

4 Quels sont les mots qui correspondent aux définitions suivantes ?

a. Masse de neige qui se détache d'une montagne.
b. Colline de sable fin formée par le vent.
c. Montagne avec un sommet aigu.
d. Endroit où un cours d'eau se jette dans la mer.
e. Ensemble d'îles.

La montagne

l'altitude *(f.)*
l'avalanche *(f.)*
la caverne
la chaîne
le col
la colline
s'élever à
le glacier
la grotte
le massif
le mont
montagneux
le pic
au pied de
le rocher
rocheux
le sommet
la vallée
le versant

Le volcan

le cratère
l'éruption *(f.)*
la lave

CIVILISATION LES 44 PARCS NATURELS RÉGIONAUX DE FRANCE

Les 44 Parcs naturels régionaux concernent **3 690 communes, 21 régions métropolitaines, 68 départements** pour **3 millions d'habitants**.

Ils couvrent 7 millions d'hectares, soit **12 % du territoire**.

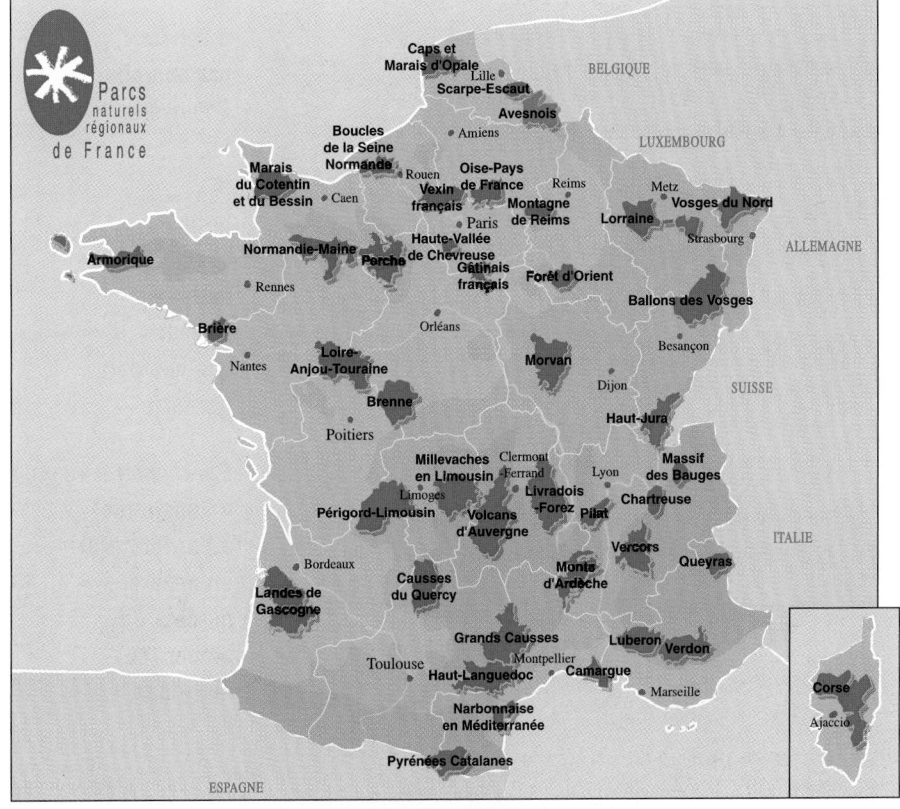

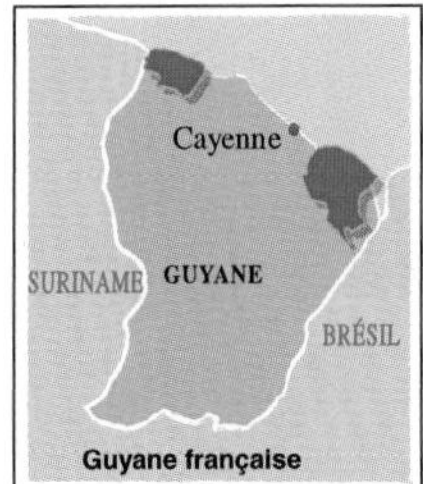

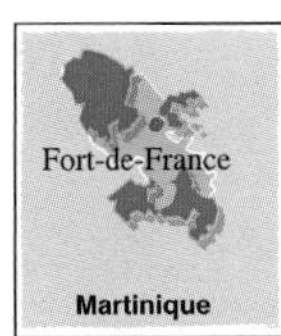

VOCABULAIRE • GRAMMAIRE LE LIEU

Généralités

l'arrière *(m.)*
l'avant *(m.)*
l'axe *(m.)*
le bord
le centre
le coin
la distance
éloigné (de)
l'éloignement *(m.)*
l'emplacement *(m.)*
l'endroit *(m.)*
entourer
l'espace *(m.)*
l'extérieur *(m.)*
une extrémité
faire face à
l'intérieur *(m.)*
l'intervalle *(m.)*
la limite
limitrophe
lointain
le niveau
l'orientation *(f.)*
s'orienter
originaire (de)
une origine
la périphérie
la place
proche (de)
le site
la situation
(se) situer
se trouver
voisin
le voisinage

Pour qualifier un lieu

étendu
immense
minuscule
spacieux
vaste

Adverbes et prépositions

Voir mémento p. 196.

Localisation :
à
ailleurs
en l'air
en avant
d'un bout à l'autre
ça et là
chez
dans
de tous côtés
du côté ouest
en
à l'endroit
par endroits
à l'envers
ici
là
là-bas
n'importe où
nulle part
partout
quelque part
par terre

Par rapport à un point :
à l'angle (de)
à l'arrière (de)
en arrière
au-delà de
autour (de)
autre part
à l'avant (de)
en bas (de)
au bord (de)
au bout (de)
au centre (de)
au coin de
du côté (de)
sur le côté (de)
dedans
dehors
en dehors de
derrière
dessous
au-dessous (de)
en dessous (de)
par-dessous
dessus
au-dessus (de)
par-dessus
devant
au devant de
à droite (de)
sur votre droite
entre
face à
face à face
en face (de)
au fond (de)
à gauche (de)
sur votre gauche
en haut (de)
de haut
hors de
de là
par là
à mi-chemin (de)
au milieu (de)
au pied de
au sein de
au seuil de
sous
sur
à la tête de
en tête (de)

1 Placez le mot manquant en ajoutant un déterminant si nécessaire.

alentours - axe - borne - coin - direction - emplacement - endroit - frontière - intervalle - lieu - orientation - pas - pâté - place - périphérie - site

a. Vous passez vos vacances à quel ..... ?

b. Ce dossier n'est pas rangé à ..... .

c. Savez-vous s'il y a une boulangerie dans ..... ?

d. Ça suffit ! Vous dépassez les ..... .

e. Je rentre à pied, j'habite à deux ..... .

f. Vous vivez dans le centre ou en ..... ?

g. ..... est réservé aux tentes, vous ne pouvez pas y installer votre caravane.

h. Je n'ai pas le sens de ....., je me perds facilement.

i. ..... Paris-Lyon est celui où la circulation est la plus importante.

j. On ne peut rien construire sur ce terrain, c'est un ..... archéologique classé.

Distance et proximité :
aux alentours
contre
tout contre
à côté (de)
au côté de
du côté (de)
à l'écart (de)
loin (de)
au loin
un peu plus loin
à peu de distance de
près (de)
tout près
à proximité de

Direction et mouvement :
d'un bout à l'autre
en chemin
en direction de
dans la direction de
tout droit
jusqu'à
par
par là
au passage (de)
à travers
sur la route de
vers

Expressions

être à sa place
prendre beaucoup de place
remettre quelqu'un à sa place
à vol d'oiseau
à deux pas

2 Mettez la préposition manquante.

a. Il est parti ..... Madagascar.
b. Il habite ..... Caire.
c. Elle vient ..... Portugal, plus précisément ..... Porto.
d. Ce tableau est ..... travers, pouvez-vous le redresser ?
e. Je vais au bureau, j'achèterai le journal ..... chemin.
f. La chaîne organise un face ..... face entre les deux candidats.
g. Tu as mis ton pull ..... l'envers.
h. Ils ne dorment pas ensemble, ils font chambre ..... part.
i. Cette porte est fermée, passez ..... là.
j. Vous trouverez une petite route ..... votre droite.

PRODUCTION ÉCRITE

3 Décrivez la région où vous habitez (150 mots environ).

4 Dessinez ce que vous voyez de la fenêtre de votre chambre et faites-en la description à la classe.

FAIRE OPÉRER SON POISSON ROUGE, C'EST POSSIBLE !

Aux États-Unis, intervenir sur un poisson rouge est en passe de devenir aussi courant que de soigner un chat ou un chien. On n'arrête pas le progrès !

Non, la chirurgie du poisson rouge n'est pas le fait d'un vétérinaire allumé. Au contraire, outre-Atlantique, cette discipline gagne du terrain et compte aujourd'hui près de 2 000 spécialistes. Pour le professeur Lewbart de l'Université de Raleigh (Caroline du Nord), pionnier des vétérinaires aquatiques, cette situation n'a rien d'extraordinaire : *« les gens sont très attachés à leurs poissons. J'ai vu un poisson rouge hier que les propriétaires avaient acheté 18 dollars, ils en étaient déjà à 700 dollars de frais »*, explique-t-il le plus simplement du monde. C'est notamment le cas d'Oscar, un poisson rouge âgé de quatre ans venu rendre visite au professeur Lewbart pour une consultation de routine. Un examen qui coûtera la bagatelle de 150 dollars pour un petit animal qui n'en vaut même pas dix !

Et pour soigner un poisson, toute la gamme habituelle des radios, scanners et anesthésies est envisageable. Les poissons peuvent être opérés pour une arête brisée ou encore pour un œil crevé qui sera remplacé par une bille de verre, véritable chirurgie esthétique destinée à nos amis à nageoires. L'opération la plus courante vise à traiter les problèmes d'équilibre, souvent dus à l'infection ou l'obstruction de la vessie qui permet au poisson de réguler l'air qu'il utilise pour nager. Les interventions sont toujours pratiquées sur une table recouverte de feuilles de plastique maintenant le « patient » dans un environnement humide. Le poisson peut survivre hors de l'eau car il est sous anesthésie.

Au cours d'une année, M. Lewbart voit entre 50 et 100 poissons. Toutefois, il relativise le phénomène : *« Croyez-moi, quand je suis à un cocktail et qu'on me demande ce que je fais, les gens sont surpris »*, précise-t-il. Voilà ce qui s'appelle un docteur « dérangé du bocal » !

Amandine BRIANE, 23/03/2005
www.marianne-en-ligne.fr

Hôpital de réparation de jouets, Allemagne.

COMPRÉHENSION ÉCRITE

1. Lisez l'article « Faire opérer son poisson rouge, c'est possible ! ». Qu'en pensez-vous ?

PRODUCTION ORALE

2. Avez-vous des animaux domestiques ?

3. Quel est votre animal préféré ? Si vous pouviez être un animal, lequel désireriez-vous être ?

4. Y a-t-il des animaux que vous détestez ? Avez-vous des phobies ?

5. Y a-t-il beaucoup d'animaux domestiques dans votre pays ? Comment sont-ils considérés ?

6. Dans votre pays, des animaux sont-ils des symboles ?

7. Avez-vous une anecdote à raconter à propos d'animaux ?

LE MARSUPILAMI

PRODUCTION ORALE

1. Connaissez-vous cet animal ? Dans quel environnement vit-il ?
2. Décrivez-le.
3. Connaissez-vous des animaux étranges dans votre pays ou ailleurs ? Parlez-nous d'eux.
4. Y a-t-il des animaux imaginaires dans la culture, la littérature de votre pays ?

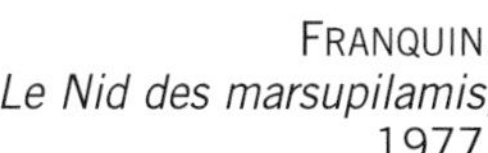

FRANQUIN,
Le Nid des marsupilamis,
1977.

VOCABULAIRE LES ANIMAUX SAUVAGES

Mammifères

la biche
le cerf
la chauve-souris
le chevreuil
l'écureuil *(m.)*
le loup
le lynx
l'ours *(m.)*
le rat
le renard
le sanglier
la souris

Oiseaux

l'aigle *(m.)*
le canard sauvage
la chouette
la cigogne
la colombe
le corbeau
le cygne
le faisan
le faucon
le hibou
l'hirondelle *(f.)*
le moineau
la mouette
le pigeon

Batraciens / reptiles

la couleuvre
le crapaud
la grenouille
le lézard
le serpent
la tortue
la vipère

1 **Quels animaux vivant en France connaissez-vous ?**

2 **Faites correspondre un adjectif à chaque animal.**

a. rusé		**1.** un poisson dans l'eau
b. malin		**2.** un cochon
c. jaloux		**3.** un homard
d. frisé		**4.** un chien
e. heureux	**comme**	**5.** un renard
f. serrés		**6.** des sardines
g. rouge		**7.** un singe
h. connu		**8.** un mouton
i. sale		**9.** un tigre
j. fidèle		**10.** le loup blanc

3 **Que signifient ces expressions ?**

a. Il a un mal de chien.	**1.** C'est très difficile pour lui.
b. Il a une langue de vipère.	**2.** Il dit du mal des autres.
c. Il verse des larmes de crocodile.	**3.** Il oublie tout.
d. C'est une tête de linotte.	**4.** Il mange peu.
e. Il a une faim de loup.	**5.** Il fait très mauvais.
f. Il a un appétit d'oiseau.	**6.** Il a froid.
g. C'est une peau de vache.	**7.** Il a un mauvais caractère.
h. Il fait un temps de chien.	**8.** Il a très faim.
i. Il a une tête de cochon.	**9.** Il se désole hypocritement.
j. Il a la chair de poule.	**10.** Il est très sévère.

GRAMMAIRE LES PRONOMS PERSONNELS

1. Observez les phrases suivantes.
a. Justifiez l'emploi des pronoms personnels. Quels mots remplacent-ils ?
b. Où se place le pronom quand il y a deux verbes ?
c. Quel est l'ordre des pronoms quand il y en a deux ?
d. Est-ce le même ordre avec un verbe à l'impératif ?

a. – Votre femme aime les fleurs ?
– Oui, je lui en offre souvent.

b. – Tu as ton dictionnaire ?
– Non, je te l'ai prêté hier.

c. – Vous avez parlé de votre projet au directeur ?
– Oui, je le lui ai présenté hier.

d. – Je dois emmener mes filles à la gare.
– Je vais vous y accompagner.

e. – Vous avez des carnets à petits carreaux ?
– Non, mais on va m'en livrer demain.

f. – Excusez-moi, où se trouve la gare ?
– Suivez-moi ! Je vous y conduis.

g. – Votre fils est là ?
– Oui, je l'ai entendu rentrer.

h. – Vous voulez combien de tranches ?
– Donnez-m'en deux !

i. – Vous voulez savoir ce qu'il y a dans la lettre ?
– Oui, lis-la nous.

j. – Je peux lui prêter ton stylo ?
– Mais oui, donne-le lui.

Voir mémento p. 192.

CAS PARTICULIERS

1. Place du pronom avec deux verbes

- Le pronom se place devant le verbe dont il est le complément. En général, c'est le deuxième verbe sauf si le premier verbe exprime un sens *(voir, entendre, écouter...)*.
Je peux lui dire la vérité.
Je la regarde danser.
- Avec *faire* ou *laisser* + infinitif, les pronoms sont placés devant le premier verbe.
– Tes cheveux sont trop longs.
– Oui, je vais me les faire couper.

2. Emploi de *lui / leur*

- *Lui* et *leur* ne peuvent être employés ni avec un verbe pronominal ni avec certains verbes *(penser, rêver, songer...)* ou locutions verbales *(faire attention à...)*.
Je pense à elle tout le temps.
- *Lui* et *leur* peuvent être utilisés exceptionnellement pour remplacer un objet si on le personnalise.
J'aime beaucoup la nouvelle décoration de ton salon, elle lui donne plus de classe.
(et non pas : *elle y donne*).

3. Emploi de *le / la / l'*

- On n'emploie pas *le, la, l', les* avec des verbes comme *aimer, préférer, détester* pour remplacer des choses ou des propositions mais on utilise plutôt *ça*.
– Tu aimes le chocolat / faire du ski ?
– Oui, j'aime ça.
- Avec certains verbes transitifs, pour remplacer un infinitif précédé de *de*, on emploie *le* et non *en*.
– Je t'interdis de prendre la voiture.
– Tu me l'interdis ?
- Un mot indéfini devient rapidement défini.
J'ai vu <u>un</u> type bizarre avec un grand chapeau devant chez toi, tu <u>le</u> connais ?
(<u>le</u> type bizarre que j'ai vu devant chez toi)

4. Emploi de *en*

- *En* peut remplacer *un, une, des* quand il s'agit de personnes.
– Vous avez des étudiants français dans votre école ?
– Oui, nous en avons beaucoup.
Mais avec un verbe suivi de *de*, on doit en principe utiliser *de lui, d'elle, d'eux, d'elles.*
– Caroline, vous avez une cliente qui vous attend.
– Je m'occupe d'elle immédiatement.
- *En* remplace le *de* de provenance.
– Tu viens dans l'eau ?
– Non merci, j'en sors. (de l'eau)
Mais on ne l'emploie pas pour remplacer le pays ou la ville d'origine avec *venir*.

– Il connaît le Portugal ?
– Oui, il en est originaire. (« *Il en vient.* » signifierait « *Il en arrive à l'instant.* »)

5. Emploi de deux pronoms

- À l'oral, on a tendance à simplifier, et, souvent, on n'emploie pas *le lui, les leur...*
  – Il a son emploi du temps ?
  – Oui, je lui ai donné. (« *Je le lui ai donné.* » reste correct à l'écrit)
- À l'impératif, il est d'usage de ne pas employer *y* avec un autre pronom.
  – Je viens avec vous au cinéma.
  – D'accord, accompagne-nous. (et non « *Accompagne-nous y.* »)
  Plus généralement, l'emploi de *y* avec un autre pronom n'est pas toujours de bon goût.
  Si « *Je vais les y conduire.* » est possible, « *Je vais les y écouter.* » sonnerait étrangement à des oreilles françaises.

6. Expressions

De nombreuses expressions figées contiennent *y* ou *en* sans que ceux-ci remplacent un mot précis.
il y a / s'en aller...

2. Remplacez les mots soulignés par un pronom personnel dans la réponse (si c'est possible).

Exemple : *– Il connaît Antoinette ?*
– Oui, il voit régulièrement.
→ *– Oui, il la voit régulièrement.*

a. – Il arrive du bureau ?
– Oui, il vient à l'instant.

b. – Il est originaire d'Italie ?
– Oui, il vient.

c. – Il a des amis à Londres ?
– Oui, il a trois ou quatre.

d. – Il voit souvent ses amis ?
– Je ne sais pas, il parle rarement.

e. – Tu as pensé à ce que je t'ai dit hier.
– Oui, j'ai réfléchi.

f. – Vous me permettez de le lui dire ?
– Oui, je permets.

g. – Comment a-t-il appelé son restaurant ?
– Il a donné le nom de sa mère : *Chez Catherine.*

h. – Ses parents l'aident ?
– Oui, il a toujours besoin.

i. – Il aime le poisson.
– Oui, il mange souvent.

j. – Tu fais beaucoup de vélo ?
– Oui, j'aime.

3. Complétez les phrases suivantes.

a. – Préviens le gardien que l'ascenseur est en panne.
– Je vais .... dire tout de suite.

b. – Vous aimez les fleurs ?
– Oui, je .... achète presque tous les jours.

c. – Philippe a pris ses médicaments ?
– Oui, je .... ai donnés avant le dîner.

d. – Il aime vivre à la campagne ?
– Oui, il .... habitue très bien.

e. – Il faut qu'on soit à la gare à 8 h 00.
– Je vais .... accompagner.

f. – Tu veux une gomme ?
– Oui, prête-..... .... des tiennes.

g. – Vous avez accepté sa proposition ?
– Pas encore, je vais ..... réfléchir.

h. – Tu veux son adresse ?
– Oui, donne-..... ..... .

i. – Vous voulez un ananas ?
– Oui, nous ..... prendrons ..... .

j. – Elle est jolie ta nouvelle robe.
– Je .... suis fait faire par une voisine.

**4. Écoutez ces expressions.
Dites ce qu'elles signifient.
Répétez-les puis réutilisez-les dans de courts dialogues.**

Histoires naturelles

❶

Il va sûrement se marier aujourd'hui.

Ce devait être pour hier. En habit de gala, il était prêt. Il n'attendait que sa fiancée. Elle n'est pas venue. Elle ne peut tarder.

Glorieux, il se promène avec une allure de prince indien et porte sur lui les riches présents d'usage. L'amour avive l'éclat de ses couleurs et son aigrette tremble comme une lyre.

La fiancée n'arrive pas.

Il monte au haut du toit et regarde du côté du soleil. Il jette son cri diabolique :

Léon ! Léon !

C'est ainsi qu'il appelle sa fiancée. Il ne voit rien venir et personne ne répond. Les volailles habituées ne lèvent même point la tête. Elles sont lasses de l'admirer. Il redescend dans la cour, si sûr d'être beau qu'il est incapable de rancune.

Son mariage sera pour demain.

Et, ne sachant que faire du reste de la journée, il se dirige vers le perron. Il gravit les marches, comme des marches de temple, d'un pas officiel.

Il relève sa robe à queue toute lourde des yeux qui n'ont pu se détacher d'elle.

Il répète encore une fois la cérémonie.

❷

Son odeur le précède. On ne le voit pas encore qu'elle est arrivée.

Il s'avance en tête du troupeau et les brebis le suivent, pêle-mêle, dans un nuage de poussière.

Il a des poils longs et secs qu'une raie partage sur le dos.

Il est moins fier de sa barbe que de sa taille, parce que la chèvre aussi porte une barbe sous le menton.

Quand il passe, les uns se bouchent le nez, les autres aiment ce goût-là.

Il ne regarde ni à droite ni à gauche : il marche raide, les oreilles pointues et la queue courte. Si les hommes l'ont chargé de leurs péchés, il n'en sait rien, et il laisse, sérieux, tomber un chapelet de crottes.

Alexandre est son nom, connu même des chiens.

La journée finie, le soleil disparu, il rentre au village, avec les moissonneurs, et ses cornes, fléchissant de vieillesse, prennent peu à peu la courbe des faucilles.

LA CAGE SANS OISEAUX

Félix ne comprend pas qu'on tienne des oiseaux prisonniers dans une cage.

– De même, dit-il, que c'est un crime de cueillir une fleur, et, personnellement, je ne veux la respirer que sur sa tige, de même les oiseaux sont faits pour voler.

Cependant il achète une cage ; il l'accroche à sa fenêtre. Il y dépose un nid d'ouate, une soucoupe de graines, une tasse d'eau pure et renouvelable. Il y suspend une balançoire et une petite glace.

Et comme on l'interroge avec surprise :

– Je me félicite de ma générosité, dit-il, chaque fois que je regarde cette cage. Je pourrais y mettre un oiseau et je la laisse vide. Si je voulais, telle grive* brune, tel bouvreuil* pimpant, qui sautille, ou tel autre de nos petits oiseaux variés serait esclave. Mais grâce à moi, l'un d'eux au moins reste libre. C'est toujours ça.

Jules RENARD, *Histoires naturelles,* 1896.

**La grive et le bouvreuil sont de petits oiseaux.*

COMPRÉHENSION ÉCRITE

1. À quels animaux Jules Renard fait-il référence dans les deux premiers textes ?
2. Quels éléments de description donne-t-il ?
3. Quelles comparaisons fait-il ? Vous paraissent-elles justifiées ?
4. Quel est le ton de ces textes ? Justifiez votre réponse.
5. Dans le 3e texte, que fait Félix ? Comment explique-t-il son attitude ?
6. Comment comprenez-vous la comparaison entre la fleur et l'oiseau ?

PRODUCTION ORALE

7. Possédez-vous des oiseaux (ou d'autres animaux) en cage ? Est-ce une tradition de votre pays ?
8. Comprenez-vous l'attitude de Félix ?
9. Allez-vous souvent au zoo ? Que pensez-vous des zoos ou des parcs animaliers ?

PRODUCTION ÉCRITE

10. À votre tour, en groupe de deux ou trois, faites le portrait d'un animal. Lisez-le aux autres étudiants qui devront trouver de quel animal il s'agit.

ATELIERS

1

Parc régional ou national

Objectif : présenter un parc régional ou national et rédiger un code de bonne conduite destiné aux visiteurs.

Proposition de séquence : les étudiants placés en binôme ou en groupe présenteront à la classe un parc régional de France ou de leur pays.

Les étudiants travailleront autour des points suivants :
– le nom du parc et sa date de création
– la localisation : pays, régions, zones ou départements couverts par le territoire
– la superficie
– les caractéristiques : la nature des paysages, le milieu naturel, les animaux, les ressources naturelles.

Les étudiants rédigeront un code de bonne conduite en 5 points en utilisant la forme impérative. Ce règlement sera destiné aux visiteurs afin qu'ils soient respectueux du milieu naturel du parc.

Exemples :
1. *N'allumez pas de feu pour éviter de déclencher un incendie.*
2. *Veillez à emprunter les sentiers aménagés et balisés pour ne pas dégrader la flore.*

Les étudiants pourront également créer une affiche avec toutes ces informations et se procurer des illustrations, s'il s'agit d'un parc français, sur le site suivant : **www.parcs-naturels-regionaux.tm.fr**

2

Exposition-reportage sur un animal

a. Chaque groupe de deux ou trois étudiants choisit un animal sauvage de son pays ou vivant en France.
b. Il recherche des informations en médiathèque ou sur Internet (apparence physique, habitat, mœurs...).
c. Il rédige un panneau illustré de photos ou de dessins reprenant ces différentes informations.
d. Il présente en classe le résultat de ses recherches.

3

Pétition

Une atteinte à l'environnement ou à la vie animale vous choque (installation d'une usine polluante, combat de chiens ou de coqs). Vous décidez d'adresser une pétition aux autorités concernées.
a. Choix du thème de la pétition.
b. Débat à propos des principaux arguments et des revendications.
c. Rédaction de la pétition (exemple : CRAC, **http://www.anticorrida.com**).

PRÉPARATION AU DELF B2

production écrite

Durée de l'épreuve : 1 heure.
Note sur 25.

1. LETTRE FORMELLE

Lisez l'annonce ci-dessous et répondez sous la forme d'une lettre (250 mots environ). Exprimez votre intérêt pour ce stage et dites pourquoi vous êtes motivé(e), demandez des précisions sur son déroulement et les conditions financières.

2. ARTICLE CRITIQUE

Le Conseil municipal de votre commune débat actuellement de la possibilité d'installer une usine de retraitement des déchets sur son territoire. L'opinion publique est partagée à ce propos : coût de l'installation ou gains financiers, protection de l'environnement ou nouvelles nuisances ? La Mairie ouvre le journal municipal à toutes les prises de position. Vous décidez de vous y exprimer. Votre article fera 250 mots environ.

ET DEMAIN ?

UNITÉ 9

- **Comprendre un article non spécialisé sur une découverte scientifique**
- **Comprendre un article non spécialisé traitant d'informatique**
- **Comprendre une émission de vulgarisation technique**
- **Débattre à propos de l'avenir**
- **Exprimer ses projets**
- **Écrire une lettre de résiliation d'abonnement**
- **Vocabulaire des sciences**
- **Vocabulaire de l'informatique**
- **L'expression du changement**
- **L'expression du futur**
- **L'expression du but**
- **Les inventeurs français et leurs inventions**

« La science, c'est ce que le père enseigne à son fils.
La technologie, c'est ce que le fils enseigne à son papa. »

Michel SERRES

Après Snuppy, au tour de l'homme d'être cloné ?

Inquiétudes après l'annonce, mercredi, d'un premier clonage de chien.

C'est vrai qu'avec son air satisfait, il a vaguement quelque chose d'humain ce pauvre chien cloné – une première mondiale ! – par une équipe de chercheurs sud-coréens menée par Woo Suk Hwang, de l'Université nationale de Séoul. Est-ce la raison pour laquelle le monde entier, depuis l'annonce de cette prouesse scientifique, mercredi, s'inquiète de l'effet que cette naissance pourrait avoir sur la délicate question du clonage humain ?

« Il n'y avait pas besoin de cela, la biologie de la reproduction humaine est aujourd'hui très bien maîtrisée ; le principal obstacle au clonage humain n'est pas d'ordre technique, mais plutôt d'ordre juridique ou moral », explique à *Libération* le généticien Axel Kahn en rappelant que le professeur Hwang, « père » du jeune « Snuppy » (pour – sans rire – Seoul National University Puppy) est celui-là même qui, en février 2004, acquérait une renommée mondiale en annonçant le premier clonage d'embryons humains pour en extraire des cellules souches à des fins thérapeutiques. *« Cette nouvelle avancée est tout de même un beau succès, car le chien est très difficile à cloner. Les chiennes n'ont que deux chaleurs par an qui durent une quinzaine de jours, et on n'a jamais pu mettre au point de fécondation in vitro chez les chiens, la biologie reproductive de cet animal étant très compliquée ».*

Le « père » de Snuppy a acquis, en 2004, une renommée mondiale en annonçant le premier clonage d'embryons humains pour en extraire des cellules souches à des fins thérapeutiques.

Pour cloner Snuppy, il a fallu transférer 1095 embryons vers 123 chiennes : trois opérations ont donné lieu à un début de gestation et deux ont abouti ; le second chien est mort de pneumonie à l'âge de 22 jours. *« On aurait des difficultés à transférer 1095 embryons chez 123 femmes,* ironise Kahn, *mais si cela était possible, ce serait sans doute plus facile de cloner des humains que des chiens. »*

À quoi peut bien servir alors cette nouvelle opération de clonage qui suit celle du chat, du cheval, du taureau, du rat, de la souris et du mouton ? Une fois que la technique sera éprouvée et donc moins coûteuse (pour l'heure, il paraît difficile de s'offrir le clone de son chien pour moins de... 500 000 euros), de gros marchés s'ouvriront aux labos. Le clonage d'animaux domestiques, mais pas seulement. *« Sachant que le chien est l'une des deux espèces (avec les rongeurs) utilisées par l'industrie pharmaceutique pour tester ses médicaments, celle-ci peut être très preneuse de chiens totalement calibrés »*, explique Bernard Jegou, directeur de recherches à l'Inserm, spécialisé dans la biologie de la reproduction. *« Améliorer les techniques de clonage des animaux peut être très utile aussi pour la zootechnie, sachant que certains taureaux ou étalons produisent une semence à caractère d'amé-*

lioration génétique. Le clonage d'espèces menacées ou en voie de disparition est un autre marché très porteur. Par ailleurs, dans la mesure où l'on peut associer certaines tares génétiques à certaines races de chiens, l'avancée de cette semaine va peut-être permettre, par extension, de gagner du temps dans l'association de certains gènes avec certaines maladies chez l'homme. »

Le professeur Hwang a affirmé en juin qu'il abandonnait l'idée de cloner des singes, trop difficile, et que le clonage humain était « *éthiquement scandaleux, médicalement dangereux et techniquement impossible* ». Info ou intox ? « *Il ne veut sans doute pas qu'on l'empêche de faire des embryons humains pour la recherche thérapeutique* », note Kahn.

Alexandra SCHWARTZBROD, *Libération*, 05/08/2005.

COMPRÉHENSION ÉCRITE

1. À quelle occasion cet article a-t-il été écrit ?
2. Pourquoi a-t-on effectué ce clonage ?
3. Quels sont les problèmes soulevés par cet article ?
4. Quelle est l'opinion de la journaliste ? Quel est le ton de cet article ?
5. Le clonage humain est-il possible ? Souhaitable ?

VOCABULAIRE

6. Que signifie « *Info ou intox ?* » (l. 102) ?
7. Relevez le vocabulaire scientifique de ce texte.

PRODUCTION ORALE

8. **Pour ou contre le clonage humain**
   La classe est divisée en deux groupes. Un pour, un contre. Chaque groupe se réunit 15 minutes pour faire la liste de ses arguments (et contre-arguments). Puis a lieu le débat.
9. **Débat sur le progrès**
   a. À votre avis, quelles sont les inventions les plus importantes depuis un siècle ?
   b. Quelles sont les moins utiles et les plus néfastes ?
   c. Êtes-vous plutôt optimiste ou plutôt pessimiste en ce qui concerne le progrès ? Pourquoi ?

CIVILISATION LE JEU DES INVENTIONS

Marie Curie dans son laboratoire vers 1905.

De quelles célèbres inventions ces inventeurs sont-ils à l'origine ?

1. En 1868, Charles Cros est à l'origine de quelle invention ?
   a. l'aspirine **b.** le phonographe **c.** la mayonnaise
2. Qu'est-ce que Denis Papin a inventé en 1707 ?
   a. le bateau à vapeur **b.** le slip kangourou **c.** la baguette
3. Quel engin a décollé pour la première fois en 1907 avec, à son bord, Paul Cornu ?
   a. un hélicoptère **b.** un ballon dirigeable **c.** un deltaplane
4. Quel accessoire Louis Cartier a-t-il inventé en 1904 ?
   a. le collier en papier **b.** la bague doigt de pied **c.** la montre-bracelet
5. Quel vaccin Pasteur injecta-t-il à un enfant mordu par un chien en 1885 ?
   a. un vaccin contre la rage **b.** un vaccin contre la grippe **c.** un vaccin contre la bêtise
6. Qu'est-ce que Marie Curie a découvert en 1898 ?
   a. le chewing-gum **b.** le plutonium **c.** le radium
7. Quel fromage portant le nom de son village Marie Hamel a-t-elle rendu célèbre dès 1890 ?
   a. le Camembert **b.** le Roquefort **c.** le Brie
8. En 1539, François Ier instaure les premières règles concernant :
   a. les bonnes manières à table **b.** l'hygiène corporelle **c.** le code de la route
9. Quelle création fit scandale lorsque Louis Réard la présenta au public le 5 juillet 1946 ?
   a. la mini-jupe **b.** le bikini **c.** le pantalon pour femme
10. Quelle invention a vu le jour grâce à Roland Moreno en 1974 ?
    a. la carte à puce **b.** le téléphone portable **c.** le magnétoscope

GRAMMAIRE LE FUTUR

1. Quels temps peut-on utiliser pour exprimer le futur ? Dites dans quelles circonstances ces temps sont employés.

Exemple : *L'inflation sera de 2 % en 2010.*
Un économiste utilise le futur simple pour faire une prévision.

a. – Ce soir, je vais au cinéma avec Catherine. Tu viens avec nous?
– Je crois que je vais venir avec vous. Et toi, Francis ?
– Si j'ai fini mes devoirs à temps, je viendrai aussi.

b. – Mon ordinateur est en panne.
– Qu'est-ce que tu vas faire?
– Je vais le faire réparer le plus vite possible.

c. Quand vous aurez fini de taper ce courriel, vous l'enverrez au client.

d. Il pleuvra demain sur le Nord-Ouest.

e. – Nous allons en Sardaigne en juillet et vous, qu'est-ce que vous faites ?
– Nous partons en Chine au mois d'octobre. Nous avons déjà les billets.

f. Maintenant, tu vas me dire ce que tu as fait hier soir.

g. Je vois dans votre main que vous deviendrez riche.

h. Et maintenant, vous allez voir une photo de ma nouvelle invention.

i. S'il achète un ordinateur portable, il pourra l'utiliser en vacances.

j. – C'est lourd !
– Attends, je vais t'aider.

k. Je t'aimerai toute ma vie.

l. Tu ne vas pas commencer à pleurer !

m. Demain, nous prendrons le petit-déjeuner à 9 heures puis nous partirons à 10 heures pour visiter la Cité des Sciences. Rendez-vous à 9 h 55 devant l'hôtel.

n. Un jour, nous ferons le tour du monde.

RAPPEL

Pour exprimer une idée ou un fait futurs, on peut utiliser :

a. le présent
à condition d'être sûr et de préciser le moment dont on parle **(a, e)**

b. le futur proche
- pour une décision **(b)**
- pour marquer la quasi-certitude avec des verbes comme *je crois que / je pense que* **(a)**
- pour une demande forte, une menace, une prière **(f, l)**
- pour un futur... proche **(j)**

c. le futur simple
- pour une prévision ou une prédiction **(d, g)**
- pour un ordre ou des instructions **(c)**
- pour un programme **(m)**
- pour une promesse **(k)**
- pour un projet, un rêve **(n)**
- pour marquer une incertitude, une action qui dépend d'une condition nécessaire (notamment avec *quand*, après une complétive précédée de *si*...) **(a, i)**

d. le futur antérieur
- pour une action future qui se déroule avant un autre fait futur **(c)**

14
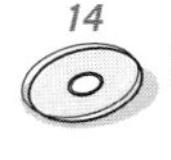

2. Écoutez les phrases suivantes. Dites qui les prononce et dans quelles circonstances.

3. Mettez le verbe entre parenthèses au temps qui convient (futur simple ou futur proche).

a. Envoie-moi un SMS quand tu (avoir) le résultat.

b. S'il te trouve en train de lire ses courriels, ça (aller) mal.

c. Viens, je (te raconter) ce qui s'est passé.

d. Ne bouge pas, je (prendre) une photo.

e. Mon pauvre, tu ne (comprendre) jamais.

f. Si jamais mon ordinateur retombe en panne, je (appeler) le service après-vente.

g. Ne pleure pas, ça (s'arranger).

h. Ça (durer) longtemps ce vacarme ?

i. Quand je (être) à Venise, ce (être) différent.

j. Viens, on leur (faire) une blague.

4. Mettez le verbe entre parenthèses au temps qui convient (futur simple ou futur antérieur).

a. Où est-ce qu'on (aller) en week-end quand on (vendre) la maison de campagne ?

b. Comment (faire) elle pour vivre quand elle (perdre) son travail ?

c. À quoi est-ce que les enfants (jouer) quand il (pleuvoir) ?

d. Qu'est-ce que vous (faire) quand vous (rentrer) dans votre pays ?

e. Qu'est-ce que tu (faire) quand tu (être) à la retraite ?

f. Quel métier (choisir) vous quand vous (finir) vos études ?

INTONATION

5. Écoutez les phrases suivantes. Dites quelle est l'intention du locuteur. Quel est l'énoncé qui exprime l'intention ? Répétez les phrases. Réutilisez les structures dans un court dialogue.

PRODUCTION ORALE

6. Que rêviez-vous de faire quand vous étiez petit (devenir pilote, actrice, ministre...) ? Avez-vous réalisé vos rêves ? Et maintenant, quels sont-ils ?

PRODUCTION ORALE

Regardez cette image extraite de la bande dessinée *Le Sommeil du monstre*, d'Enki Bilal, parue en 1998.

1. Faites une description de l'image.
2. Comment voit-on l'avenir ?
3. Pourriez-vous vivre dans ce type de ville ?
4. Si vous deviez dessiner votre vision de l'avenir pour les années 2050, la représenteriez-vous de la même manière ?
5. Lisez les réponses de jeunes Français à la question suivante « Comment voyez-vous l'Europe dans 40 ans ? ». Quelle vision ces jeunes ont-ils de l'avenir ?

Thierry : « Après l'industrialisation et la consommation, arrivera le boycott. Les gens rejetteront tout l'inutile voire l'utile ; jetant par la fenêtre tout l'électroménager et autres choses inutiles. Un réveil des consciences provoquant l'effondrement industriel. »

Judith : « Poussière tu es, poussière tu retourneras. On est tous à la même enseigne !
Mais pour revenir au sujet, je pense que c'est difficile de définir l'avenir. Vu qu'il y a pas mal de choses nouvelles, y aura un certain ralentissement sur le plan des nouveautés, sauf peut-être sur le plan médical, en espérant surtout pour le SIDA qui est un fléau auquel personne n'avait pensé ».

Isabelle : « Je pense que nos sociétés occidentales assistées vont s'écrouler. Le taux de chômage est énorme et l'Europe sera une économie de seconde zone. Il faudra savoir cultiver son jardin pour bouffer des légumes. Les métiers manuels seront revalorisés et les gens se remettront au boulot. »

Rémi : « Dans 40 ans, je serai peut-être déjà six pieds sous terre. Quant à ce qui se passera au-dessus, je ne préfère pas le savoir : ça risquerait de hâter ma mort !

Jean-Paul : « Dans 300 ans, les Européens auront quasiment disparu de la surface de la terre, les Africains représenteront 80 % de la population mondiale… mais ces résultats sont fondés sur les taux de natalité actuels… Dans 300 ans, l'évolution sera très probablement différente. »

6. Partagez-vous certains de leurs points de vue ?
7. Donnez à votre tour votre opinion et dites comment vous voyez la situation dans quarante ans :

– la maison
– les transports
– la famille
– l'éducation
– l'environnement
– le travail
– la consommation
– les inventions nouvelles
– la politique internationale
– la médecine et la santé.

LE TÉLÉPHONE PORTABLE

16 **COMPRÉHENSION ORALE**

En moins de 15 ans, le téléphone portable est entré dans notre vie quotidienne.

1re écoute

1. D'où ce dialogue provient-il ?
2. Quel est le thème de la discussion ?
3. Qui sont les intervenants ?
4. Comment le débat est-il organisé ?

2e écoute

5. De quelles utilisations du portable fait-on mention dans ce dialogue ?
6. De quel inconvénient du portable parle-t-on ?
7. Comment voit-on l'avenir du portable ?

VOCABULAIRE

Lisez la transcription du dialogue p. 209 et répondez aux questions suivantes :

8. Pourquoi le portable est-il comparé à un couteau suisse ?
9. Qu'est-ce qu'un baladeur ?
10. À quoi sert un GPS ?

PRODUCTION ORALE

11. Et vous, le portable a-t-il changé votre vie ?
12. Que pensez-vous de l'évolution prévisible des portables ?
13. Connaissez-vous d'autres inventions qui ont eu récemment une influence considérable sur la vie des gens ?
14. Observez les trois vignettes. Quel âge les deux personnes ont-elles ? S'adaptent-elles facilement au progrès ?
15. Et vous, possédez-vous des appareils à la pointe de la technologie ?
16. Êtes-vous plutôt « technophile » ou « technophobe » ?

PESSIN, *Le Monde 2*, 17/12/2005.

COMMENT VOYEZ-VOUS VOTRE AVENIR ?

PRODUCTION ÉCRITE

Écrivez à un(e) ami(e) francophone une lettre dans laquelle vous exposerez vos projets et vos rêves en ce qui concerne vos études, votre travail, votre famille, vos voyages...
Vous devez impérativement utiliser les mots suivants :
après - avant que - avenir - distinguer - ensemble - examiner - futur - jardin - résolution - une fois que

Pour vous aider

STRUCTURES UTILISÉES DANS UNE LETTRE AMICALE :

Bonjour, / Salut,
Cher... / Chère...
À + / À bientôt
Salut / (Grosses) Bises / (Gros) Bisous / Je t'embrasse

VOCABULAIRE LE CHANGEMENT

Pour exprimer le changement, vous pouvez utiliser :

- ***devenir*** + adjectif
  Il devient de plus en plus méfiant.
- ***faire*** + infinitif
  L'abus de pâtisserie l'a fait grossir.
- ***rendre*** + adjectif
  De mauvaises expériences l'ont rendu méfiant.

Attention, ne confondez pas :

- ***changer quelque chose*** et ***changer de quelque chose***
  Il change la décoration de son appartement (transformer).
  Il change d'appartement (déménager).
- ***se changer*** et ***se changer en***
  De retour à la maison, elle se change (mettre d'autres vêtements).
  La grenouille s'est changée en prince (se transformer).

Le changement

l'adaptation *(f.)*
adapter
s'adapter
bouger
le bouleversement
bouleverser
changeant
évoluer
l'évolution *(f.)*
l'instabilité *(f.)*
instable
la métamorphose
métamorphoser
la modification
(se) modifier
rétablir
le rétablissement
révolution
révolutionnaire
révolutionner
la transformation
(se) transformer
la variation
varier
de moins en moins...
de plus en plus...
moins... moins...
plus... plus...
de mieux en mieux

L'amélioration

aller mieux
améliorer
la modernisation
moderniser
mûrir
le progrès
progresser
la progression
renouveler
le renouvellement

L'augmentation

l'accroissement *(m.)*
agrandir
l'agrandissement *(m.)*
l'allongement *(m.)*
allonger
augmenter
la croissance
le développement
développer
le doublement
doubler
élargir
l'élargissement *(m.)*
l'étalement *(m.)*
étaler
(s')étendre
l'expansion *(f.)*
l'extension *(f.)*
grandir
grossir
le grossissement
la hausse
l'intensification *(f.)*
intensifier
la multiplication
multiplier
le renforcement
renforcer

Le changement de vitesse

à toute allure
une accélération
accélérer
brusque
brusquement
brusquer
d'un seul coup
freiner
hâter
lent
peu à peu
précipité
presser
progressif
progressivement
au ralenti
ralentir
le ralentissement
rapide
soudain
soudainement

1 Mettez les verbes *devenir* ou *rendre* au temps qui convient et ajoutez un des adjectifs ci-dessous. Faites les accords nécessaires.

célèbre - compliqué - nerveux - riche - sourd - triste

a. En six mois, cette jeune chanteuse ..... .
b. Travailler dans le bruit pendant dix ans ..... monsieur Pot.
c. Elle a le cœur sensible. Les films dramatiques la ..... .
d. Mayana n'aime pas parler en public. Cela la ..... .
e. Cette situation ..... .

L'aggravation

aggraver
la chute
chuter
la décadence
le déclin
la dégradation
dégrader
la détérioration
détériorer
régresser
la régression

La diminution

abréger
affaiblir
l'affaiblissement *(m.)*
l'allègement *(m.)*
alléger
l'amincissement *(m.)*
la baisse
baisser
diminuer
mincir
raccourcir
le raccourcissement
la réduction
réduire
rétrécir
le rétrécissement

La couleur

blanchir
bleuir
éclaircir
foncer
jaunir
noircir
rougir
verdir

La permanence

la conservation
conserver
continu
la continuité
demeurer
garder
immuable
inchangé
(se) maintenir
le maintien
permanent
la préservation
préserver
rester
(se) stabiliser
la stabilité
stable
la stagnation
stagner
stationnaire
statique

Les suffixes des verbes en *-ir / -fier / -iser* peuvent aussi exprimer un changement, une transformation :

- devenir ou rendre plus gros : *grossir*
- rendre plus dense : *densifier*
- rendre plus dynamique : *dynamiser*

2 Quels sont les verbes qui correspondent à ces adjectifs ?

Exemple : *gros* → *grossir*

a. beau
b. blanc
c. laid
d. légal
e. lent
f. noir
g. pur
h. sale
i. simple
j. vert

3 Trouvez les contraires de ces verbes.

a. adoucir
b. appauvrir
c. maigrir
d. raccourcir
e. rapetisser

4 Placez les mots manquants. Essayez tout d'abord sans regarder la liste qui figure en bas de l'exercice puis vérifiez.

a. Comme elle avait peur, sa mère lui a demandé de ..... au lieu de rouler à toute ..... .

b. Vu la forte ..... du trafic, le maire envisage l'..... de la rue principale.

c. Les syndicats s'opposent à l'..... de la durée du travail. Le patronat pense que c'est une ..... nécessaire.

d. La ..... économique est-elle une condition indispensable à la ..... du chômage ?

e. Le WWF se bat pour la protection et la ..... des espèces en ..... de disparition.

adaptation - allongement - allure - baisse - croissance - élargissement - préservation - progression - ralentir - voie

Logiciel. Un programme stimule l'activité cérébrale des 50-80 ans grâce à des exercices de logique.

Quelques clics pour booster la mémoire des plus vieux

Les doigts un peu crispés sur la souris, Andrée, 74 ans, clique sur une boule violette qui se balade sur l'écran. « *C'est pas évident, mais en se concentrant, on voit qu'on améliore nettement ses performances.* » Depuis près d'une demi-heure, elle enchaîne, sans broncher et avec de plus en plus d'aisance, des séries d'exercices sur le PC : reconnaître – par clic – la forme et la couleur de figures géométriques projetées quelques secondes plus tôt ; mémoriser – par clic toujours – une liste d'objets ou de chiffres… Verdict ? « *Je sens que je pourrai bien m'amuser avec ça. Il faut s'entraîner pour progresser, bien ouvrir ses yeux et ses oreilles.* » Bon début pour quelqu'un qui avait jusque-là refusé d'approcher tout ce qui ressemble à un ordinateur, ne se sentant « *plus capable* ».

Mémoire. Mindfit, le logiciel qu'elle vient de tester, n'est ni une initiation à l'informatique, ni un simple jeu, mais un programme d'entraînement personnalisé des fonctions cognitives destiné aux 50-80 ans. Un « *véritable coach virtuel de la matière grise* » traduit la documentation. Commercialisé depuis fin 2004 en Israël et en Espagne, depuis début avril en France, il a été mis au point par un professeur de psychologie israélien, Shlomo Breznitz. Sachant que le cerveau s'use plus vite si l'on ne s'en sert pas et vice versa, l'idée est de stimuler les fonctions cognitives les plus sensibles au vieillissement. À savoir la mémoire (dont il existe plusieurs types), mais aussi le temps de réaction, la perception visuelle et spatiale, le partage de l'attention, etc. Objectif avoué : ralentir le déclin cérébral, donc préserver l'autonomie.

Dans un premier temps, le logiciel évalue les capacités cognitives de l'utilisateur, quatorze items sont testés. Une étape qui au passage permet aux néophytes en informatique d'apprivoiser la souris et la navigation sur écran. Vient ensuite l'entraînement proprement dit : au total, trois cycles de 24 séances d'une vingtaine de minutes chacune sont prévus, à répartir sur 8 à 24 mois. Rendra-t-il les utilisateurs suffisamment accros pour qu'ils aillent au bout de la cure ? Et quels seront alors les réels effets, notamment en terme de bien-être et d'autonomie ? À la navigation, le logiciel dégage en tout cas une impression de sérieux, tout en restant ludique. L'interface est conviviale ; les instructions sont claires, écrites et en plus lues par une voix off pour une meilleure compréhension. Surtout, le programme est progressif et s'adapte en temps réel selon les performances, évitant ainsi la mise en situation d'échec, cause importante de stress. *« C'est au niveau de la capacité de concentration et de la mémoire que les bénéfices sont généralement le mieux et le plus rapidement ressentis »*, précise Laurent Lamy, auteur de la version française et distributeur du logiciel. Pour le long terme, les données scientifiques manquent encore. Mais une étude clinique en cours en Israël, incluant 250 personnes, devrait permettre d'en savoir plus dans le courant de l'année.

Alzheimer. Parallèlement, les concepteurs développent une nouvelle version, pour les personnes atteintes de la maladie d'Alzheimer à un stade précoce. Elle devrait être disponible d'ici à fin 2006. Sur le même principe, mais plus destinés aux adultes qu'aux seniors, une société française commercialise plusieurs logiciels sur CDRom (dont le ludique et instructif « Entraînez votre concentration »). Happyneuron propose aussi des programmes d'entraînement en ligne, sur abonnement.

Quelques exercices sont en accès gratuit, pour le teasing.

Sandrine CABUT, *Libération,* 26/04/2005.

COMPRÉHENSION ÉCRITE

1. À quelle occasion, cet article a-t-il été écrit ?
2. Quel est le but de ce logiciel ?
3. Comment fonctionne-t-il ?
4. Quels sont ses avantages ?

VOCABULAIRE

5. Notez tous les mots relevant du lexique de l'informatique.
6. Notez tous les mots anglais utilisés dans ce texte. Sont-ils aussi nombreux dans un article écrit dans votre langue ?

INTERNET ET VOUS

PRODUCTION ORALE

1. Que peut-on faire sur Internet ? L'utilisez-vous fréquemment ?
2. Personnellement, que faites-vous sur Internet ? Avez-vous un site, un blog ?
3. Quels sont les avantages et les inconvénients d'Internet ?
4. Téléchargez-vous gratuitement des films ou de la musique ? Pensez-vous que ce soit normal ?
5. Doit-on censurer le contenu des sites (protection des mineurs, propos racistes...) ?
6. Pensez-vous qu'Internet améliore les relations entre les humains ? Pourquoi ?

PRODUCTION ÉCRITE

7. Créez votre page personnelle en français sur Internet :
– présentez-vous ;
– choisissez une illustration ;
– lancez un débat qui vous tient à cœur.

VOCABULAIRE

LES SCIENCES / LES TECHNIQUES

Les sciences

l'algèbre *(f.)*
l'application *(f.)*
l'arithmétique *(f.)*
l'astronomie *(f.)*
la biologie
le chercheur
la chimie
la composition
la découverte
découvrir
la démonstration
démontrer
l'expérience *(f.)*
expérimental
l'expérimentation *(f.)*
expérimenter
la formule
la géométrie
la géologie
inventer
l'inventeur *(m.)*
l'invention *(f.)*
les mathématiques *(f.)*
la médecine
la physique
la recherche
scientifique
la théorie
théorique

Les appareils

l'appareil *(m.)*
automatique
le bouton
le câble
le compteur
le curseur
électronique
le fil
la machine
le mécanisme
le moteur
la technologie

Leur utilisation

allumer
éteindre
le fonctionnement
fonctionner
hors d'usage
marcher
le mode d'emploi
la panne
la pièce
le réglage
régler
la réparation
réparer
utiliser

Expressions

mettre au point
passer un coup de fil
tomber en panne

1 Quels noms de sciences connaissez-vous ?

2 Quels sont les noms des professions qui concernent ces domaines ?

Exemple : *l'archéologie → un archéologue*

a. l'astronomie
b. la biologie
c. la chimie
d. la géométrie
e. la géologie
f. les mathématiques
g. la médecine
h. la physique
i. la recherche
j. la science

3 Dites quelle est la science qui correspond à chaque définition.

a. Science qui étudie les êtres vivants.
b. Science qui étudie les animaux.
c. Science qui étudie les propriétés de la matière.
d. Science de la constitution des corps.
e. Science qui étudie la quantité, l'ordre.

4 Placez les mots manquants.

a. Cet appareil ne fonctionne pas, il est en ..... .

b. – Je ne sais pas faire fonctionner ce magnétoscope.
– Tu as lu le ..... ?

c. – Le téléviseur est mal ..... . Les couleurs sont horribles.
– Tu devrais le faire ..... .

d. Ce sont les frères Lumière qui ont ..... le cinématographe.

e. – Quelle est la ..... chimique de l'eau ?
– H_2O.

f. – Fabrice, c'est l'heure de dormir. ..... ton baladeur !
– Encore cinq minutes, maman.

g. C'est Marie Curie qui a ..... le radium.

h. – Ça s'arrête comment ?
– Appuie sur le ..... rouge.

i. Sa théorie est intéressante mais il faut procéder à une ..... en laboratoire.

VOCABULAIRE

L'INFORMATIQUE

1 Quelles sont les différentes parties d'un ordinateur ?

2 Complétez le texte en choisissant parmi les mots suivants.

banque de données - copie - courriel - donnée - imprimante - logiciel - mémoire - ordinateur - réseau - scanner - serveur - site - touche - traitement - unité centrale

Un ordinateur est une machine de (a) de l'information : il reçoit des (b), effectue des opérations et restitue les résultats. L'utilisation d'un ordinateur nécessite deux éléments : le matériel, c'est-à-dire l'(c) qui constitue la machine proprement dite et le (d) (le programme nécessaire à l'exécution du travail). Pour faciliter la documentation du public, on regroupe les informations dans des (e). Les utilisateurs peuvent obtenir ces informations par l'intermédiaire d'un (f). L'Internet est un (g) international de communication entre (h). Les usagers d'Internet peuvent communiquer en échangeant des (i). Ils peuvent aussi créer leur propre (j).

l'accès *(m.)*
l'antivirus *(m.)*
la barre d'espacement
la base de données
la bureautique
la capacité
le caractère
la carte à puce
la cartouche
charger
le clavier
la clé USB
cliquer
compatible
se connecter
la connexion
copier
le courriel
déplacer
le disque dur
le dossier
l'écran *(m.)*
effacer
éjecter
enregistrer
le fichier
formater
le graphique
l'icône *(f.)*
l'impression *(f.)*
l'imprimante *(f.)*
imprimer
l'informaticien(ne)
informatiser
insérer
installer
le lecteur
le logiciel
la mémoire
la messagerie
le modem
le moniteur
le PC
le périphérique
pirater
la police de caractères
le portable
le programme
quitter
rechercher
le réseau
saisir
sauvegarder
le scanner
le serveur
la souris
le système d'exploitation
taper
le tapis
le téléchargement
télécharger
la touche
le traitement de texte
le virus

GRAMMAIRE LE BUT

Échauffement

Quel est le rôle des énoncés soulignés ?

- *Il faut s'entraîner pour progresser.*
- *Objectif avoué : ralentir le déclin cérébral.*
- *Une voix off pour une meilleure compréhension.*
- *Destinés aux adultes.*

1. Dans les phrases suivantes, soulignez les énoncés qui expriment une idée de but.

a. Connecte-toi sur Internet avec une webcam que je puisse te voir.

b. Elle fait des recherches sur le site de la bibliothèque en vue de son prochain exposé.

c. Il a acheté un baladeur MP3 histoire d'écouter partout la musique qu'il aime.

d. J'ai fait une copie de ces données sur un CD de façon que tu en aies un exemplaire.

e. Fais certains achats sur le web de manière à gagner du temps.

f. Mets un antivirus sur ton PC afin qu'il ne tombe pas en panne.

g. Vous devez faire en sorte d'être plus compétitif.

h. Il veut acheter un appareil numérique. Dans ce but, il demande conseil à un ami photographe.

i. Ce chercheur fait des expériences dans l'intention de mettre au point un nouveau vaccin.

j. Pourriez-vous m'indiquer une imprimante laser qui soit performante et pas chère ?

k. Ce logiciel vise à faciliter le travail du traducteur.

l. Le but de ce jeu est d'apprendre tout en s'amusant.

Noms

- le but **(l)**
- la destinée
- la fin
- l'objectif
- l'objet
- le projet
- le propos
- les visées

Verbes

- avoir pour objectif de
- destiner à
- faire en sorte de **(g)**
- faire tout pour que
- atteindre un but
- poursuivre / suivre un but
- remplir un but
- viser à **(k)**

Locutions

- à cette fin
- dans ce but **(h)**

Conjonctions + subjonctif

- afin que **(f)**
- pour que
- de façon que **(d)**
- de manière que
- de sorte que

Ces trois conjonctions peuvent être suivies de l'indicatif (conséquence) ou du subjonctif (but).

- que *(employé seul notamment après un impératif :* **a***)*

Propositions relatives + subjonctif

Après des verbes qui expriment une recherche (*chercher, y a-t-il... ?*, etc.) **(j)**

Prépositions + infinitif

Si c'est le sujet du verbe principal qui accomplit l'action exprimée par le verbe.

- afin de
- pour
- dans le but de
- dans le dessein de
- dans l'intention de **(i)**
- de façon à
- de manière à **(e)**
- en vue de
- histoire de *(fam.)* **(c)**

Prépositions + nom

- pour
- en vue de **(b)**

2. Ajoutez le ou les mots manquants.

a. Ce chercheur écrit dans des revues scientifiques ..... ses travaux soient mieux connus.

b. Je voudrais acheter une imprimante ..... serve de fax, de scanner et de photocopieur.

c. Elle a acheté un appareil numérique miniature ..... à pouvoir le glisser dans sa poche.

d. Je fais des heures supplémentaires ..... m'acheter un nouvel ordinateur.

e. Vous devez faire ..... de rattraper le retard technologique de notre entreprise.

f. Le technicien teste ces nouveaux appareils ..... ils puissent être mis en vente.

g. Je te laisse ma clé USB ..... tu consultes mes documents sur ton PC.

h. Elle a fait un stage d'informatique ..... son travail.

i. Cet astronome a pour ..... de découvrir de nouvelles planètes.

j. Ce collectionneur a créé son site dans ..... de partager sa passion avec les gens.

3. Terminez les phrases suivantes en employant le mode correct :

a. Le peintre va repeindre la chambre afin que...

b. Il va télécharger de la musique de façon à...

c. Il fait trop chaud. Ouvrez la porte pour...

d. Je vais t'expliquer comment fonctionne cette machine de sorte que...

e. Lève-toi de bonne heure demain matin pour que...

4. Reliez les couples de phrases par une expression de but et faites les transformations nécessaires.

a. J'ai acheté un ordinateur portable. / Je voulais travailler dans le train le matin.

b. Elle avait mis des lunettes de soleil. / Elle ne voulait pas qu'on la reconnaisse.

c. Au lieu du train, il a pris l'avion. / Il sera de retour plus tôt que prévu.

d. Il avait souligné en rouge l'heure du rendez-vous. / Il ne voulait pas l'oublier.

e. Marchez sur la pointe des pieds. / Personne ne doit vous entendre.

LETTRE DE RÉSILIATION

PRODUCTION ÉCRITE

Vous décidez de changer d'opérateur pour votre téléphone portable ou votre serveur Internet.
Vous écrivez une lettre de résiliation.

LE TÉLÉCHARGEMENT

1re écoute

1. Qui sont les personnes qui parlent ?

2. Quel est le thème de leur discussion ?

2e écoute

3. Quels sont les arguments de chacun ?

VOCABULAIRE

4. Lisez la transcription p. 210 et expliquez les énoncés suivants :

a. *gratos* (l. 9)

b. *une directive européenne* (l. 21)

c. *fais gaffe* (l. 22)

d. *confisquer* (l. 28)

e. *une amende* (l. 29)

PRODUCTION ORALE

5. À votre avis, dans ce dialogue, qui a donné les meilleurs arguments ?

6. Et vous, quelle est votre opinion ?

7. Organisez un débat formel à la radio entre spécialistes sur le même thème, avec un animateur, des représentants de maisons de disques, des artistes, des jeunes, des avocats, des défenseurs des droits de l'homme...

ATELIERS

1

Les inventions du XXe siècle

1. Recherchez quelles ont été les inventions marquantes du XXe siècle dans tous les domaines (Internet, médiathèque, bibliothèque).
2. Par groupes de trois ou quatre étudiants, faites la liste des 10 inventions les plus importantes.
3. Chaque groupe présente sa liste à la classe.
4. Toute la classe débat pour désigner les cinq inventions qui lui paraissent les plus importantes.

2

Les inventions du XXIe siècle

Faites la liste des inventions qui vous paraissent nécessaires dans les domaines suivants : informatique, musique, communication, santé, transports, vie domestique, environnement, sports et loisirs.

1. Par groupe, choisissez un domaine.
2. Élaborez ensuite la liste qui concerne votre domaine.
3. Chaque groupe présente sa liste et l'ensemble de la classe débat pour désigner les inventions qui sont les plus utiles.

3

Un produit de rêve

1. Choisissez une des inventions ci-dessous.
2. Donnez-lui un nom.
3. Rédigez un texte publicitaire dans lequel vous la présenterez (description et mode d'emploi). Voir modèle ci-joint.
4. Élaborez la campagne publicitaire (affiche et message radio).

iCat : robot de compagnie

Un robot de compagnie à la maison !

L'idée n'est pas nouvelle, mais l'iCat change la donne en apportant une touche humaine : son visage est expressif. Dites-lui que vous n'avez pas le temps de discuter avec lui, et l'iCat semblera triste. Félicitez-le, et il rayonnera.

L'iCat est doté d'un système de reconnaissance de la parole. Treize moteurs électriques lui permettent de bouger les yeux, les sourcils, les paupières, la bouche et la tête. Ses expressions sont criantes de vérité. Si vous le branchez sur votre ordinateur ou votre téléviseur, il pourra par exemple vous lire à voix haute le journal du soir. De plus, il a la capacité d'enregistrer des sons comme de la musique, la voix… par le biais de micros se situant dans ses oreilles. Il ne mesure que 38 centimètres. La seule chose que l'iCat a encore beaucoup de mal à faire, c'est de ronronner en se frottant à votre jambe…

PRÉPARATION AU DELF B2

compréhension des écrits

Durée de l'épreuve : 1 heure.
Note sur 25.

LES ENSEIGNANTS DE COLLÈGES ET LYCÉES SONT CONFRONTÉS AU BOOM DES SITES D'ÉLÈVES.

Face aux blogs ados, les profs souvent crispés, parfois épatés

Les blogs lycéens ? Ils ont explosé, cette année scolaire. Créant malentendus et conflits entre élèves et enseignants. Parfois des sanctions sont tombées. Virginie est professeure de français en banlieue parisienne. Elle n'a pas digéré l'appréciation *« bonne mais conne »* qu'un élève de troisième a laissée sur son blog à son sujet. Pourtant, ce n'est pas elle qui a eu droit aux remarques les plus gratinées. D'un de ses collègues, les élèves disaient : *« Il est sympa mais porte des strings. »* Tandis qu'un autre, d'origine maghrébine, essuyait des insinuations racistes. Ce blog ou plutôt ces blogs étaient une œuvre collective. Trois élèves de troisième se sont associés pour mettre en ligne deux sites : l'un consacré à leur *« collège pourri »*, avec photos des bâtiments et coursives, l'autre à sept professeurs, dont les clichés volés accompagnaient des commentaires sans retenue. Au collège, l'affaire passe mal. Un des professeurs a porté plainte ; les autres s'abstiennent.

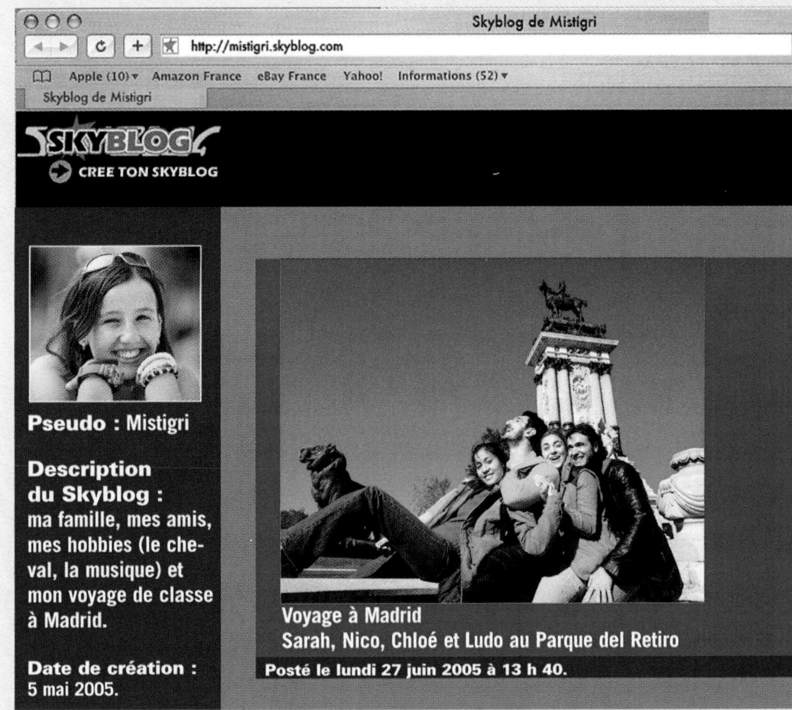

« Se décarcasser ». Ici, comme dans de nombreux établissements où se sont posés des problèmes de blogs, certains professeurs ont voulu comprendre. Et très vite, lors de leur incursion dans la blogosphère adolescente, une cascade de questions leur a sauté au visage. Ils en parlent facilement, comme quelque chose sur lequel ils doivent désormais compter. Tous réclament l'anonymat*. Pour Luc, enseignant dans la région lyonnaise blogué par un élève, la découverte fut brutale. *« Quand j'ai su que l'on parlait de moi sur un blog, j'ai eu le sentiment d'être insulté sur la place publique »*, dit-il. Il a voulu comprendre. Est allé fouiner sur Skyblog.com, la plateforme de la radio Skyrock qui recense plus de 2 millions de blogs, pour *« voir comment cela marche »*. Première découverte : il s'est aperçu que trouver un blog n'est pas chose facile : *« Il faut se décarcasser, utiliser des mots-clés. On ne tombe pas dessus par hasard, ce n'est pas comme placarder quelque chose dans la rue. »* Ce constat l'a aidé à comprendre pourquoi *« il n'est pas évident pour les gamins de faire la part entre vie privée et domaine public »*.

D'autant que, comme le remarque un professeur d'un autre établissement, « *il n'y a pas que nous qui sommes jetés en pâture* ». En effet, sur les millions de pages que comptent les blogs adolescents, très peu sont consacrées à leurs professeurs. La plupart parlent d'histoires d'amour, montrent des photos des copains-copines, de fêtes. Les jeunes s'y affichent parfois dans des postures compromettantes : verre d'alcool ou pétard à la main, ou photos pour le moins allusives des petites copines…

Voyage scolaire. Mais les blogs ne sont pas uniquement le lieu du dérapage. Le meilleur y côtoie le pire. Ainsi, des professeurs y ont trouvé de « *super appréciations* ». Comme ces remarques « *très émouvantes sur un voyage scolaire* ». C'est le seul endroit où Jean, professeur dans un lycée parisien, a pu se rendre compte « *à quel point les élèves ont été marqués par ce voyage* » qui lui a demandé « *un investissement énorme* ». Depuis, même s'il se méfie de cet espace qui échappe à tout contrôle, il sait aussi que le blog comble le manque de dialogue dans l'Éducation nationale. Alors, il fait partie de ceux qui ont choisi de se laisser photographier. « *Pour que mes élèves puissent me bloguer si ce n'est pas à mon insu* », dit-il. Monique est, elle, plus réservée. Elle regrette le déficit d'échange que ce phénomène sous-tend. Mais pour elle, le blog n'est pas le support approprié : « *On n'a pas à être jugé par des gamins. Je suis contre les vacheries*[1] *envoyées à la tronche*[2] *sur l'Internet. C'est un procédé irresponsable auquel on ne peut pas répondre.* » Elle vit le blog comme un « *défoulement non constructif qui tourne souvent au jeu de massacre* ». N'empêche, c'est une histoire de blog avec ses élèves qui l'a amenée à lancer en classe un débat sur la démocratie, la diffamation, le droit à l'image… « *C'est la seule fois dans l'année où nous avons parlé d'autre chose que du programme* », reconnaît-elle.

Décalage. Ces voyages dans les blogs ont aussi permis de se rendre compte du décalage, « *des plus vieux notamment* », avec les pratiques des élèves.

Car si les établissements sont bien équipés en matériel informatique, il n'est pas toujours évident de trouver des enseignants pour encadrer les activités dans ce domaine. « *Beaucoup n'y connaissent rien,* assène l'un d'eux. *On nous demande d'intégrer l'utilisation de l'informatique au programme sans qu'il y ait de cours dédiés.* » Pas facile, donc, de trouver le bon moment pour aborder la question du blog. Une enseignante dans la banlieue parisienne rapporte cette anecdote : « *Mon principal a 55 ans et ne comprend rien à l'informatique. Il ne savait pas ce qu'était un blog avant qu'on lui en montre un. Du coup, il en a parlé au dîner avec sa femme et son fils de 11 ans. Ce dernier lui a dit : "Ben oui, tout le monde a un blog, même moi."* ».

** À la demande des professeurs interrogés, les prénoms ont été modifiés.*

Ludovic BLECHER, *Libération*, 04/07/2005.

1. une vacherie : une méchanceté, une critique. – 2. la tronche : le visage.

COMPRÉHENSION ÉCRITE D'UN TEXTE INFORMATIF

1. Cochez *Vrai* (V), *Faux* (F) ou *On ne sait pas* (?) et justifiez votre réponse en citant un passage du texte. *(5 points)*

	V	F	?
a. Le nombre de blogs des adolescents a considérablement augmenté.			
b. Les professeurs se désintéressent des blogs.			
c. La majorité des blogs des adolescents parlent de l'école.			
d. Les blogs des adolescents critiquent systématiquement les professeurs.			
e. Le phénomène des blogs peut être utilisé à des fins pédagogiques.			

2. Répondez aux questions suivantes. *(10 points)*

a. Les professeurs acceptent-ils d'être critiqués par leurs élèves ?
b. Jusqu'où peut aller la réaction des professeurs ?
c. Le dialogue est-il facile et courant entre professeurs et élèves ?
d. Selon cet article, les élèves et les adultes utilisent-ils l'informatique de la même façon ?
e. Comment l'Éducation nationale s'adapte-t-elle aux nouvelles technologies ?

3. Reformulez les énoncés suivants. *(10 points)*

a. *Les profs souvent crispés, parfois épatés.*
b. *Des sanctions sont tombées.* (l. 5)
c. *Tous réclament l'anonymat.* (l. 40)
d. *Ce voyage lui a demandé un investissement énorme.* (l. 89)
e. *Cela tourne au jeu de massacre.* (l. 111)

EN SOCIÉTÉ

UNITÉ 10

- Comprendre un texte non spécialisé sur le travail
- Comprendre une émission traitant de problèmes sociaux
- Parler de son expérience personnelle
- Débattre de problèmes de société
- Écrire une lettre de candidature spontanée

- Vocabulaire du travail
- Le langage familier
- L'expression de la concession et de l'opposition
- L'expression de la condition
- Subjonctif, indicatif et infinitif

- Les étrangers en France

« L'enfer, c'est les autres. »

Jean-Paul SARTRE

Les jeunes et les femmes affrontent un monde du travail bouleversé par la fin des usines

Centre de télémarketing, Marseille.

[...] Les réactions suscitées par le CPE[1] traduisent le désarroi de la société française face au chômage des jeunes. Un fléau[2] que Louis Chauvel, professeur à l'Institut d'études politiques de Paris, attribue à la politique de *« la France* [qui] *a sacrifié les jeunes depuis vingt ans pour conserver son modèle social qui profite essentiellement aux baby-boomers ».*

La « génération précaire » est aussi et avant tout victime de la profonde transformation de l'organisation sociale du monde du travail depuis le début des années 1970. La déstructuration industrielle continue de produire ses effets. En 1975, l'industrie employait un peu plus de six millions de salariés. Après les restructurations dans la sidérurgie, l'automobile et le textile, ce nombre est tombé, en 1986, à cinq millions pour passer, à la fin 2005, sous la barre des quatre millions. Alors que « l'usine» est restée longtemps le lieu naturel d'insertion – parfois de promotion – des fils d'ouvriers ou d'immigrés qualifiés ou non, « l'entreprise » est devenue un lieu de compétition et d'exclusion entre les âges et les catégories. Pour avoir licencié les salariés les plus âgés à partir de 55 ans et fermé leurs portes aux jeunes durant trente ans, un certain nombre d'entre elles se retrouvent avec un personnel d'âge homogène. À la veille des prochains départs à la retraite, beaucoup éprouvent des difficultés à recruter et à insérer les jeunes générations dont elles ne comprennent ni les codes ni les comportements.

L'arrivée massive des femmes et, notamment, des jeunes filles a, en second lieu, accéléré la modification des règles du marché du travail. Alors que le nombre d'hommes actifs n'a guère évolué – 14 millions environ entre 1980 et 2005 –, celui des femmes est passé durant cette période, de 9,6 millions à plus de 12,3 millions. Quel que soit leur niveau de qualification, y compris supérieur au baccalauréat, les femmes – et les plus jeunes à ce titre doublement victimes – ont été contraintes de se plier à toutes les formes de contrats, précaires et intérimaires, petits boulots, et aux temps partiels.

Croissance du tertiaire

Le troisième bouleversement est intervenu avec la croissance exponentielle du secteur tertiaire, de 9,5 millions d'emplois en 1975 à plus de 16,8 millions en 2003. Un domaine où ont émergé de nouvelles pratiques d'emplois et d'horaires flexibles dans l'informatique, les télécommunications, les services en ligne, autant que dans la grande distribution.

Face à ces transformations accélérées, les tentatives d'adaptation du traditionnel contrat à durée indéterminée ont tourné court, notamment sous la pression des syndicats, soucieux de protéger les salariés contre toute déréglementation sans contrepartie. Parce qu'ils permettent de licencier sans justification, le contrat première embauche et le contrat nouvelle embauche ont été perçus comme la reconnaissance de cette précarité induite par les nouvelles organisations du travail. Sans contrepartie en faveur des conditions de vie et d'insertion des salariés.

Michel DELBERGHE, *Le Monde,* 08/03/2006.

1. CPE : Contrat de première embauche. Mesure proposée par le gouvernement en 2006 prévoyant qu'en échange d'un emploi, les jeunes pouvaient être licenciés sans justification pendant deux ans. Sous la pression d'un fort mouvement social et étudiant, le gouvernement a enterré cette réforme en avril 2006. – 2. un fléau : un grand malheur.

COMPRÉHENSION ÉCRITE

1. Quel constat cet article fait-il ? Quels sont les problèmes de la société française ?
2. Quelles en sont les raisons ?
3. Quel type de travail propose-t-on, en général, aux femmes et aux jeunes ? Dans quels secteurs ?
4. Quel était le rôle de l'usine dans les années passées ?
5. Comment peut-on opposer les baby-boomers et la génération précaire ?

VOCABULAIRE

6. Relevez le vocabulaire lié au travail.
7. Relevez les termes qui montrent le côté négatif de la situation.

Journée des femmes. Sur tous les fronts

Une Journée de la femme avait été décidée à Copenhague en 1910 pour servir à la propagande du vote des femmes. Depuis s'y sont greffées de nombreuses luttes contre toutes sortes de violences, contre les inégalités au travail ou en politique. La 22e Journée internationale des femmes, aujourd'hui, est l'occasion de rappeler qu'il reste encore beaucoup à faire. Comme pour ces femmes que l'on côtoie tous les jours, qui connaissent la galère au travail, au chômage et même dans la vie quotidienne.

« *Au départ, travailler c'était, pour nous, ramener un salaire à nos parents puis compléter celui du mari* », explique Michèle Sevrette, arrivée à 16 ans chez Levi's à La Sassée (Nord). À l'époque, toutes les filles de la région entraient dans la confection. Chez le fabricant de jeans, le salaire était plus élevé.

Du temps de Levi's, avec trois enfants, « *les week-ends pour moi c'étaient les courses à Auchan* et le ménage* », souligne son inséparable amie Nadine Jurdeczka, entrée le jour de ses 20 ans chez le fabricant.

Une vie de peu, qui s'est transformée en galère en 1999, à la fermeture de l'usine, quand elles ont été licenciées, après plus de vingt ans. L'usine employait 541 salariés, dont 90 % de femmes.

En ce moment, elles interviennent dans le cadre des Journées internationales des femmes pour un cycle « Femmes et travail », tout en assurant leurs 40 heures de travail dans une usine de moteurs. Une reconversion sur le tas.

« Oublier les soucis de la maison »

Nadine, 49 ans et Michèle, 51 ans, prennent souvent le TGV, pour « *raconter* » ce qu'elles sont « *devenues* », présenter « Les Mains bleues », livre, CD quatre titres et association, nés d'un atelier d'écriture en mai-juin 2000 avec 23 autres anciennes de Levi's. Elles racontent « *le chronomètre du contremaître* ». Nadine explique comment « *on perd une partie de soi-même* » avec le licenciement. Michèle souligne la « *fierté* » de ce qu'elle a « *fait depuis* », avec autant d'effervescence que si elles s'exprimaient pour la première fois sur le sujet.

L'atelier d'écriture, les discussions avec le public, ont pris le relais après de longs mois de chômage, des précieux moments de « *rigolades* » avec les autres ouvrières entre deux courses au rendement chez le fabricant de jeans.

Autant de façons « *d'oublier les soucis de la maison* », explique Michèle. Là, « *on est bien dans notre tête... enfin... je termine mon contrat le mois prochain, et Nadine à la fin mars. Je ne sais pas si je serai bien après* », poursuit-elle. D'autant que l'entreprise de moteurs va faire appel en priorité aux salariés de sa fonderie qui vient de fermer, soulignent les deux femmes.

Elles redoutent de retomber dans la précarité extrême qu'elles ont connue entre Levi's et la mécanique et qu'elles projettent d'imprimer dans un second livre : une journée dans un atelier de confection où il est interdit de parler ou d'aller aux toilettes, une usine de pâtes où l'on découvre le matin sur un tableau si on travaille ou pas...

* *Auchan : supermarché.*

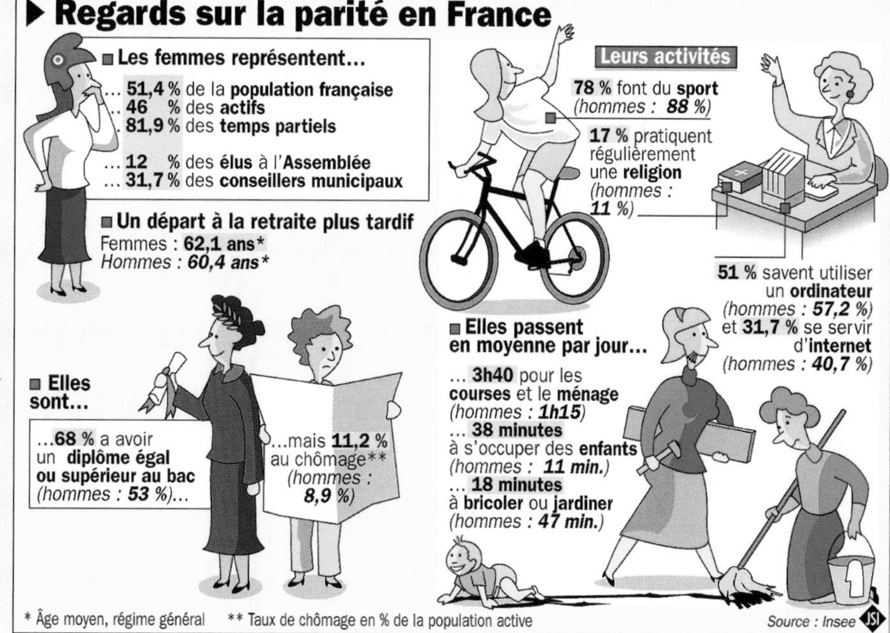

Dépêche *AFP* publiée dans *Le Télégramme*, 08/03/2004.

COMPRÉHENSION ÉCRITE

1. Qui sont les personnes dont parle cet article ? Pouvez-vous retracer leurs carrières ?
2. Leur vie peut-elle servir d'illustration à l'article précédent ?
3. Quel est leur état d'esprit actuel ?
4. Qu'est-ce qu'un atelier d'écriture ?
5. Quels sont leurs projets ?

VOCABULAIRE

6. Reformulez les énoncés suivants :
   - **a.** *une vie de peu qui s'est transformée en galère* (l. 23)
   - **b.** *une reconversion sur le tas* (l. 34)
   - **c.** *avec effervescence* (l. 50)
   - **d.** *les rigolades* (l. 56)
   - **e.** *les courses au rendement* (l. 58)

VOCABULAIRE LE TRAVAIL

actif
l'activité *(f.)*
le (petit) boulot *(fam.)*
l'emploi *(m.)*
employer / être employé(e)
la fonction
le job (d'été)
le métier
le poste
la profession
professionnel
la tâche
le travail
travailler (comme)
la branche
le domaine
le secteur

La recherche d'un emploi

l'agence d'intérim *(f.)*
l'ANPE
le/la candidat(e)
être candidat à
la candidature
le certificat de travail
l'entretien d'embauche
le formulaire de candidature
poser sa candidature à
le chômage
être au chômage
le chômeur / la chômeuse
le curriculum vitæ / le CV
l'embauche *(f.)*
embaucher
engager
l'expérience professionnelle
la lettre de motivation
l'offre d'emploi *(f.)*
le recrutement
le cabinet de recrutement
recruter
la sélection
sélectionner

La formation

l'apprenti(e)
l'apprentissage *(m.)*
la formation initiale
la formation permanente
(se) former
le recyclage
se recycler
le stage

Le lieu de travail

l'administration *(f.)*
l'atelier *(m.)*
le bureau
l'entreprise *(f.)*
l'établissement *(m.)*
l'exploitation *(f.)* **(agricole)**
le laboratoire
la multinationale
le service
la société
l'usine *(f.)*

Les travailleurs

le chef d'entreprise
le directeur / la directrice
l'employeur *(m.)*
le PDG
le patron / la patronne
le/la chef (de service)
le/la responsable
le gérant
le/la DRH
le cadre (supérieur)
le collaborateur / la collaboratrice
le/la collègue
l'employé(e)
l'équipe *(f.)*
le fonctionnaire
l'ingénieur *(m.)*
la main-d'œuvre
l'ouvrier / l'ouvrière
le/la salarié(e)
le technicien
l'intérimaire
le/la vacataire

Au travail

l'ancienneté *(f.)*
l'avancement *(m.)*
le congé
le congé maladie
les congés payés
le contrat de travail
le CDD (contrat à durée déterminée)
le CDI (contrat à durée indéterminée)
faire des heures supplémentaires
la flexibilité
la pause
la promotion
la qualification
le travail à plein temps / à temps partiel
la RTT (réduction du temps de travail)

La rémunération

gagner
la paie / la paye
être payé
le salaire
le salaire brut
le salaire net
l'augmentation *(f.)* **de salaire**
l'indemnité *(f.)*
la prime
le treizième mois

1 **Recherchez les mots qui désignent des personnes qui ont des responsabilités.**

2 **Recherchez les mots qui ont un lien avec la précarité de l'emploi.**

3 **Ajoutez les mots manquants et faites les accords nécessaires.**

ANPE - candidature - certificat de travail - CDD - CDI - CV - entreprise - entretien d'embauche - licencier - engager

M. Painville a été (a) il y a deux mois, son (b) ayant eu de grosses difficultés économiques. Il s'est immédiatement inscrit à l'(c), qui lui a demandé de fournir un (d) et un (e). Il a envoyé de nombreuses lettres de (f) spontanée et a attendu avant d'obtenir un (g). Il a été (h) et a obtenu un (i) de six mois avec la promesse d'un (j) à la suite, s'il donnait satisfaction.

L'appréciation

Le travailleur :

la compétence
compétent
fainéant
feignant *(fam.)*
l'incompétence
incompétent
paresseux
travailleur

Le travail :

dangereux
ennuyeux
fatigant
intéressant
bien/mal payé
pénible
précaire

Le conflit du travail

l'arrêt *(m.)* **de travail**
le climat social
la grève
se mettre en grève
le/la gréviste
le harcèlement
la négociation
négocier
le piquet de grève
le plan social
reprendre le travail
la revendication
revendiquer
syndical
syndicaliste

4 Que signifient ces expressions ? Certaines d'entre elles sont-elles synonymes ?

a. une boîte
b. bosser *(fam.)*
c. un col blanc
d. un col bleu
e. le gagne-pain
f. une heure sup *(fam.)*
g. un jour férié
h. un jour ouvrable
i. mettre à la porte
j. le travail à la chaîne
k. le travail au noir
l. virer *(fam.)*

Le départ

la démission
donner sa démission
démissionner
le licenciement (économique)
licencier
renvoyer
la préretraite
la retraite
être à la / en retraite
prendre sa retraite

LE TRAVAIL ET VOUS

PRODUCTION ORALE

1. Quelle profession vouliez-vous exercer quand vous étiez enfant ?
2. Exercez-vous une activité professionnelle ? Laquelle ?
3. Quels en sont les avantages, les inconvénients ?
4. Qu'attendez-vous d'un travail ?
5. Aimeriez-vous ne pas travailler ?
6. Quel serait pour vous le travail idéal ?
7. Quel type de travail n'aimeriez-vous pas faire ?

Quelques chiffres :

- En France, le chômage des jeunes dépasse 22 %, et atteint 40 % dans certains quartiers.
- Selon l'OCDE, un jeune met entre 8 et 11 ans pour trouver un emploi stable.
- Selon un rapport du Bureau international du travail paru en janvier 2006, près de la moitié des chômeurs dans le monde ont entre 15 et 24 ans. Ils ont trois fois plus de risques d'être au chômage que le reste de la population active.
- 218 millions d'enfants travaillent dans le monde.
- **Durée moyenne annuelle du travail**
  France : 1 561 heures
  Allemagne : 1 674 heures
  Japon : 1 864 heures
  États-Unis : 1 895 heures
  Chine : 1 958 heures
- **Âge légal de la retraite**
  Irlande : 66 ans
  France : 65 ans (60 ans si 40 ans de travail)
  Royaume-Uni : 65 ans (hommes) et 60 ans (femmes)
  Italie : 62 ans
  République tchèque : 62 ans (hommes) et 59 ans (femmes)

GRAMMAIRE

LA CONCESSION ET L'OPPOSITION

Échauffement

Quel est rôle des énoncés soulignés ?

- ***Alors que** l'usine est restée longtemps un lieu naturel d'insertion, l'entreprise est devenue un lieu de compétition et d'exclusion.*
- *Elle est au chômage **mais** ça ne l'inquiète pas.*
- ***Bien qu'**il soit encore jeune, il a déjà pris sa retraite.*

Il est d'usage de différencier entre l'**opposition** (de deux faits indépendants l'un de l'autre : phrase 1) et la **concession** (coexistence de deux faits a priori incompatibles : phrases 2 et 3) mais certains énoncés *(mais, cependant, en revanche...)* peuvent exprimer ces deux notions.

L'OPPOSITION

CONJONCTIONS DE SUBORDINATION

+ indicatif : alors que / tandis que

PRÉPOSITIONS

+ nom : contrairement à / à l'opposé de

+ infinitif : au lieu de

ADVERBES ET CONJONCTIONS

- mais / or / cependant / néanmoins
- par contre / en revanche / au contraire / à l'inverse

LA CONCESSION

CONJONCTIONS DE SUBORDINATION

+ subjonctif : bien que / quoique / encore que

+ indicatif : même si

PRÉPOSITIONS

+ nom : malgré / en dépit de

ADVERBES ET CONJONCTIONS

- mais / pourtant / cependant / néanmoins / toutefois / or
- quand même / tout de même / malgré tout

EXPRESSIONS

- avoir beau + infinitif
- ça n'empêche pas que / n'empêche que

1. Dans les phrases suivantes, quels sont les éléments qui expriment une concession ou une opposition ?

Exemple : *Il est sympa mais il est totalement stupide.* (opposition)

a. Il est resté silencieux et pourtant il avait beaucoup à dire.

b. Il avait placé ses économies à la bourse, or les cours se sont effondrés. Il est donc ruiné.

c. Tu as beau avoir un mastère, tu trouveras difficilement du boulot.

d. Malgré mes conseils, il a acheté cette voiture pourrie.

e. Il parle toujours de politique, cependant il ne vote jamais.

f. Elle est très travailleuse, tandis que son frère a un poil dans la main.

g. Vous feriez mieux de travailler au lieu de bavarder.

h. Je ne l'aime pas beaucoup, n'empêche qu'il m'a bien rendu service !

i. Je jouerai dehors même s'il pleut.

j. Il a gagné alors que tout le monde le donnait perdant.

- *Or* introduit toujours le deuxième élément d'une opposition et est souvent suivi d'une conséquence :

  Le DRH lui avait promis le poste. Or c'est son collègue qui l'a obtenu. Elle a donc démissionné.

- *Néanmoins* et *en revanche* sont précédés d'une idée négative et suivis d'une idée positive :

  Cette tâche est ennuyeuse, néanmoins elle est bien payée.

C'est généralement le contraire pour *toutefois* :

Je suis d'accord avec l'idée générale, j'aurai toutefois des remarques à vous faire.

- *Quand même* est souvent utilisé pour renforcer *mais* :

  Elle a de la fièvre mais elle est venue travailler quand même.

2. Mettez le verbe entre parenthèses au temps voulu.

a. Elle gardait son manteau de fourrure sur elle, bien que la salle (être) chauffée.

b. Quoique sa maladie (être) sans remède, il fait de nombreux projets d'avenir.

c. Il emploie des expressions rares même s'il n'en (connaître) pas toujours le sens.

d. Tandis qu'il (dormir) sur ses deux oreilles, son fils fait les quatre cents coups.

e. Alors que vous (savoir) bien que vous allez le contrarier, vous agissez contre sa volonté.

f. Je crois qu'il aura le poste, encore qu'il y (avoir) d'autres bons candidats.

3. Placez les mots manquants.

au lieu de - avoir beau - bien que - contrairement - mais - n'empêche - pourtant - quand même - tout de même

– Qu'est-ce que tu fais encore dans ta chambre ? **(a)** traîner, tu ferais mieux de chercher du boulot.

– T'es injuste, j'ai envoyé plus de cinquante CV **(b)** j'ai décroché aucun rendez-vous.

– Tu n'en fais qu'à ta tête, **(c)** je t'avais prévenu, il ne suffit pas d'écrire, il faut se déplacer. Je sais bien que c'est pas facile **(d)** il faut se remuer un peu. Regarde ton cousin. **(e)** il soit au chômage, il s'occupe, lui.

– Tu **(f)** dire, ça fait **(g)** trois ans qu'il bosse pas.

– **(h)** que lui, il cherche sérieusement.

– Mon cousin, mon cousin. S'il te plaît tant que ça, t'as qu'à l'adopter.

– Fais **(i)** un effort.

– **(j)** à ce que tu crois, j'en fais des efforts.

4. Introduisez une idée d'opposition ou de concession dans les phrases suivantes en variant les tournures autant que possible.

a. Il est malade ; il mène la vie de tout le monde.

b. Le marchand a l'air honnête ; ce n'est qu'une apparence.

c. Cette broderie semble faite à la main ; elle est faite à la machine.

d. Son chien a l'air doux ; il mord ceux qui s'approchent de trop près.

e. Il est peu probable que tu aies ce poste ; tu aimerais l'obtenir.

f. L'antiquaire restaure les vieux meubles avec une grande habileté ; un spécialiste ne s'y trompe pas.

g. Il a commis des erreurs ; la direction n'a pas perdu confiance en lui.

h. Ma ville est très étendue ; je la connais comme ma poche.

i. Vous êtes souvent triste ; vous avez tout pour être heureuse.

j. Il a l'air d'accepter les critiques facilement ; en réalité, il est susceptible.

LETTRE DE CANDIDATURE SPONTANÉE

PRODUCTION ÉCRITE

Vous désirez travailler en France. Vous avez lu des dizaines de petites annonces sans trouver l'offre d'emploi de vos rêves. Vous décidez donc d'envoyer une lettre de candidature spontanée à des entreprises. Respectez la présentation d'une lettre formelle (une page maximum).

Si le CV doit être typographié, il est d'usage que la lettre de candidature soit manuscrite, sauf si l'envoi se fait par l'intermédiaire d'Internet.

Proposition de plan :
- objet de la lettre
- votre motivation dans le choix de cette entreprise
- brève présentation de vos qualifications et de vos qualités
- demande d'un entretien
- formule de politesse

VIOLENCES DANS LES BANLIEUES

En novembre 2005, suite à la mort accidentelle de deux adolescents qui, apeurés, voulaient échapper à un contrôle de police à Clichy-sous-Bois, près de Paris, les banlieues populaires de la région parisienne, puis de nombreuses villes de province ont été le cadre de violences au cours desquelles des centaines de voitures, plusieurs bâtiments publics et des magasins ont été incendiés.

1re écoute

1. D'où cet enregistrement provient-il ?
2. Qui sont les interlocuteurs ?
3. Quel est le thème de la discussion ?

2e écoute

4. Les événements qui ont eu lieu dans les banlieues sont-ils une surprise ?
5. Quels sont les sentiments exprimés par les jeunes ?
6. Quelles sont les quatre causes des violences qui sont recensées dans cet entretien ?

« LES NOIRS SE RETROUVERONT TOUJOURS À FAIRE DES MÉNAGES »

Ce que disent les filles

Elles ne brûlent pas de voitures : elles ne veulent pas d'ennuis avec la justice. Mais elles savent que leur avenir est tout aussi barré que celui des garçons.

Elles traversent le terrain vague, petit sac à la main, bien habillées, à peine maquillées. Ici, elles ne font que passer. Diola, Sygine, Charleine ne s'installent pas au pied des immeubles comme les garçons. Les filles des cités ne brûlent pas encore les voitures. Mais, à propos des événements de ces dernières semaines, d'une même voix elles affirment : *« Cette affaire n'est pas seulement celle des garçons. »*

Dans la cité, *« c'est la galère pour les filles aussi,* lâche Dioula, 19 ans. *Il y a beaucoup de mecs qui ont une sale mentalité, ils insultent les meufs pour rien. »* Sygine, 21 ans, explique *« Quand tu sors avec un garçon, tu dois rester à la maison, seulement t'occuper de lui, et si tu romps, on te fait direct une mauvaise réputation. »* C'est comme une fatalité : *« Chacune d'entre nous est passée par là »*, déplore Diola. *« Nous, les filles, on casse moins que les mecs, parce qu'on mise plus sur l'école »*, affirme Sygine. Pourtant leurs parcours scolaires ressemblent à ceux des garçons de la cité : *« Moi, je voulais faire un BEP[1] vente mais mes profs ont décidé que je ferai un BEP secrétariat parce que, soi-disant, j'étais bonne en français »*, soupire Charleine, 21 ans. Diola, elle, s'est retrouvée dans le même BEP parce qu'*« il n'y avait plus de place ailleurs »*. Quant à Sygine, elle s'est *« battue »* pour travailler *« dans le domaine qui lui plaît »*, et prépare aujourd'hui les concours d'aide-soignante. De toute façon, elles ne se font pas d'illusions : *« On nous prendra pas pour les études qu'on aura faites »*, tranche Diola. Elles sont d'origine zaïroise, sénégalaise et martiniquaise et pensent unanimement que *« les Noirs se retrouveront toujours à faire du ménage »* ou *« des trucs qui font mal au dos »*. Comme pour les garçons, la mention 93[2] fait tache sur leurs CV. Sygine s'indigne : *« Dès qu'ils voient d'où on vient, les patrons changent de tête. »* Et les rares fois où elles vont dans Paris, c'est comme écrit sur leur front : *« On nous demande si on vient du train de banlieue. »* La vérité, pour elles, c'est que *« les gens ont une sale image de la population venue des quartiers »*.

Chez elles, *« il y a des rats dans les escaliers et des cafards dans les appartements. Quand on voit les immeubles, on se dit que c'est pas possible qu'il y ait des gens qui vivent ici »*, se désespère Diola. Elles ne casseront pas. *« On a trop peur d'avoir en plus un casier judiciaire... »* Mais, sur ce coup-là, elles sont de *« tout cœur avec les garçons »*.

Nadhéra BELETRECHE, *Le Nouvel Observateur*, 17-23/11/2005.

Quartier de la Duchère, à Lyon.

1. BEP : Brevet d'Études Professionnelles. – 2. 93 : département au nord de Paris.

COMPRÉHENSION ÉCRITE

1. Qui sont ces jeunes filles ?
2. Quels sont leurs problèmes ?
3. Qu'espèrent-elles de la vie ?
4. Qu'est-ce qui les différencie des garçons ?

VOCABULAIRE LE LANGAGE

ÇA FAIT « JEUNE » !

Vous êtes assis dans le métro parisien et, histoire de pratiquer votre français, vous tendez l'oreille et vous vous intéressez à la conversation des deux adolescents assis en face de vous. Vous ne comprenez rien et commencez à désespérer en maudissant les méthodes de français et vos professeurs ? N'en faites rien, ils parlent une autre langue : ils parlent « jeune ».

Vous commencez par prendre quelques mots d'argot. C'était la langue de la criminalité organisée, du Moyen Âge au XXe siècle. L'argot a laissé de nombreux mots dans la langue courante.
Quelques exemples ?
le mec / l'homme, la nana / la femme,
le flic / le policier, le pif / le nez...

Vous pouvez mélanger avec quelques mots d'origine étrangère, anglaise ou arabe par exemple :
speed / nerveux, le toubib / le médecin, kiffer / aimer

Et vous procédez à la transformation finale : le verlan. Vous mettez les mots à l'envers en les transformant un peu si nécessaire : une femme deviendra *une meuf*, un mec *un keum*, bizarre *zarbi* et fou *ouf*.
La très sérieuse compagnie ferroviaire, la SNCF, a été contaminée et, un moment, son slogan a été : *« C'est blesipo »* (C'est possible).

De plus, les jeunes utilisent volontiers des superlatifs :
un super pote / un bon copain
une méga teuf / une grande fête
c'est trop bien / ça me plaît beaucoup
c'est hypertop / c'est vraiment très bien

Ils raccourcissent également les mots, inventent des abréviations :
un ordi / un ordinateur
à plus ! / à plus tard !

Entraînez-vous avec l'exercice 1.
Bon courage !

1 Retrouvez le sens des mots suivants.

a. un beur	**1.** à la mode
b. un black	**2.** beaucoup, très
c. le bol / le pot	**3.** le bruit
d. le boucan	**4.** la chance
e. branché	**5.** l'argent
f. carrément	**6.** complètement
g. se casser	**7.** se dépêcher
h. le fric	**8.** une situation difficile
i. la galère	**9.** un enfant
j. se grouiller	**10.** un Français d'origine arabe
k. un môme	**11.** une idée géniale
l. louper	**12.** un Noir
m. piquer	**13.** partir
n. un plan d'enfer	**14.** rater
o. vachement	**15.** voler

19

INTONATION

2 Écoutez les dialogues suivants et décrivez la situation. Répétez-les et utilisez les expressions dans un court dialogue.

3 Dans les énoncés suivants, remplacez les verbes *avoir*, *faire* ou *mettre* par un autre verbe.

Exemple : *Il **a fait** sa maison lui-même.*
→ *Il **a construit** ou **bâti** sa maison lui-même.*

a. Aki nous *a fait* un dîner japonais.
b. Je l'*ai mis* à la poubelle.
c. Le Nôtre *a fait* les jardins de Versailles.
d. Sandra *a* encore *eu* un choc émotionnel.
e. J'*ai fait* une erreur.
f. Bachir *faisait* 65 kg avant le combat.
g. Elle *a fait* un régime.
h. Le Premier ministre *fera* un discours.
i. Il *a mis* son pull à l'envers.
j. Son ami Pierrot *a fait* une nouvelle chanson.

PORTRAITS

❶ *Jia*

La voix de Jia est douce et rieuse, elle parle de ses joies présentes, de ses enfants et de son travail. Elle a 9 ans quand sa famille débarque en France, sans un sou. « *C'était en 1971, les gens étaient vraiment gentils et accueillants* ».

Après la communale et le collège, elle commence à travailler à 16 ans comme apprentie coiffeuse dans un salon du treizième arrondissement. « *J'ai appris le français très rapidement même si, au début, ça n'a pas toujours été facile de m'habituer au climat et aux coutumes françaises* ».

Elle économise chaque centime et, grâce à l'aide de quelques compatriotes, elle peut ouvrir un petit fast-food oriental, avenue d'Ivry. « *Sans l'aide de la communauté chinoise de Paris, je n'aurais jamais réussi à partir d'un bon pied* ».

Vingt ans plus tard, elle vous accueille dans la salle élégante et branchée de son nouveau restaurant du quartier de la Contrescarpe, tandis que son mari officie en cuisine. Jia a également demandé et obtenu sa naturalisation. « *Quand j'étais une petite fille, on m'a inculqué le respect des ancêtres et aussi le goût de l'indépendance. C'est ce que j'essaye de transmettre à mes filles.* »

❷

Abdel

« – *Vous avez des avocats pour samedi ?*

– *Samedi à quelle heure ?* »

Les clients d'Abdel viennent-ils le voir seulement pour son humour ou aussi pour la qualité de ses produits bio ? Humour méritoire quand on connaît la galère endurée par Abdel pour monter sa propre affaire. « *Même avec un très bon CV, quand vous êtes jeune et d'origine maghrébine, les banques refusent de vous faire crédit. Je n'aurais jamais pu ouvrir ma boutique si un fournisseur ne m'avait pas fait confiance et prêté de l'argent.* »

Mohamed, le père d'Abdel, est arrivé de Bejaia en 1963, un an après l'indépendance de l'Algérie. Il a longtemps travaillé dans une usine métallurgique de la banlieue marseillaise. Son épouse Mounera s'occupait de leurs deux fils et de leur fille. « *À l'époque, il n'y avait pas de racisme, on avait besoin des immigrés* ».

Abdel est né en 1965 et il a passé toute son enfance dans le quartier du Panier avant d'obtenir un CAP et de tenir les fourneaux du Miramar, en bord de mer. Il ne quitterait sa ville pour rien au monde.

« *J'aime le brassage, cette ville mélangée où on peut croiser des gens de toutes nationalités. Et le soleil, peuchère*[1], *et le soleil !* » conclut-il en imitant Raimu[2].

1. Peuchère ! : interjection utilisée en Provence. – 2. Raimu : acteur français, célèbre pour son accent marseillais.

COMPRÉHENSION ÉCRITE

1. Retracez les biographies de Jia et d'Abdel.
2. Quels sont leurs points communs ?
3. Quelles ont été leurs difficultés ?
4. À votre avis, quelle est leur nationalité ?
5. Ces deux histoires vous paraissent-elles représentatives de l'immigration en France ?

VOCABULAIRE

6. Reformulez les énoncés suivants :
   - **a.** *sans un sou* ❶ (l. 5)
   - **b.** *partir du bon pied* ❶ (l. 23)
   - **c.** *inculquer* ❶ (l. 32)
   - **d.** *la galère endurée* ❷ (l. 8)
   - **e.** *tenir les fourneaux* ❷ (l. 31)
   - **f.** *le brassage* ❷ (l. 34)

PRODUCTION ORALE

7. À votre avis, d'où viennent principalement les travailleurs immigrés en France ?
8. Savez-vous comment on peut acquérir la nationalité française ? Comment cela se passe-t-il dans votre pays ?

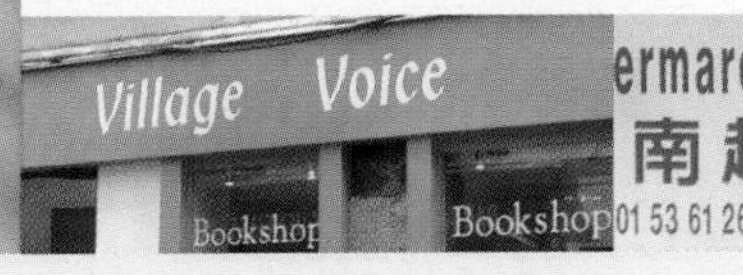

Les immigrés en France : une situation qui évolue

Depuis 1975, la part des immigrés dans la population est restée stable, mais l'immigration a beaucoup changé : les entrées pour motif familial ont augmenté, la population immigrée s'est féminisée et les immigrés proviennent de pays de plus en plus lointains.

Les immigrés vivent plus souvent que le reste de la population en couple, notamment avec enfants. Plus de la moitié des couples composés d'au moins un immigré sont des couples mixtes. Du fait de la taille de leur famille, de la faiblesse de leurs revenus et de leur concentration dans les grandes villes, les immigrés sont plus souvent locataires du secteur social et vivent plus fréquemment dans des logements surpeuplés.

Les immigrés sont davantage affectés par le chômage. Ils occupent plus souvent des postes d'ouvriers ou d'employés, notamment non qualifiés. Leur sur-représentation dans l'industrie et la construction s'atténue.

Les personnes nées en France ayant deux parents immigrés représentent 5 % des moins de 66 ans. Les enfants d'immigrés sont souvent en difficulté scolaire, mais pas plus que les autres enfants ayant les mêmes caractéristiques sociales. À origine sociale donnée, les descendants de migrants ont le même destin social que les autres.

Après avoir doublé entre 1946 et 1975, le nombre d'immigrés a ensuite progressé de façon très modérée, mais leur part dans la population est restée stable. En 1999, ils représentent 7,4 % de l'ensemble de la population résidant en France métropolitaine. Parallèlement, les motifs d'immigration se sont modifiés. Ainsi, le ralentissement de la croissance au milieu des années soixante-dix a mis un terme à l'immigration de travailleurs venant répondre aux besoins nés de la reconstruction puis de la croissance ; le regroupement familial et les demandes d'asile ont alors pris une part croissante. Les migrations pour motif familial prédominent désormais et se traduisent par une féminisation de la population immigrée : en 1999, les femmes représentent la moitié des immigrés vivant en France contre 45 % en 1946.

Dans les dernières décennies, les origines géographiques des immigrés se sont beaucoup diversifiées et sont devenues de plus en plus lointaines. En 1962, les immigrés venus d'Espagne ou d'Italie représentaient à eux seuls la moitié des immigrés résidant en France ; en 1999, ils n'en représentent qu'à peine un sur six. À l'inverse, la part des immigrés nés au Maghreb a doublé : ils représentent désormais 30 % des immigrés. De même, même si ces origines restent encore minoritaires, de plus en plus d'immigrés viennent d'Afrique subsaharienne, de Turquie ou d'Asie.

Chloé Tavan, *INSEE Première* n°1042, septembre 2005.

❶ Évolution de l'effectif des immigrés par pays d'origine

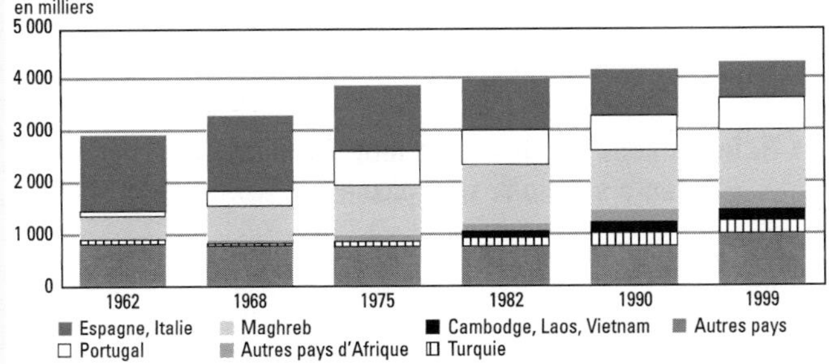

Source : Insee, recensements de la population, 1962-1999

❷ Évolution de la répartition par catégorie socioprofessionnelle des actifs ayant un emploi entre 1992 et 2002

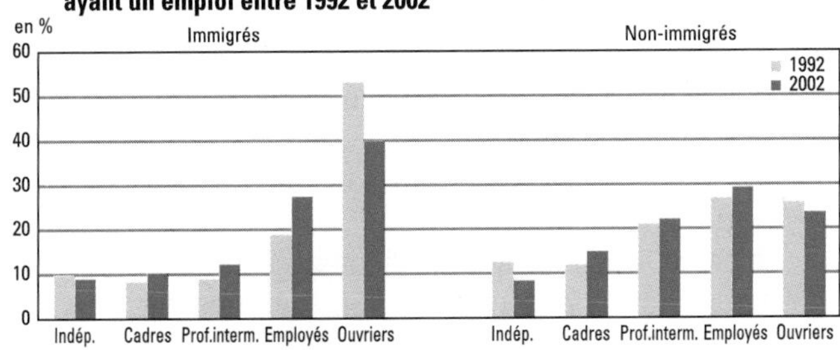

Champ : personnes actives ayant un emploi, hors militaires du contingent.
Source : Insee, enquêtes Emploi, 1992 et 2002

Quelques données

- Le niveau d'études des immigrés a nettement progressé. En 1982, les immigrés étaient deux fois moins nombreux que les non-immigrés à être diplômés du supérieur ; en 1999, ils le sont presque aussi souvent.
- Les immigrés sont davantage présents dans les zones frontalières et les régions urbanisées ou industrielles, soit l'Île-de-France, la façade est et les régions méridionales.
- Le taux d'activité des femmes immigrées a progressé de 7,8 % entre 1992 et 2002.

1. Quelles sont les principales caractéristiques de l'immigration en France ?
2. Comment la situation a-t-elle évolué ?
3. Quels sont les principaux problèmes des immigrés ?
4. La situation de l'immigration dans votre pays est-elle similaire ? En quoi diffère-t-elle ?

GRAMMAIRE LA CONDITION ET L'HYPOTHÈSE

Échauffement

Quel est rôle des énoncés soulignés ?

- ***Je viendrai en France à condition d'obtenir un visa.***
- ***Sans l'aide de la communauté chinoise de Paris, je n'aurais jamais réussi à partir d'un bon pied.***
- ***Même avec de très bons diplômes, quand vous êtes jeune et sans beaucoup d'expérience, il est difficile de trouver rapidement du travail.***

1. Dans les phrases suivantes, quelles sont les énoncés qui expriment une condition?

Exemple : *Vous pouvez jouer dehors à condition qu'il ne pleuve pas.*

a. Si tu étais libre et que tu veuilles te promener, tu pourrais me téléphoner.
b. Ce week-end, j'irai à la campagne sauf s'il y a du verglas.
c. Nous pouvons rester ici à moins que vous n'y voyiez un inconvénient.
d. Je t'appellerais au cas où je serais en retard.
e. Je vous laisse ma carte dans l'hypothèse où vous voudriez me contacter.
f. Tu peux sortir ce soir à condition de rentrer avant minuit.
g. Nous raterons l'avion à moins de partir maintenant.
h. Quelle est la personne à prévenir en cas d'accident ?
i. Tu serais à ma place, qu'est-ce que tu ferais ?
j. En travaillant plus sérieusement, tu réussirais.

+ indicatif
- si
- même si
- sauf si **(b)**
- si... et que... (+ indicatif ou subjonctif) **(a)**

Voir les hypothèses avec ***si*** dans le mémento grammatical p. 195.

+ subjonctif
- à condition que
- à moins que **(c)**
- en admettant que
- à supposer que

+ conditionnel
- au cas où **(d)**
- dans l'hypothèse où **(e)**

+ infinitif
- à condition de **(f)**
- à moins de **(g)**

+ nom
- en cas de **(h)**
- avec
- sans

Autres structures

- conditionnel + conditionnel **(i)**
  Tu serais à ma place, qu'est-ce que tu ferais ?
- imparfait + imparfait (oral)
  On prenait le métro, on gagnait une demi-heure.
- gérondif **(j)**
  En allant étudier en France, tu ferais des progrès.

2. Mettez le verbe à la forme correcte.

a. Si je (être) toi, je (prendre) le sac rouge. Il est moins cher.
b. Au cas où vous (tomber) malade, il (falloir) fournir un certificat médical.
c. À supposer qu'il (dire) vrai, nous devrions réagir immédiatement.
d. Si tu m'(écouter), tu n'aurais pas fait cette erreur.
e. Je veux bien y aller à condition que tu (venir) avec moi.
f. Je pense que nous pouvons choisir la deuxième solution à moins que quelqu'un ne (être) contre.
g. En admettant que tu (avoir) raison, qu'est-ce que je peux faire ?
h. Si c'(être) possible et qu'il (faire) beau, tu accepterais ?

3. Remplacez *si* par un des mots suivants. Plusieurs solutions sont possibles.

à condition que - à moins de - à moins que - au cas où - avec - en admettant que - en cas de

Exemple : *Si tu arrivais en retard, il faudrait lui téléphoner.*
→ *Au cas où tu arriverais en retard, il faudrait lui téléphoner.*

a. S'il pleut, le match sera annulé.
b. Si nous avons de la chance, nous pourrons réussir.
c. Nous arriverons à temps sauf s'il y a un embouteillage.
d. Si nous partons avant 9 heures, ça ira très vite.
e. Si tu avais raison, il faudrait tout modifier.

ET MOI, ET MOI ET MOI

20

COMPRÉHENSION ORALE

1re écoute

1. D'où cet enregistrement provient-il ?
2. Qui sont les intervenants ?
3. Quel est le thème de cet enregistrement ?

2e écoute

4. Quelle est l'idée centrale de cette interview ?
5. En quoi la situation actuelle diffère-t-elle du passé ?
6. Quelles sont les causes du changement évoqué ?
7. Quelles en sont les conséquences ?

VOCABULAIRE

8. Qui sont les *« marchands de bien-être, gourous du développement personnel »* ?
9. Reformulez les énoncés soulignés.
   a. *un changement historique qui fait couler beaucoup d'encre*
   b. *individualisme ne rime pas forcément avec égoïsme*
   c. *un remède par défaut de repères crédibles*

PRODUCTION ORALE

10. Pensez-vous que les thèses de Jean-Claude Kaufman reflètent aussi les réalités de votre pays ?
11. Comment cette montée de l'individualisme se manifeste-t-elle autour de vous ?
12. Quels sont les autres phénomènes qui se développent actuellement dans la société ?
13. Si vous étiez Premier ministre, quelles seraient les premières mesures que vous prendriez ?

PRODUCTION ÉCRITE

14. À votre avis, quelles sont les principales évolutions sociétales à prévoir au XXIe siècle ? Vous paraissent-elles plutôt positives ou négatives ? Argumentez en 200 mots.

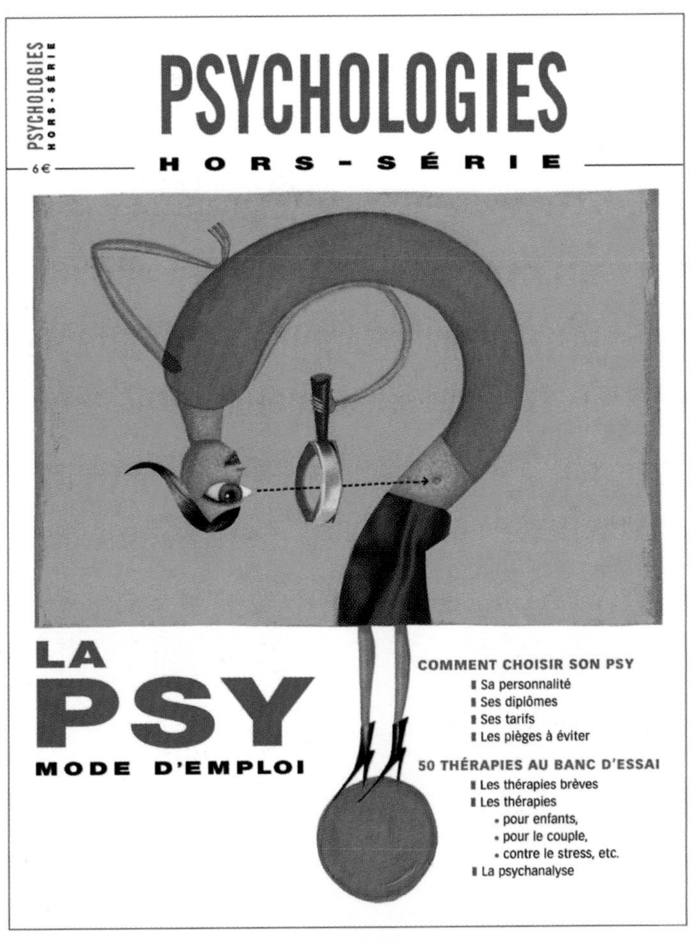

GRAMMAIRE

INDICATIF, SUBJONCTIF OU INFINITIF ?

1. **Observez les phrases suivantes et justifiez l'emploi du mode employé pour le deuxième verbe (indicatif, subjonctif ou infinitif).**

a. Il n'est pas venu parce qu'il a été retenu au bureau.
b. Elle a téléphoné à sa mère après qu'il est parti.
c. Nous avons agi ainsi pour avoir de meilleurs résultats.
d. Elle est sortie avant qu'il ne revienne.
e. J'irai à cette soirée à condition que mes amis soient invités.
f. Il est venu travailler bien qu'il soit malade.
g. Ce courrier est arrivé pendant que tu étais sorti.
h. Il a étudié jour et nuit, de sorte qu'il a obtenu le diplôme.
i. Il s'est enfui de peur que la police ne le prenne sur le fait.
j. Lisez ce dossier avant de prendre une décision.

Sont suivis de l'indicatif		Sont suivis du subjonctif	
La cause • parce que • puisque **La conséquence** • de sorte que • de façon que • de manière que • si… que • si bien que • tellement… que	**Le temps (simultanéité)** • aussitôt que • dès que • lorsque • pendant que • tant que **Le temps (postériorité)** • après que • depuis que • une fois que	**Le but** • pour que • afin que • de sorte que • de façon que **La concession** • bien que • quoique **La condition** • à condition que • à moins que • en admettant que	**Les sentiments** • de peur que • de crainte que **Le temps (antériorité)** • avant que (ne) • jusqu'à ce que • en attendant que

RAPPEL

- Quand le sujet de la proposition principale est le même que celui de la subordonnée, il est généralement impossible d'avoir le subjonctif. On utilise l'infinitif :
  Lisez ce dossier avant de prendre une décision. (et non pas *que vous preniez*)

On peut toutefois utiliser ***bien que*** + subjonctif.
Bien qu'il ne soit pas travailleur, il obtient de bons résultats.

- On trouve également le subjonctif :
  – dans certaines relatives exprimant la recherche ou le but :
  Je cherche un appartement qui me plaise. (je ne le connais pas encore)

mais
Excusez-moi, je cherche une maison qui a un grand portail bleu. (je sais qu'elle existe)

– généralement après un superlatif, premier, seul, unique et dernier :
C'est la plus belle ville que j'aie vue.

- On utilise le subjonctif passé quand l'action exprimée par le verbe est antérieure à celle du verbe principal.
  J'ai regretté (hier) *que vous soyez absent* (hier).
  Je regrette (maintenant) *que vous ayez été absent* (hier).

2. Mettez le verbe entre parenthèses à la forme correcte.

a. Je resterai ici jusqu'à ce qu'il me (recevoir).

b. Je voudrais les chaussures roses qui (être) dans la vitrine.

c. Simone était sous sa douche lorsque sa fille (téléphoner).

d. Je cherche une robe élégante qui (pouvoir) se porter au travail.

e. Je suis désolée que l'entretien avec le DRH (se passer) mal.

f. Puisque Claude le (dire), ce doit être vrai.

g. Cosette a réussi sa carrière bien qu'elle (avoir) une enfance difficile.

h. Il a tellement insisté qu'il (finir) par obtenir un rendez-vous.

i. Il a pratiqué l'anglais tous les soirs, de sorte qu'il l'(écrire) couramment.

j. Il ne veut pas lui en parler de peur qu'elle (être) fâchée.

3. Remplacez les noms par des verbes.

Exemple : *Il faut lui téléphoner avant notre départ.*
→ *Il faut lui téléphoner avant que nous partions. / avant de partir.*

a. Attendons jusqu'à son retour.

b. Nous ferons tout pour sa réussite.

c. Ne le dérangez pas pendant son entraînement.

d. Il reste lucide malgré sa maladie.

e. Nous devons patienter en attendant sa réponse.

f. Il est craint à cause de son agressivité.

g. Je ne l'ai pas revu après son arrivée.

h. Depuis le changement de gouvernement, la situation s'est stabilisée.

4. Complétez les phrases suivantes.

a. Faites un projet détaillé afin que...

b. J'agirai ainsi quoique...

c. Parlez plus fort de façon que...

d. Nous commencerons la réunion dès que...

e. Il se dissimule de crainte que...

f. Nous déménagerons une fois que...

g. Nous resterons ici tant que...

h. Nous pouvons continuer dans cette direction à moins que...

OSTRACISME

Il est tout malheureux, le petit lapin noir
Que sa blanche maman, ce soir, a rejeté
De la communauté.
Pas de lapin noir
Chez les lapins blancs,
C'est clair, mon enfant ?
Bonsoir !
Et on lui claque au nez la porte.

Il est jeune, il fait froid, qu'importe.
Rien ne sert ici d'insister,
Il faut patte blanche montrer.
Alors, le petit lapin noir,
Dans un extrême désespoir,
Mais n'ayant pas de carabine,
Va se noyer dans la farine.
La neige, en rafale, soudain,
Hélas, lui bloque le chemin
Du moulin.
Quel destin,
Dieu, quel destin, petit lapin !

Lors, toute la nuit, il attend,
Et le lendemain, au matin,
Quand sa maman le voit dans son beau manteau blanc
Et qu'il n'est plus question de le laisser dehors,
Le petit lapin noir, vraiment, est bien content,
Bien que mort.

Michel DEVILLE, *Poèmes zimpromptus,* 1985.

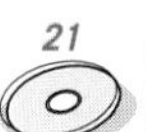

21

COMPRÉHENSION ORALE

1. Écoutez l'enregistrement. De quel type de document s'agit-il ?
2. Quel en est le thème ?
3. Quel est le ton adopté par l'auteur ?
4. Racontez « l'histoire » en quelques mots. Justifiez son titre.
5. Quel effet la fin du poème produit-elle ?
6. Lisez le texte. Par sa forme, en quoi ce texte est-il un poème ?

VOCABULAIRE

7. Que signifient les énoncés suivants ?
   - **a.** *claquer la porte au nez* (l. 8)
   - **b.** *montrer patte blanche* (l. 11)
   - **c.** *une carabine* (l. 14)
   - **d.** *hélas* (l. 17)

PRODUCTION ORALE

8. Et maintenant lisez ce poème à haute voix. Lisez-vous de la poésie dans votre langue ? Avez-vous écrit, écrivez-vous des poèmes ? Si oui, quels sont les thèmes qui vous inspirent ?

PRODUCTION ÉCRITE

9. À votre tour, voulez-vous écrire un poème en français ?

ATELIERS

1

Organisation d'un débat radiodiffusé ou télévisé sur la jeunesse

Les étudiants organisent un débat sur les problèmes de la jeunesse (éducation, autorité, chômage...). Les participants de la table ronde seront : des journalistes, des jeunes venus de milieux sociaux différents, des parents, des élus locaux, des sociologues, des psychologues.

1. Un groupe d'étudiants (les journalistes) sélectionne les thèmes à traiter et prépare les questions qui seront posées, puis les communiquent à tous les participants.
2. Les étudiants se répartissent les rôles.
3. Le débat peut avoir lieu. Il est, si possible, enregistré ou filmé.

2

Enquête sur les rapports hommes / femmes

Chaque groupe de trois étudiant(e)s fait une enquête sur l'évolution des rapports hommes / femmes dans les domaines suivants : l'école, la famille, le travail, les tâches ménagères, l'éducation des enfants, les sentiments...

1. Choix d'un domaine et rédaction des questions.
2. Enquête auprès des étudiants de la classe.
3. Analyse des réponses.
4. Rédaction d'une synthèse.
5. Présentation des conclusions à la classe.

3

L'apport des étrangers

Les étudiants recherchent quel a pu être l'apport des étrangers en France ou dans leurs pays dans de nombreux domaines (la langue, l'histoire, la cuisine, les hommes et femmes célèbres, la culture...).

1. Les groupes de trois étudiant(e)s se répartissent les thèmes à traiter.
2. Chaque groupe recherche des informations en bibliothèque ou sur Internet.
3. Présentation en classe.

PRÉPARATION AU DELF B2

production écrite

Durée de l'épreuve : 1 heure.
Note sur 25.

RÉDACTION D'UN ARTICLE CRITIQUE

Vous venez de lire l'un des deux articles ci-dessous. Vous écrivez à votre quotidien habituel pour lui donner votre avis sur la question. Votre article fera entre 250 et 350 mots.

Une ville réservée aux sourds

Un projet immobilier dans le Dakota du Sud montre que le handicap n'est pas à l'abri du communautarisme

Les pompiers annonceront leur passage par de puissants flashs de lumière. Tous les commerçants, policiers, médecins, enseignants et élus de la mairie devront, en vertu d'un arrêté municipal, maîtriser parfaitement le langage des signes. Laurent, ainsi nommée en hommage au Français Laurent Clerc, fondateur, en 1817, de la première école pour sourds-muets d'Amérique, sera peut-être la seule ville au monde entièrement conçue pour les sourds, les malentendants et toute personne capable et désireuse de communiquer avec eux.

Cette utopie communautaire, objet d'un projet immobilier à but lucratif – 1 500 résidences sur 120 hectares – dans les plaines dépeuplées du Dakota du Sud, près du bourg rural de Salem, a déjà séduit plus d'une centaine de familles, prêtes à tout quitter, voire à émigrer du Royaume-Uni ou d'Australie, pour refaire leur vie dans un « *environnement accueillant et stimulant* ».

Comment un ghetto pour sourds peut-il être stimulant ? La question agace M. E. Barwacz, co-inspiratrice de Laurent, et qui, dotée d'une ouïe normale, a une fille, un gendre et quatre petits-enfants sourds. « *Vous en connaissez combien, de sourds ?* ironise-t-elle. *Ne croyez-vous pas que la société les marginalise déjà ? Cette ville offrira avant tout à des jeunes la vision encourageante de professionnels accomplis malgré leur surdité.* » Autre avantage : la faible démographie locale pourrait aussi garantir le poids des sourds dans les élections et les décisions politiques régionales…

Philippe Coste, *L'Express*, 23/05/2005.

Métro sexué

Après Mexico, Tokyo réserve des wagons aux femmes. Paris résiste à la ségrégation de la peur

« *Mesdames à gauche, Messieurs à droite* », clame un agent de police. Aux heures de pointe, dans le métro de Mexico, les usagers se voient séparés selon leur sexe. Cette scène, banale dans la capitale mexicaine depuis 1976, va désormais se jouer à Tokyo et dans les grandes villes du Japon, où des voitures réservées aux femmes ont été inaugurées le 9 mai, avec un accès facultatif cette fois. « *Ce type de mesures offre de meilleures conditions de confort et de sécurité pour les femmes et les enfants de moins de 12 ans* », explique pudiquement le service du métro de Mexico. En clair, il s'agit d'éviter les mains baladeuses, favorisées par la promiscuité des voyageurs. C'était du moins l'argument de Nabila Ramdani, qui a lancé à Paris, en décembre 2000, le Comité des usagères de la ligne A pour des wagons réservés aux femmes et prétend aujourd'hui réunir quelque 200 adhérentes. « *Nous transportons 9 millions de personnes par jour,* rétorque la direction de la RATP *et nous n'avons aucun problème sur l'ensemble du réseau.* » Pas de ségrégation à l'horizon.

Charlotte Piret, *L'Express*, 23/05/2005.

MÉMENTO GRAMMATICAL

1. LES PRONOMS PERSONNELS OBJETS

A. Emploi des pronoms

- *le, la, l', les* remplacent un complément d'objet direct défini ou déterminé (un nom propre, un substantif précédé d'un déterminant – article défini, adjectif possessif ou démonstratif).

  – Tu connais Pierre ?
  *– Oui, je **le** vois souvent.*

  – Tu aimes ses amis lyonnais ?
  *– Je ne sais pas, je ne **les** ai jamais vus.*

- *en* remplace un complément d'objet direct indéfini (introduit par *un, une, des* ou un numéral), un partitif *(du, de la, de l')* ou un mot introduit par *de* (origine).

  – Il aime le chocolat ?
  *– Oui, il **en** mange souvent.* (du chocolat)

  – Il a des enfants ?
  *– Oui, il **en** a cinq !*

- *lui* et *leur* remplacent un complément introduit par *à* (seulement avec les personnes).

  – Tu es resté en contact avec les Martin ?
  *– Oui, je **leur** écris régulièrement.*

- *y* remplace un complément de lieu ou un complément introduit par *à* (seulement avec les choses, jamais les personnes).

  – Elle aime l'Italie ?
  *– Oui, elle **y** va souvent en vacances.*

  – Tu te souviens de cette histoire ?
  *– Oui, j'**y** repense souvent. (à cette histoire)*

B. Place des doubles pronoms

- Quand il y a deux pronoms avec le même verbe, ils sont placés dans l'ordre suivant (sauf à l'impératif affirmatif) :

sujet	(ne / n')	me te se nous vous	le la l' les	lui leur	y	en	verbe	(pas)

*Il **te l'**a donné ?*
*Il va **le lui** dire.*
*Je ne vais pas **lui en** acheter.*
*Il n'**y en** a pas.*
*Ne **le lui** dis pas.*

- Place des doubles pronoms à l'impératif affirmatif :

verbe	le la les	moi / m' toi / t' lui nous vous leur	en

*Donne-**les nous**.*
*Donnez-**m'en**.*

2. LES PRONOMS RELATIFS

QUI	sujet du verbe *Je regarde l'émission de cuisine* ***qui*** *passe chaque lundi sur TV5.*
	remplace une personne (jamais un objet) après une préposition *Voici la femme chez* ***qui*** *j'habite.*
QUE	complément d'objet direct *Tu me prêteras le livre* ***que*** *tu lis ?*
	attribut *L'homme honnête* ***que*** *je suis ne peut accepter cette situation.*
DONT	complément du verbe + *de* *Fumer est une mauvaise habitude* ***dont*** *il a réussi à se débarrasser.*
	complément du nom + *de* *Cette chanson* ***dont*** *tu chantes le refrain est d'Alain Souchon.*
	complément de l'adjectif + *de* *Elle a reçu un prix littéraire* ***dont*** *elle est très fière.*
	au sens de *parmi lesquel(le)s* *Dans la classe, il y a 12 étudiants* ***dont*** *4 garçons.*
OÙ	complément de lieu (et aussi *d'où, par où*) *La maison* ***où*** *j'ai passé mon enfance a été détruite.*
	complément de temps *Le jour* ***où*** *je suis allée en Normandie, il pleuvait.*
LEQUEL, **LAQUELLE**, **LESQUELS**, **LESQUELLES**	remplacent un objet ou une personne après une préposition *Le couteau* ***avec lequel*** *je viens de couper la viande est très tranchant.*
	dans certains cas, en style soutenu, peuvent remplacer *qui* et être sujet du verbe *La facture devra être réglée dans un certain délai,* ***lequel*** *ne peut dépasser un mois.*
AUQUEL, **À LAQUELLE**, **AUXQUELS**, **AUXQUELLES**	remplacent un objet ou une personne si la préposition est *à* *Voici le professeur de judo grâce* ***auquel*** *j'ai gagné la compétition.*
DUQUEL, **DE LAQUELLE**, **DESQUELS**, **DESQUELLES**	remplacent un objet ou une personne après une préposition composée + *de* *L'étudiant en face* ***duquel*** *je suis assis est turc.*

- Noter que, à l'oral, pour remplacer une personne, on utilise plus fréquemment *qui* qu'une préposition composée.

- Avec le démonstratif *ce*, on peut utiliser seulement *qui, que, dont.*
  ce qui me plaît (= la chose qui me plaît) – ce que je crois – ce dont je parle
  Dis-moi ***ce que*** *tu manges, je te dirai qui tu es.*

3. LA COMPARAISON

Comparatifs	Superlatifs
+ adjectif plus / aussi / moins... que *Cet hiver, il a fait **plus** froid **que** l'an dernier.*	**+ adjectif** le plus... / le moins... *Le Mont-Blanc est **le plus** haut sommet d'Europe.*
+ adverbe plus / aussi / moins... que *Tu cours **moins** vite **que** ton frère.*	**+ adverbe** le plus... / le moins... *Pas de doute ! C'est elle qui chante **le plus** fort.*
+ nom plus de / autant de / moins de... que *Sa femme gagne **autant d'**argent **que** lui.*	**Exceptions** le meilleur / le mieux le pire / le plus mauvais
+ verbe plus / autant / moins... que *Il n'a pas changé : il parle **autant qu'**avant !*	Quand l'adjectif est normalement placé avant le nom, deux constructions sont possibles : *la nuit la plus longue / la plus longue nuit de l'année*
Exceptions mieux / meilleur *C'est (bien) meilleur.* *C'est bien/beaucoup mieux.* Notez qu'on peut dire *plus mauvais* ou *pire.* *C'est (vraiment) pire.*	

4. LE PARTICIPE PRÉSENT, LE GÉRONDIF ET L'ADJECTIF VERBAL

A. Le participe présent

- Il est formé sur le radical de l'imparfait + *-ant* : *chantant, connaissant.*
  Exceptions : *ayant, sachant.*
- Il est rarement utilisé en français oral où il est souvent remplacé par une proposition relative.
  *Les personnes **désirant** des renseignements sont priées de prendre rendez-vous.*
  *(= Les personnes **qui désirent** des renseignements...).*
- En apposition (séparé du substantif), il peut aussi exprimer :
  – une action précédant immédiatement une autre action.
  ***Se levant** rapidement, il sortit de la pièce. (= **Il s'est levé** rapidement **puis** il est sorti de la pièce.)*
  – la cause.
  ***Connaissant** Pierre, je peux te dire qu'il ne va pas apprécier. (= **Comme je connais...**)*

B. Le gérondif

- Il est formé de *en* + le participe présent : *en travaillant, en finissant.*
- Il est invariable et se rapporte toujours au sujet de la phrase.
  *J'ai aperçu Georges **en traversant** le parc.* (C'est moi qui traversait le parc, pas Georges.)
- Il peut exprimer :

– la simultanéité : *Je roule **en écoutant** la radio.*
– la manière : *Il parlait **en chuchotant**.*
– la cause : *Il a eu un accident **en ratant** un virage.*
– la condition : ***En économisant** davantage, nous pourrions partir en vacances.*

C. L'adjectif verbal

- Il est formé en général comme le participe présent (exceptions : ci-dessous). Attention : tous les verbes n'ont pas automatiquement un adjectif verbal.
- C'est un adjectif : il s'accorde en genre et en nombre avec le nom. Contrairement au participe présent, il ne peut pas avoir de complément.
  Ce ne sont pas des diplômes ***équivalents****.* mais *J'ai un diplôme équivalant au bac.*
- Certains adjectifs verbaux ont une forme différente de celle du participe présent.

PARTICIPE PRÉSENT		ADJECTIF VERBAL	
-guant	**-quant**	**-gant**	**-cant**
fatiguant	communiquant	fatigant	communicant
intriguant	convainquant	intrigant	convaincant
naviguant	provoquant	navigant	provocant
suffoquant			suffocant

PARTICIPE PRÉSENT		ADJECTIF VERBAL	
-ant		**-ent**	
adhérant	excellant	adhérent	excellent
différant	influant	différent	influent
divergeant	négligeant	divergent	négligent
émergeant	précédant	émergent	précédent
équivalant	somnolant	équivalent	somnolent

5. LA CONDITION ET L'HYPOTHÈSE AVEC *SI*

A. *Si* + présent...

Hypothèse réalisable :

- **+ présent (ou conditionnel de politesse)**
  Si tu as le temps, tu peux / pourrais m'aider ?
- **+ futur**
  S'il fait beau dimanche, on ira pique-niquer.
- **+ impératif (ou *que* + subjonctif à la 3e personne)**
  Si tu es libre ce soir, passe à la maison.
  S'il n'est pas content, qu'il le dise.

B. *Si* + passé composé...

- **+ indicatif ou impératif**

Hypothèse passée (le locuteur ne sait pas si cela s'est vraiment produit) :

S'il est déjà arrivé à la gare, j'espère qu'il nous attend.
Si tu as fait une erreur, dis-le moi.

Attention ! Cette structure peut également avoir un sens causal *(si = puisque).*

Si Patricia a réussi son examen, il n'y a pas de raison que tu le rates.

C. *Si* + imparfait...

- **+ conditionnel présent**

Hypothèse peu réalisable :

Si je gagnais au loto, j'achèterais une maison.

Hypothèse irréalisable :

Si j'étais le maire, j'interdirais les chiens en ville.

D. *Si* + plus-que-parfait...

- **+ conditionnel passé**

Hypothèse irréalisable (dans le passé) :

Si j'avais su, je n'aurais jamais commencé à apprendre le français.

Attention ! Les structures C et D peuvent se combiner.

***Si* + imparfait + conditionnel passé**

Si tu travaillais plus (en général), *tu aurais eu ton bac.*

***Si* + plus-que-parfait + conditionnel présent**

Si tu avais eu ton bac, tu aurais un emploi.

6. L'EXPRESSION DU LIEU

A. Noms de pays

Lieu où on est ou lieu où on va

- ***en*** + pays féminin
  en France / en Italie
- ***en*** + pays masculin commençant par une voyelle
  en Iran / en Ouganda
- ***au*** + pays masculin commençant par une consonne
  au Brésil / au Congo
- ***aux*** + pays pluriel
  aux Philippines / aux États-Unis
- ***à*** + certains noms de pays commençant par une consonne qui ne sont pas précédés par un article (notamment des îles)
  à Chypre / à Cuba

Lieu d'où on vient

- ***du*** + pays masculin
  Elle vient du Pérou.
- ***de*** / ***d'*** + pays féminin et certains noms de pays commençant par une consonne qui ne sont pas précédés par un article (notamment des îles)
  de France / d'Allemagne / de Madagascar
- ***d'*** + pays masculin commençant par une voyelle
  d'Irak / d'Équateur
- ***des*** + pays pluriel
  des Samoa / des Fidji

B. Noms de villes

Lieu où on est ou lieu où on va

- ***à***
  à Londres / à Paris
- ***au*** + noms de ville commençant par *Le*
  au Havre / au Caire

Lieu d'où on vient

- ***de*** ou ***d'***
  de Rome / d'Athènes
- ***du*** + noms de ville commençant par *Le*
  du Touquet / du Mans

TRANSCRIPTIONS

UNITÉ 1 OPINIONS  CD 1

2 Page 14, exercice 3, Intonation

1. C'est incontestable.
2. Tu rigoles ?
3. Ça m'étonnerait !
4. Tu es sérieux ?
5. Tu l'as dit.
6. C'est exact.
7. Tout à fait.
8. Ça va pas la tête !
9. Bien entendu.
10. Et puis quoi encore ?
11. Je n'ai rien contre.
12. Tout juste, Auguste.

3 Page 17, Débat : l'Europe

JOURNALISTE : *Mesdames, messieurs, bonjour. Alors que pensez-vous de l'ouverture de l'Union européenne à de nouveaux pays ?*

INVITÉE 1 : Tout d'abord, l'élargissement mettrait fin à cette période qui a fait de notre continent un continent divisé. En réunifiant l'Europe, tous ces pays retrouvent leur famille d'origine. Nous devons réaliser le sentiment de libération de ces citoyens, hommes et femmes, comme vous et moi. Cette unité retrouvée représente pour l'Europe l'option de paix et de stabilité choisie irréversiblement. Le retour aux guerres destructrices et aux lignes de séparation douloureuses appartient définitivement au passé. En soi, cela représente déjà un fameux acquis sur l'histoire.

INVITÉ 2 : Je ne suis pas d'accord. L'admission de nouveaux pays va mener à une implosion, l'Union européenne ne pourra pas absorber tous ces pays moins développés. Le défi financier serait insupportable, car il faudrait partager les aides de Bruxelles avec des pays plus pauvres. Et l'immigration…

INVITÉE 3 : N'oubliez pas que nous n'ouvririons pas seulement les routes de l'immigration, mais aussi les voies des ressources énergétiques de la mer Caspienne et du Moyen-Orient. Ce qui n'est pas négligeable dans la situation économique actuelle.

INVITÉ 4 : Il y a un autre problème, c'est celui de la culture. Ces peuples ont des coutumes différentes et ne sont pas assimilables.

INVITÉE 1 : Mais enfin c'est ridicule. C'est exactement ce qu'on disait des immigrés italiens ou espagnols dans les années 30. Et il y a déjà des millions d'étrangers provenant de ces pays qui vivent dans l'Union européenne.

INVITÉ 4 : Mais je persiste à avoir des doutes quant au degré de modernisation réelle de ces pays, notamment dans les campagnes. Le poids de la tradition, la situation des femmes et leur place dans la société constituent autant d'obstacles à l'adhésion.

INVITÉE 3 : Vous oubliez que le processus d'élargissement va consolider la démocratie dans des pays qui subissaient un régime autoritaire, voire une dictature.

INVITÉ 4 : Certes, on peut imaginer une Europe où les cultures d'origines diverses se retrouvent au même niveau, donnent lieu à une synthèse, mais ce serait une autre Europe : une non-Europe. Nous ne pourrions maintenir notre identité.

INVITÉ 2 : En outre, l'équilibre des forces en subirait un sacré coup, et les chances d'une politique étrangère et de défense commune diminueraient davantage.

INVITÉE 1 : Pas du tout. Une nouvelle génération sera probablement pour la toute première fois à l'abri de la guerre et de la violence. De par notre volonté politique nous ouvrons de nouvelles pistes : celles de la liberté, de la sécurité, de la coopération et de la solidarité.

INVITÉE 3 : Exactement. Ce serait surtout le développement d'une immense zone de paix et de développement économique de l'Atlantique aux marges du Proche-Orient.

4 Page 21, Chez l'astrologue

– Salut Emmanuelle.

– Salut Édouard. Qu'est-ce qui t'arrive ? Tu as l'air radieux aujourd'hui.

– Tu trouves ? Ça doit être ma visite chez madame Air qui m'a remonté le moral. C'est vrai que j'ai la pêche.

– Madame Air ?

– Mais oui, tu sais bien, l'astrologue des hommes politiques.

– La voyante, tu veux dire ?

– Oh. Arrête, tu exagères !

– Mais tu avais besoin d'aller chez une astrologue ? Depuis quand tu crois à l'influence des planètes ?

– J'étais à côté de mes pompes. D'abord à cause de la boîte. Elle est en train de couler. Il se pourrait bien qu'on me mette à la porte. Et puis ça va mal avec Cécilia. Je la soupçonne d'avoir une liaison avec un de ses collègues.

– Ah bon ? Tu m'avais pas dit ça. Mais pourquoi madame Air ?

– C'est Anne-So qui me l'a conseillée. J'y croyais pas trop mais ça lui a assez bien réussi. Avant elle déprimait à mort. Elle se sentait nulle et moche et, depuis sa visite, elle a rencontré un mec sympa et plein de fric, ce qui ne gâte rien.

– Bon, mais alors ? Comment ça s'est passé ?

– Ah ! Ça t'intéresse quand même ?

– Elle a une roulotte à la sortie d'une station de métro ?

– Pas du tout. Elle a un cabinet dans un immeuble cossu du 8e arrondissement. C'est meublé très design. Bureau en verre et métal. Moquette épaisse. Tons chauds. Enfin, tu vois le genre ?

– Parfaitement. Et elle ?

– La cinquantaine. Pas mal pour son âge. Très BCBG. Tailleur gris souris. Un collier de perles. Les cheveux bruns tirés en chignon. Bien maquillée. Un parfum discret. La voix douce et profonde. La classe, quoi !

– On dirait qu'elle t'a impressionné. Elle avait une boule de cristal ?

– Mais arrête ! C'est sérieux, c'est scientifique.

– Ouais, vachement.

– Écoute, ça se passe en deux séances. Le premier jour, elle m'a demandé ma date et mon heure de naissance. Et nous avons fait connaissance. Ensuite elle a calculé mon thème astral et elle a dressé une carte du ciel. Je suis revenu la voir une semaine plus tard. C'était avant-hier. Et là elle m'a parlé de mon caractère, de mon avenir. C'était intéressant.

– Et qu'est-ce qu'elle t'a raconté ?

– Elle m'a annoncé qu'au printemps il y aurait un tournant dans ma carrière. Je pourrais m'orienter vers une profession artistique.

– Comme quoi ?

– La chanson, par exemple.

– Mais tu chantes comme une casserole !

– Attends, je suis pas si mauvais que ça. Tu pousses un peu. À la téloche, y a plein de petits jeunes qui chantent plus mal que moi.

– C'est ça, présente-toi à la Starac*. Et elles t'ont coûté combien, ces élucubrations ?

– C'est pas si cher. Ça m'est revenu à 300 € en tout.

– Quoi ?

– S'il y a des présidents et des ministres qui la consultent, ça en vaut la peine, non ?

– Si tu as de l'argent à jeter par les fenêtres, pourquoi pas ?

*Émission de téléréalité où les concurrents passent des épreuves pour devenir chanteurs.

UNITÉ 2 **PAROLES, PAROLES**  CD 1

5 Page 34, **Intonation**

1. Tu parles !
2. C'est facile à dire.
3. J'en crois pas mes oreilles.
4. Vas-y ! Accouche !
5. Quelle mauvaise foi !
6. Tu racontes n'importe quoi.
7. Il parle à tort et à travers.
8. Vous plaisantez ?
9. Tu parles d'or.
10. À qui le dis-tu !
11. Parole d'honneur.
12. Je ne vous le fais pas dire.
13. Pas de commentaire.
14. Il s'écoute parler.
15. Je te dis que si !

6 Page 35, **Une rencontre**

– Salut Dominique.

– Salut Sylvie.

– Tu as l'air toute joyeuse. Qu'est-ce qui t'arrive ?

– Rien, j'ai passé une soirée très sympa.

– Ben oui. Je t'ai vite perdue de vue à la fête chez Nathalie, hier soir. Où tu étais passée ?

– Écoute. J'ai rencontré un mec. Diego. Un Mexicain. Charmant.

– Il est à la fac avec nous ?

– Oui, il est en quatrième année de socio. Tu l'as jamais vu ?

– Je crois pas. J'ai pas fait attention. On s'est peut-être croisés. Il est comment ?

– Brun. Légèrement frisé. Assez grand. Plutôt typé. Mais les yeux bleus. Pas mal, quoi ! Moi, je l'avais remarqué depuis la rentrée.

– Ah ouais ? C'est toi qui as fait les premiers pas ?

– Ben non. Qu'est-ce que tu crois ?

– Alors, comment il t'a abordée ? Raconte !

– Ben tout simplement. Il est venu vers moi, il m'a tendu un verre de jus de goyave et on a fait connaissance. Il m'a dit qu'il m'avait déjà vue au restau U. Mais il est trop timide alors il a pas osé m'aborder plus tôt devant les autres. Mais là, comme j'étais seule...

Tu sais, tu m'avais laissé tomber pour aller danser avec Francis. Il s'est décidé.

– Ah ah ! et après ?

– Après rien. On est allé prendre l'air en bas et, comme j'étais crevée, vers minuit je suis rentrée à l'appart. Seule, si tu veux tout savoir.

– C'est tout ?

– Ben ouais...

– Et vous avez parlé de quoi ?

– De moi, de lui. Il est là pour faire un mastère. Un de ses oncles habite à Paris et c'était pour lui l'occasion de venir ici et de perfectionner son français.

– Et il habite où au Mexique ?

– Ses parents ont une hacienda au nord de Mexico.

– Ah ! C'est dommage. Y a pas de plage. Mais je te vois bien galoper sur un cheval fougueux, les cheveux au vent. Il t'a invitée, bien sûr ?

– Mais te fiche pas de moi, tu es agaçante. Il est bien élevé et très romantique. Non, il ne m'a pas invitée.

– Pas encore, tu veux dire. Tu vas le revoir ?

– On va prendre un café cet après-midi après les cours.

– Tu me raconteras la suite demain.

– D'accord. Mais tu me jures que tu dis rien à personne, hein ?

– Promis. Tu me connais.

– Ouais, justement.

7 Page 37, **exercice 7,** Intonation

1. Dommage !
2. Je t'en veux.
3. Je n'en reviens pas.
4. Tiens !
5. Ça m'embête.
6. Tant pis.
7. J'ai la frousse.
8. J'ai de la peine.
9. Ça me touche.
10. C'est pas la peine.

8 Page 38, Sentiments

1. *Chafia*

Quand j'étais petite, j'étais effrayée par tout ce qui est en rapport avec la mort. Un jour, j'ai regardé un film qui s'appelle *Freddy*, j'avais pas l'âge de le voir, et j'étais paniquée à l'idée que Freddy pourrait venir me chercher dans mon lit. Tous les films d'horreur me faisaient cet effet-là. J'ai vu *L'Exorciste* et, pendant deux jours, j'ai pas pu dormir, je laissais la lumière allumée. J'étais aussi terrorisée par le noir. Je voulais pas me lever le soir pour faire pipi parce que je craignais qu'il se passe quelque chose dans le couloir. Y avait un grand couloir à traverser.

Maintenant, quand il y a des bagarres dans la rue ou dans le métro, soit je pars en courant, soit je reste là, paralysée. Quelquefois je peux intervenir en criant, en leur disant d'arrêter.

2. *Suzanne*

Ce qui m'exaspère actuellement, c'est de voir des gens dans la rue qui demandent à manger. Ça m'énerve contre le système. Je suis arrivée à Paris en 90 et, en quinze ans, la situation s'est considérablement dégradée. Y a de plus en plus de SDF. Ce qui me blesse, me fait mal, c'est de voir des femmes qui te demandent un ou deux euros. C'est inacceptable dans cette société plutôt riche, industrialisée. Je comprends pas pourquoi nous avons autant de personnes dans le besoin, dans cette situation de précarité.

Ce qui me fout en boule aussi, ce sont les gens égoïstes, près de leurs sous, qui ne pensent qu'à eux. Quand j'en vois autour de moi, je leur dis ce que j'en pense, sans violence mais de façon très dure. Ça peut être très méchant.

Mais je n'ai jamais frappé personne même si parfois j'en ai envie face à un mec vulgaire trop insistant. Les hommes qui regardent les femmes comme des marchandises. Le truc classique, quoi !

3. *Jacques*

L'injustice, par exemple quand des innocents vont en prison et sont condamnés pour rien, ça me scandalise. Mais je me mets très rarement hors de moi. Je suis quelqu'un de très placide. Je garde tout pour moi. C'est mon éducation. C'est un trait de caractère familial. Mon père n'extériorise pas ses sentiments, il retient tout. Il m'a appris à ne pas me plaindre. Donc je pense que ça vient de là. Ou alors, une fois tous les deux ans, je craque et je balance tout par la fenêtre.

4. *Bernadette*

L'amour me rend heureuse. C'est planant. C'est un état de satisfaction énorme. Le regard de l'autre où l'on rencontre son propre regard.

Mais ce sont aussi les détails de la vie quotidienne, les petites choses : le sourire d'un enfant, un rayon de soleil sur ma peau. Me réveiller le matin après avoir bien dormi et préparer mon thé. Un dîner avec des amis très proches. Plonger dans la mer avec seulement un masque et un tuba et admirer les petits poissons qui se cachent au milieu des coraux. Sortir d'un cinéma avec le sentiment qu'on a vécu quelque chose d'émouvant, d'avoir partagé une expérience. Mais c'est de plus en plus rare malheureusement.

UNITÉ 3 MÉDIAS CD 1

10 Page 53, exercice 6

Dialogue 1

– Alors, tu l'as retrouvé, ton portable ?
– Non, et je suis furax... d'autant que je venais de l'acheter.
– Oh ! C'est pas de veine.

Dialogue 2

– Eh bien, Martin, je ne l'ai pas encore reçu, votre rapport !
– ...
– Alors ? J'attends.
– C'est que... vous me l'avez repris hier matin.
– Ah bon ?

Dialogue 3

– Dès lors que vous refusez de faire un effort, je ne vois pas ce que je fais ici.
– C'est à cause de la finale du foot d'hier soir, monsieur.

Dialogue 4

– À présent que tu es majeur, tu feras ta chambre toi-même !
– Mais, maman !

Dialogue 5

– Si la compagnie en est là, c'est la direction qui en est à l'origine, par incompétence et par bêtise.
– Puisque tu le dis !

11 Page 56, Sondage télé

Dialogue 1

– Madame, qu'est-ce que vous aimez à la télévision ?

– Je ne regarde pas la télé, en fait.

– Jamais ?

– Rarement. Je regarde des films, je suis assez sélective. Ce que je n'ai pas eu le temps de voir au ciné, quand ça passe à la télé.

– Et quelle sorte de films ?

– Oh, toutes sortes de films, je ne suis pas difficile. Je regarde d'abord qui a réalisé le film, qui sont les acteurs.

– Vous regardez des films de science-fiction ?

– Ah non, j'ai horreur de la science-fiction.

– Des westerns ?

– Ah non, pas du tout. Ni des polars. J'aime pas spécialement. Les comédies, les drames, les adaptations d'œuvres littéraires, ça oui. Ça dépend de mon humeur.

– Merci.

Dialogue 2

– S'il vous plaît ! Vous regardez le sport à la télé ?

– Ah oui, surtout le rugby. Il véhicule plein de valeurs, hein ! À la télé aussi. Je me suis abonné à Canal +. Chapeau la télé !

– Oui, mais regarder tout seul un match, c'est un peu triste, non ? Il reste tout seul sur le canapé.

– Ah c'est tout un rituel, j'ai tout de même été bercé par ça. J'ai joué au rugby jusqu'à 20 ans. J'achetais *Midi Olympique* tous les lundis.

– Moi, je préfère passer une soirée entre copines ou m'ouvrir l'esprit en regardant un documentaire.

– Ça tombe bien, parce que moi je préfère regarder tout seul. Je peux me concentrer.

Dialogue 3

– Bonjour, une petite question... Quelles sont vos émissions préférées à la télévision ?

– J'aime beaucoup La nouvelle Star ou Le loft des personnalités.

– Oui, pourquoi ?

– Ça me fait marrer. J'adore voir les gens se disputer, se retrouver dans des situations ridicules. C'est encore mieux quand ce sont des gens connus. J'ai vu l'autre jour qu'en Angleterre, on organise des matchs de catch entre personnalités. Ça doit être sportif ! J'ai hâte que ça arrive en France.

– Vous regardez autre chose ?

– J'aime aussi les films policiers, mais seulement les américains, hein ? Les séries B des années 50, en noir et blanc, avec une atmosphère glauque. Mais c'est rare à la télé maintenant.

12 Page 59, exercice 3, Intonation

Qu'est-ce qu'il y a ce soir à la télé ?

Où tu as mis le programme ?

Qu'est-ce que tu regardes ?

Bon, ça finit quand ?

Tu es sûr que ça t'intéresse ?

Où tu as mis la télécommande ?

Passe-moi la télécommande !

Arrête de zapper tout le temps !

Alors, tu viens te coucher ?

UNITÉ 4 VOYAGES CD 1

15 Page 69, exercice 6, Intonation

1. Allô, la réception, je peux avoir un numéro à Londres ?
2. Avec vue sur la mer si c'est possible.
3. Est-ce que vous pourriez appeler un taxi pour l'aéroport ?
4. Est-ce que vous avez Internet ?
5. Je suis désolée, nous sommes complets.
6. Le petit-déjeuner est compris ?
7. Le petit-déjeuner est servi à quelle heure ?
8. Nous n'avons plus qu'une suite.
9. Pour le petit-déjeuner, je voudrais aussi un jus d'orange et des œufs brouillés, c'est possible ?
10. Pouvez-vous nous préparer la note, s'il vous plaît ?
11. Réveillez-moi à 8 heures, s'il vous plaît.
12. Vous avez pris quelque chose dans le minibar ?
13. Vous désirez un lit double ou des lits jumeaux ?
14. Vous pensez rester combien de temps ?
15. Vous prenez la pension complète ?

16 Page 70, Le choix des vacances

– Bon alors, on va où en vacances cet été ? On est déjà en juin, faudrait se décider. On part en septembre comme d'habitude ?

– Ben oui, bien sûr. J'ai plutôt envie de partir au bord de la mer, cette année, je suis vraiment crevée. Je me verrais bien trois semaines sur une plage de sable fin sous les palmiers à me faire bronzer.

– Trois semaines sur une plage ? Non mais, avec ma peau, je vais être cuit en trois minutes et après je vais passer mes journées à l'hôtel !

– J'ai envie de rien faire : transat...

– Dans quel coin tu veux aller ?

– Plutôt en Grèce, j'ai vu une pub pour un hôtel à Corfou, qui a l'air très très sympa, ils ont aménagé une plage artificielle. Superbe ! Ce sera mieux que l'année dernière.

– Tu sais, moi, la plage...

– Attends, je t'ai pas dit, c'est un 4 étoiles. Il y a aussi une piscine.

– Ah, c'est chouette. Ça va être plein de gens friqués. Ça doit être super classe ce truc, ça va coûter les yeux de la tête.

– Mais non, ça coûte rien.

– Comment ça, ça coûte rien ? Tu as des relations dans une agence ?

– Mais non, mais on va se prendre un forfait à la dernière minute. Hier, j'ai consulté un site...

– Mais, c'est pas la dernière minute. On est en juin.

– Écoute, Stéphane, je sais bien que toi tu aimes bien organiser les choses mais...

– Tu veux qu'on décide au dernier moment, c'est ça ?

– Tout ce que je veux, c'est du soleil, une plage...

– Et sans ruines autour ?

– Euh...

– Parce que, si on va en Grèce, on pourrait au moins aller dans le Péloponnèse. Tu irais sur ta plage, à Nauplie par exemple, et puis moi, j'irais voir Mycènes, Tirynthe et...

– Pourquoi pas ? Ruines pour toi, plage pour moi.

– Qui est-ce qui s'en occupe ?

– Je m'en occupe. Au dernier moment. Ma copine Sylvie est partie de cette manière l'année dernière.

– Et tu es sûre qu'y aura de la place ?

– Mais oui, en plus on aura un prix cassé. Ce sera beaucoup moins cher.

– Oui, mais en septembre, les Français, ils sont au boulot, par contre les Allemands et les Anglais, ils sont plus nombreux...

– T'en fais pas, c'est un prestataire français. Nous aurons de la place.

17 Page 72, exercice 1, Intonation

1. 2+2 (=) 4, 2+3 (=) 5
2. Cette exposition est des plus passionnantes.
3. Il travaille plus que moi.
4. Je veux plus en manger. C'est pas bon.
5. Je veux plus y retourner. Il fait trop froid.
6. Je voudrais un kilo de pommes de terre, deux ou trois carottes et en plus une salade.
7. Michel est plus calme que son frère. Il est plus intelligent aussi.
8. Papa, je peux avoir un peu plus de gâteau ?
9. Plus les jours passent, plus l'espoir de le retrouver diminue.
10. – Vous gagnez plus de 2 000 € par mois ?
    – Un peu plus.
11. Vous ne prenez plus de café ? Moi non plus.
12. – Vous travaillez 40 heures par semaine ou plus ?
    – 40 heures, plus ou moins.

18 Page 74, **La Mayenne**

Destination, Thierry Beaumont *(interlude musical)*.

Thierry BEAUMONT : Destination : la Mayenne.

L'eau, l'air et la terre, cela sonne comme un slogan publicitaire, qui pourrait s'appliquer à ce département. Nous sommes entre Rennes et Le Mans. Le département de la Mayenne doit son nom à la rivière qui le traverse de part en part. Autrefois utilisée pour faire du commerce, c'est désormais le tourisme fluvial qui assure l'activité sur et autour de la rivière.

Rien de plus simple en effet que de piloter un bateau sans permis. La démonstration se fait en trente minutes puis vous partez en famille pour une navigation tranquille et des arrêts là où vous le souhaitez.

Également sur le thème de l'eau, mais cette fois pour les amateurs de randonnées pédestres, la Mayenne offre 85 km de chemins de halage réhabilités et enrichis de panneaux découverte afin de ne rien manquer de la flore, la faune et du patrimoine bâti à proximité.

L'air, c'est bien sûr celui de la campagne que l'on respire ici. À pied, à cheval, à dos d'âne, loin de la foule et des multiples pollutions qu'elle engendre, ici en pleine verdure, c'est le grand air garanti.

La terre, c'est celle qui donne naissance à toutes ces fleurs omniprésentes dans les 261 communes du département qui participent au concours national de fleurissement. Chailland, petit village au nord-ouest de Laval, en est un superbe exemple. Même ravissement ressenti dans le parc du château de Craon ou encore à Château-Gontier.

Enfin difficile de quitter le département sans passer une journée au refuge de l'Arche.

À quelques kilomètres de Château-Gontier, on chouchoute 800 pensionnaires, tous des animaux blessés, malades, maltraités ou malheureusement abandonnés parce que trop encombrants. Ours, tigresses, singes, sangliers, reptiles vivent ici paisibles.

Pour découvrir le département de la Mayenne cet été, il reste des disponibilités dans tous les types d'hébergement, de l'hôtel au camping en passant par gîtes et chambres d'hôtes.

Pour préparer votre séjour, consultez le site : franceinfo.com.

Extrait de « Destination voyages » de Thierry BEAUMONT, *France Info*, 12/07/2005.

19 Page 77, **exercice 5, Intonation**

1. Arrêtez-vous ici, s'il vous plaît.
2. Billet, s'il vous plaît !
3. C'est un direct ?
4. Classe économique ?
5. Il fait escale à Madrid.
6. Il part de quel quai ?
7. Il y a une correspondance ?
8. Je dois changer ?
9. Première ou deuxième classe ?
10. Redressez votre siège.
11. Votre billet n'est pas composté, vous devez régler une amende de 60 euros.
12. Vous avez la couchette du haut.
13. Vous n'avez pas vu le contrôleur ?
14. Vous ne pouvez emporter qu'un petit bagage en cabine.
15. Vous pouvez rouler plus lentement s'il vous plaît ?

UNITÉ 5 **ARTS** *CD 1*

22 Page 89, **La Joconde**

Gonzague SAINT-BRIS : « Alors vous savez *La Joconde* c'est un tableau très mystérieux parce que c'est un tableau où il y a deux choses : il y a d'abord cette femme au sourire mondial et il y a un fond. Et ce fond, c'est un fond d'avant l'âge humain. C'est une espèce de nature désertée, sauvage, maléfique, crépusculaire. C'est la terre avant le commencement des hommes. C'est l'humidité, c'est la montagne, c'est l'effroi. Et puis au fond, il y a un petit pont et ce petit pont et ben c'est le signe qu'il y a une relation entre cet âge d'avant, cet âge d'aujourd'hui, cet âge de demain. Car Léonard de Vinci, c'est un homme dont le regard a cinq siècles d'avance.

Et je vais vous raconter maintenant une histoire fabuleuse : Guillaume Apollinaire a été soupçonné d'avoir volé *La Joconde* car un an avant la guerre de 14, *La Joconde* disparaît du palais du Louvre. Quelqu'un a découpé le tableau, a retiré le morceau de verre qui le couvrait. Ça a été planqué dans un débarras qui donne sur la cour Visconti. Et puis cet homme qui s'appelait Vincent Perrugia, il a emmené *La Joconde* dans son petit logement à Paris. Misérable, il l'a planquée dans un débarras pendant deux ans et après il a décidé de s'offrir le voyage pour ramener ce chef-d'œuvre de la péninsule, qui appartient selon lui à l'Italie. Il ne sait pas que le roi François Ier l'a achetée, cette *Joconde*, à Léonard de Vinci. Il ramène le tableau à Florence. Vincent Perrugia, un homme sans moyens, un homme honnête mais un voleur quand même. Et là, il va voir un antiquaire et pour la somme de cent cinquante mille francs, il dit : *« Voilà, je voudrais vous vendre ce tableau de Léonard, vous le connaissez. »* L'antiquaire, en douce, prévient le conservateur du musée des Offices qui vient voir le voleur monsieur Perrugia à son hôtel et l'autre lui dit : « *Est-ce que vous pouvez bien évaluer ce tableau, n'est-ce pas que c'est la* Joconde *?* », lui demande Perrugia qui fait confiance au conservateur. « *Donnez-le moi, je vous le ramène demain matin, je vous dirai si c'est la vraie* Joconde ». Et quand il le ramène demain matin, il n'y a pas de *Joconde* mais les flics sont là. Perrugia est en prison. On ne cessera peut-être jamais de se poser des questions sur la personne de la Joconde, ce modèle de Léonard. Le peintre avait fait venir des musiciens pour distraire cette jeune fille de 24 ans. Certains disent : elle pose ses mains sur son ventre, qu'elle était enceinte. D'autres disent que c'est un homme déguisé en femme. Toutes les hypothèses ont été présentées. Mais la plus singulière vient d'une histoire vraie car nous sommes là pour déchiffrer les histoires autour du mystère de Léonard de Vinci. On a signalé, Antonio de Beati signale qu'il a vu au Clos-Lucé avec le Cardinal d'Aragon, un tableau de Léonard qu'on ne reverra plus jamais : la Joconde nue. Oui, elle a vraiment existé la Joconde nue et quand j'ai annoncé qu'elle existait la Joconde nue, le plus grand spécialiste de tous les temps, parce que les gens se sont dit : Gonzague invente, Carlo Pedretti a dit oui, elle existe la Joconde nue. Cet homme qui avait pratiqué la dissection de cadavres, qui connaissait pour les avoir découpés tous les mouvements des muscles, a peint dans la *Joconde* une morte vivante et c'est peut-être pourquoi elle nous fascine autant. Parce que quand vous souriez, les coins de votre bouche sont en V. Mais quand elle sourit, les coins de sa bouche sont en V aussi mais des V inversés. Est-ce que ceci n'est pas le signe des mouvements de la bouche d'une trépassée ? »

Extrait de « Aller-Retour » de Mathias DEGUELLE, invité : Gonzague SAINT-BRIS, *France Inter,* 08/07/2005.

23 Page 94, **exercice 5,** Intonation

1. Ça me déplaît.
2. Ça me plaît.
3. Ça m'a plu.
4. Ça ne me dit rien.
5. C'est ce que je préfère.
6. C'est ce qu'il y a de mieux.
7. C'est le pied !
8. Je déteste ça.
9. Je ne déteste pas.
10. Je suis un fan de ce peintre.
11. Je suis fou de cette œuvre.
12. Les orchidées, j'en raffole.

UNITÉ 6 QUELLE HISTOIRE !  CD 2

1 Page 105, La guerre de Ferdinand Gilson

– Ferdinand Gilson, vous êtes né le 20 octobre 1898 à Champigny-sur-Marne, comment s'est déroulée votre jeunesse ?

– Moi, j'ai toujours été un dur. Quand j'ai une idée en tête, je l'ai pas ailleurs ! Ma femme n'arrête pas de le dire : je suis une tête de lard ! Avant la guerre, quand j'étais encore apprenti mécanicien-outilleur chez un patron allemand, un homme très bien d'ailleurs, je faisais du catch et de la lutte gréco-romaine. C'est dire si j'avais peur des coups ! Pourtant, je m'attendais pas à en prendre des comme ça et autant que ça.

– Quand est-ce que la guerre a débuté pour vous ?

– Mon ordre de mobilisation est arrivé le 16 avril 1917. Direction le 115e régiment d'infanterie, dans la Sarthe, mais c'est dans l'artillerie que j'ai reçu le baptême du feu. Deux mois sur le mont Kemmel, en Belgique, pour contrer l'avance allemande.

– C'était dur ?

– Oh ! Une atroce boucherie. 1 000 tués par jour, 2 000 blessés, la mort frappait au hasard. On tournait la tête et puis tout à coup plus rien : le copain avec lequel on venait d'échanger trois mots à travers le fracas des explosions n'était plus là. On tirait tellement d'obus que nos canons de 75 rougissaient. Plus besoin de briquet pour allumer les cigarettes, suffisait de les approcher de la culasse des pièces.

– Ensuite vous avez combattu sur le front de l'Aisne et sur la Somme. Vous avez été blessé et gazé deux fois. Est-ce qu'à un moment donné vous avez haï les Allemands ?

– Je n'en veux pas à ceux qui m'ont fait ça. Les seuls Allemands qu'on voyait, nous les artilleurs, c'était des prisonniers. Des pauvres bougres qui combattaient, comme nous, du mieux qu'ils le pouvaient. On faisait tous ce que l'on avait à faire sans trop penser. C'est ça, la guerre : le fruit empoisonné de la méchanceté et de la sottise humaines réunies.

– Ensuite vous avez eu un poumon touché et un genou fracassé, et vous avez poursuivi la guerre comme élève officier à Fontainebleau. Quelle a été votre réaction au moment de l'armistice ?

– Ah ! C'était incroyable. On revenait juste de manœuvre quand on a entendu crier dans la cour que c'était fini. Fini ! Vous comprenez ? On a dansé la polka et fait la fête toute la nuit.

– Tout allait bien alors ?

– Vous parlez ! J'ai attrapé la grippe espagnole et j'ai

dû passer encore quatre mois au Val-de-Grâce avant d'être démobilisé.

– Et ensuite ?

– J'ai créé un atelier d'outillage industriel et j'ai rencontré Suzanne, ma seconde femme, qui vit encore auprès de moi aujourd'hui. J'ai appris l'allemand, l'italien et l'espagnol.

– Et pendant la seconde guerre mondiale, vous êtes entré dans la Résistance. Mais maintenant, tous les jours, vous faites des mots croisés en allemand ?

– Je ne veux pas perdre la main. En fait, je crois beaucoup à l'union franco-allemande et à l'Europe, même s'il y a des choses terribles qu'il ne faut pas oublier. On s'est tellement battus que nos sangs ne font plus qu'un. Oui, c'est cela : plus qu'un.

D'après Jean-Christophe Buisson et Cyril Hofstein, *Le Figaro Magazine,* 05/11/2005.
Cette interview a été enregistrée par des acteurs.

2 Page 109, **exercice 5,** Intonation

1. Il était temps !
2. Ah ! de mon temps !
3. Tu arrives à temps.
4. Je l'ai fait en temps et en heure.
5. J'écris à mes moments perdus.
6. La période des fêtes touche à sa fin.
7. Ça remonte à 20 ans.
8. On a mis fin à son contrat.
9. Elle revient dans une petite heure.
10. Il a réparé la voiture en un clin d'œil.
11. Il faut mettre un terme à cette situation.
12. Ah ! C'était le bon temps.
13. Elle a été licenciée sur-le-champ.
14. C'est le bon moment.
15. Il passe son temps à regarder la télé.

3 Page 116, L'Île-de-France au temps des Gaulois

Des fiers guerriers parisii établis sur le domaine de l'actuelle ville de Nanterre aux riches négociants gallo-romains de Lutèce : les dernières découvertes des archéologues nous permettent d'en savoir plus sur deux siècles de civilisation.

Et si la capitale des Parisii, la tribu gauloise d'avant la conquête romaine, n'était pas à Paris, sur l'île de la Cité, mais à Nanterre, dans une boucle de la Seine ? L'hypothèse, avancée depuis les années 1980, semble confirmée par les dernières découvertes archéologiques. L'oppidum de nos ancêtres celtes, le principal site défensif, déménagerait alors d'une dizaine de kilomètres vers l'ouest. De quoi réviser deux siècles d'histoire et quelques pages de manuels scolaires. Mais pas de panique : la Lutèce romaine, elle, a bel et bien été édifiée au IIe siècle de notre ère sur la rive gauche de la Seine à Paris.

Étudions le dossier. À l'époque gauloise, la capitale des Parisii était forcément sur une île. Jules César l'a dit. Dans le livre VII de sa *Guerre des Gaules*, il situe la bataille de Lutèce en 52 av. J.-C. sur une « île entourée de marais ». À Nanterre, la Seine ne dessine qu'une presqu'île mais, fin 2003, un archéologue de talent, Aristide Viand, découvre dans les sous-sols de l'agglomération une ville de l'époque gauloise. Une vraie. Avec des rues bien dessinées, un port, des quartiers structurés, artisanaux, d'un côté, résidentiels, de l'autre. Bref, une belle cité d'au moins 15 hectares. À Paris, l'île de la Cité n'en compte que 8. C'est peu pour une citadelle. Mais le plus intrigant, c'est l'absence totale de vestiges de l'époque dans les sous-sols. Pourtant, la terre y a été retournée depuis le XIXe siècle. Sans succès. Pendant deux siècles, personne ne s'en est étonné : les Gaulois étaient des « primitifs » qui ne construisaient que des petites huttes rondes et fragiles. Normal que leurs cabanes ne laissent pas de traces. Mais depuis vingt ans, on commence à changer d'avis, grâce à l'archéologie. La société gauloise apparaît comme une civilisation à part entière, élaborée et ingénieuse. Il n'y a qu'à voir la richesse cachée dans les sous-sols de Nanterre : de belles maisons confortables de 20 mètres de long et leur système d'égout performant, de la vaisselle luxueuse, des restes d'amphores et un probable atelier de frappe monétaire.

Le mystère, pourtant, n'est pas totalement levé. Si la citadelle gauloise est un site défensif, pourquoi ne trouve-t-on pas de traces de fortifications, ni à Paris ni à Nanterre ? Comment se fait-il que la capitale romaine construite à Paris au Ier siècle après Jésus-Christ ait gardé le même nom, Lutèce ?

Eve Roger, *Le Nouvel Observateur,* semaine du 04/08/2005.
Dans un but pédagogique, certains mots ont été changés.

UNITÉ 7 UN CORPS SAIN CD 2

4 Page 125, **Brasserie des Affaires,** Question 1

1. Je prendrai un agneau rosé, s'il vous plaît.
2. Est-ce que je pourrais avoir de la salade au lieu des frites avec le tartare ?
3. Pour moi, ce sera un sorbet.
4. Je voudrais une sole et une carafe d'eau, s'il vous plaît.
5. Pour moi pas de dessert, mais un express, s'il vous plaît.
6. Comme entrée, nous prendrons une terrine de petits légumes et des moules.
7. Je vais prendre un poulet à l'estragon.
8. On pourrait avoir un peu de pain, s'il vous plaît ?
9. Moi, je prendrai un bar.
10. Un hamburger bien cuit, s'il vous plaît.

5 Page 125, **Brasserie des Affaires,** Question 2

1. Qu'est-ce que c'est : la choucroute ?
2. La poule au pot, c'est copieux ?
3. Qu'est-ce que vous me conseillez comme poisson ?
4. Qu'est-ce qu'il y a comme garniture avec le filet de morue ?
5. Vous avez des huîtres pas trop grosses ?
6. Vous avez du bœuf ?
7. Qu'est-ce qu'il y a dans la salade de la mer ?
8. Qu'est-ce que vous avez comme parfum pour les sorbets ?
9. Une poire Belle-Hélène mais sans chantilly, c'est possible ?
10. C'est quoi la tarte du jour ?

6 Page 126, **exercice 2,** Intonation

1. C'est amer.
2. Ça a bon goût.
3. Ce saumon est exquis.
4. C'est succulent.
5. Cette pomme est pourrie.
6. Ah ben c'est copieux ici !
7. Ah ! C'est dégueulasse.
8. La sauce est fade.
9. C'est lourd.
10. Le soufflé est raté.
11. C'est pas terrible.
12. Cette poire est verte.
13. Ah c'est savoureux !
14. Ça a pas de goût.
15. Le gratin a brûlé.

7 Page 127, **exercice 2,** Intonation

1. Prends quelques bonbons.
2. Y a pas mal de monde dans ce resto.
3. Réaliser cette recette coûte trois fois rien.
4. Tu mets presque pas de poivre.
5. J'ai un tas de choses à faire.
6. Y a une foule de gens qui ont des problèmes.
7. J'ai un grand nombre de questions à poser.
8. Je le connais à peine.
9. Il ne lui a laissé que des miettes.
10. Juste une cuillerée à café.
11. Je dîne tard mais sans excès.
12. C'est une somme substantielle.
13. Ajoutez un brin de persil.
14. Donne-moi une grosse part.
15. Mets juste une pointe de piment.

8 Page 129, Les OGM : quelles conséquences ?

Gilles-Éric SERALINI : Mais oui. Il y a beaucoup de militants pro OGM qui disent que les OGM sont sains en effet ou qu'il n'y a pas de problèmes de santé avec. Ce qu'il faut comprendre, c'est que, aujourd'hui, les OGM sont très mal évalués aux États-Unis et en Europe. C'est-à-dire que… ils sont faits pour contenir des pesticides. Et si ces pesticides ont des effets indésirables comme la plupart des pesticides sur la santé, ils ne vont pas se voir directement. On ne peut pas donc dire que, par exemple les Américains, ce serait stupide de dire que, parce que les Américains mangent des OGM depuis longtemps et qu'ils ne semblent pas mourir comme des mouches, les OGM sont sains pour la santé. Parce que, si cela augmente le diabète (ça a augmenté la glycémie chez les taux des rats, euh, dans le sang des rats qui en avaient mangé), pour certains OGM, si cela augmente le cancer, si cela augmente des problèmes d'immunité ou des problèmes de reproduction, eh bien aujourd'hui, on ne sera pas capable de le voir avec des tests de trois mois sur rats et c'est extrêmement grave. En ce qui concerne le questionnement de la société sur les OGM, je trouve qu'il est extrêmement sain. Tout simplement parce que c'est une révolution, c'est la possibilité pour la première fois dans l'histoire de l'homme de passer la barrière sexuelle des espèces et d'utiliser industriellement une molécule qui est l'ADN, qui est le patrimoine génétique des êtres vivants, pour les modifier. Et donc, il serait anormal que la société ne se questionne pas d'autant qu'il y a, à la clé, les brevets sur la base de l'alimentation qui changent complètement notre système. Donc, au contraire, cela me semble extrêmement sain, pour répondre au monsieur, que nous nous questionnions, et je trouve grave, puisqu'il l'a citée, que l'Académie de médecine et l'Académie des sciences aient fait un rapport sur les OGM sans du tout, si ce monsieur l'a lu et regardé, citer une seule étude de toxicologie. C'est un manque de sérieux complet dans le rapport.

Extrait du « Téléphone sonne » d'Alain Bédouet, « Projet de loi sur les OGM », invité : Gilles-Éric Seralini, *France Inter*, 09/02/2006. Texte inspiré de *Ces OGM qui changent le monde*, de Gilles-Éric Seralini, Éditions Flammarion, 2004.

9 Page 130, **Le culte de soi**

Didier Adès : Une petite Française sur trois née depuis l'an 2000 vivra plus de cent ans. Mais cette perspective change complètement la relation au corps. « Mon corps, c'est mon seul capital », c'est le sous-titre du dernier livre d'Hervé Juvin, intitulé *L'Avènement du corps*, aux éditions Gallimard. Hervé Juvin, qui est aussi président du cabinet de conseil Eurogroup Institute.

Hervé Juvin : Si le corps est bien en train de prendre le pouvoir dans notre société et si nous assistons bien à l'avènement du corps qui devient notre seul capital, vous allez beaucoup changer la manière dont vous vivez. Vous allez changer la manière dont vous le regardez ce corps qui est le vôtre et qui devient tout de vous. Puis ça va aussi beaucoup changer vos rapports aux autres. Simplement trois ou quatre exemples : si mon corps est mon seul capital, je n'ai pratiquement pas de limites dans ce que je vais être prêt à dépenser pour sa santé, pour son bien-être, pour sa séduction etc., etc.

C'est ce à quoi nous assistons chez beaucoup de jeunes, pas nécessairement dans nos pays très privilégiés. Au Venezuela, au Brésil, comme dans les zones côtières chinoises à Shanghai, à Hong Kong, les jeunes Chinoises et les jeunes Chinois sont prêts à dépenser des parts énormes de leurs revenus simplement pour être le plus beau ou la plus belle, pour se sentir bien dans leur corps et pour briller. C'est quelque chose d'assez nouveau que ce corps qui devient notre seul capital.

Ça veut dire aussi autre chose : c'est que la manière dont vous vous situez dans le temps et dans la chaîne des générations change. Nos parents, nos grands-parents se sont vus comme les usufruitiers* d'un monde qu'ils recevaient en partage et qu'ils devaient s'efforcer de transmettre, meilleur, enrichi, le progrès à leurs descendants. Si mon corps est mon seul capital, si je ne crois plus à la vie éternelle, si je ne crois pas non plus que je vais, par la lutte politique, construire un monde meilleur pour des générations et des générations. Ce qui compte c'est ici, maintenant et tout de suite, c'est d'en profiter tout de suite. D'où le dogme que l'on répète dans *Psychologies magazine*, dans tous les ouvrages sur la culture de soi : il faut se faire plaisir tous les jours. Et vous voyez bien que ce « court-termisme », ce culte de l'instant, il change complètement le rapport des générations.

Et puis, il y a un autre point qui est moins facile à aborder, c'est que le corps, c'est un marqueur social. Puis c'est aussi un facteur d'inégalité très fort. On ne sait pas suffisamment qu'entre une jeune fille, un jeune garçon qui sont beaux et ceux qui ne le sont pas, les carrières vont être différentes, les niveaux de rémunération vont être différents, évidemment les fréquentations vont être différentes, et qu'on tend à avoir un monde, y compris un monde professionnel, et un monde économique, qui est de plus en plus avide de beauté et qui de plus en plus classe les gens, distingue les gens selon leur beauté physique. C'est très frappant de voir les groupes de jeunes qui se constituent en disant : « Autour de moi, y a que des gens beaux, les autres j'en veux pas ». Mais on est sur quelque chose d'assez nouveau, de très exigeant, pas nécessairement de très optimiste d'ailleurs.

Extrait de « Rue des Entrepreneurs », de Dominique Dambert et Didier Adès, invité : Hervé Juvin, *France Inter*, 07/01/2006.

* usufruitier : personne qui peut profiter d'un bien appartenant à un autre.

10 Page 130, **Intonation**

1. Il n'en fait qu'à sa tête.
2. Il a la grosse tête.
3. Tu ne lui arrives pas à la cheville.
4. Garde ton sang-froid.
5. Je me suis fait des cheveux.
6. Il n'a rien dans l'estomac.
7. C'est une grosse tête.
8. Tu coupes les cheveux en quatre.
9. Il se fait du mauvais sang.
10. Elle a toujours bon pied bon œil.
11. Il a la main verte.
12. Donne-lui un coup de pouce.
13. J'ai l'estomac dans les talons.
14. C'est son bras droit.
15. C'est au poil.

UNITÉ 8 **NATURE**  *CD 2*

11 Page 140, **Débat : l'environnement**

JOURNALISTE : *Mesdames, messieurs, quelles sont les questions qui vous préoccupent en matière d'environnement ?*

INVITÉ 1 : Ce qui est le plus préoccupant, c'est le problème de l'énergie. 90 % de l'énergie consommée dans le monde n'est pas renouvelable et les ressources s'épuisent.

INVITÉE 2 : L'accroissement de la population mondiale, notamment dans les régions les plus pauvres, est également un problème. La Terre peut nourrir jusqu'à dix milliards d'individus, mais après ?

INVITÉ 1 : La production de déchets, des eaux usées, des engrais, des pesticides, des produits chimiques entraîne la pollution de l'eau. Un homme sur cinq n'a pas accès à l'eau potable.

INVITÉE 3 : Et n'oublions pas la déforestation. 28 hectares de forêt disparaissent à chaque minute. C'est le poumon de la planète qui est atteint.

JOURNALISTE : *Alors que proposez-vous ?*

INVITÉ 1 : C'est l'activité humaine qui est responsable de cette catastrophe écologique. L'homme est désormais une espèce menacée. Il est urgent de développer d'autres sources d'énergie, comme le solaire, les éoliennes ou la géothermie pour espérer changer le cours du destin.

INVITÉE 2 : On a longtemps opposé développement et écologie, comme si c'étaient des concepts inconciliables. Mais les inondations ou, au contraire, les sécheresses récentes nous incitent à une véritable prise de conscience, un changement de mentalités.

INVITÉE 4 : Je suis d'accord avec Madame. On ne peut plus nier la réalité du changement climatique. Mais nous avons pris beaucoup de retard. Nous devons agir à tous niveaux, individuel comme international.

INVITÉ 1 : L'accès aux ressources doit s'appuyer sur le partage des richesses et la réduction des inégalités entre pays riches et pays pauvres.

INVITÉE 2 : C'est vrai. On vit dans l'idéologie de la croissance indéfinie pour tous. Si toute la population mondiale se mettait à vivre comme aux États-Unis, il faudrait cinq ou six planètes supplémentaires pour subvenir à nos besoins. Ce modèle de développement, fondé sur les énergies fossiles, est condamné par les faits. Nous devons envisager l'avenir, et pas seulement celui du tiers-monde, sur des bases conformes à la réalité : relocalisation de la production, autonomie alimentaire, encouragement du travail artisanal.

INVITÉE 4 : On ne peut pas défendre une politique de décroissance économique. Nous devons aller non pas vers une société de privation mais vers une société de modération. Les gens peuvent se mobiliser et changer leurs gestes quotidiens : éteindre la lumière en sortant d'une pièce, préférer les transports en commun, mieux consommer.

INVITÉ 5 :Tout à fait. Nos entreprises peuvent sélectionner des fournisseurs équitables, en obligeant les industriels à s'engager sur des chartes éthiques contrôlées par des ONG et valorisant les bonnes pratiques. Elles témoigneront ainsi de leur implication sociale et s'assureront, de ce fait, la fidélité des consommateurs et leur propre développement.

INVITÉE 3 : Non, il est illusoire de laisser le choix à l'initiative individuelle. C'est aux gouvernements de poser le cadre d'ensemble qui modifiera les comportements, par l'information, la réglementation et l'incitation économique, par exemple par l'instauration d'aides ou de taxes.

INVITÉ 1 : Aucune réglementation des pays du Nord ne pourra empêcher les migrations venues des pays du Sud. Il est de notre devoir de soutenir les états dans leurs efforts pour maîtriser l'évolution démographique. Mais il serait illusoire de dissocier cette action des politiques de santé, d'alimentation et d'éducation. Une solidarité à l'échelle mondiale est nécessaire.

12 Page 141, **exercice 1**

Du Nord et des Ardennes au Bassin parisien, on constatera une belle amélioration par rapport à hier. Cependant quelques averses, de pluie et neige mêlées, pourront se produire sous un ciel variable.

La perturbation neigeuse qui est arrivée hier matin par le Nord s'étend en ce moment du Massif central à la frontière allemande, en passant par la Bourgogne. Le ciel sera couvert et il y aura quelques chutes de neige, en particulier sur les reliefs.

En Bretagne, Normandie, Val de Loire, Poitou-Charentes, le ciel sera également variable. Malgré tout, les éclaircies domineront même si quelques averses isolées sont possibles.

Du golfe du Lion à la Côte d'Azur, les Alpes du Sud, nous aurons une journée bien ensoleillée, avec des vents modérés.

Sur les Alpes du Nord, la journée sera froide. Il a fait moins 10 au lever du jour à Grenoble avec un ciel mitigé. Quelques flocons pourront tomber ça et là.

En Aquitaine et Midi-Pyrénées, le ciel sera assez chargé, avec des averses fréquentes sur les Pyrénées, neigeuses à partir de 500 m.

En Corse, averses et orages sont au menu de la journée.

Maximum pour l'après-midi : de 1° à Strasbourg à 12 à Nice et Ajaccio. Il fera 2° à Nancy, 3 à Limoges,

5 à Paris, 7 à Toulouse, 8 à Rennes, 9 à La Rochelle, 10 à Perpignan.

Demain, l'atmosphère sera toujours froide. On constatera peu de changements dans le ciel, sauf sur les Pyrénées et la Corse où le temps redeviendra sec.

13 Page 151, **exercice 4, Intonation**

1. Il s'en va.
2. Je vais y arriver.
3. On va s'y mettre.
4. J'en ai ras le bol.
5. T'en fais pas !
6. T'en fais une tête !
7. Je m'en fiche.
8. J'en ai vu d'autres.
9. Où voulez-vous en venir ?
10. Je m'y fais
11. Je n'en peux plus !
12. Tu n'y connais rien !
13. Tu t'y prends mal !
14. Où en es-tu ?
15. Vous m'en voulez vraiment ?

UNITÉ 9 **ET DEMAIN ?** *CD 2*

14 Page 158, **exercice 2**

1. Vous finirez ce rapport pour demain.
2. Vous rencontrerez un milliardaire et vous vous marierez avec lui.
3. Quelqu'un vous attendra à l'aéroport, il vous remettra les microfilms et il vous conduira au lieu du rendez-vous.
4. Je ne la verrai plus jamais.
5. Il neigera demain sur les Pyrénées.
6. Vous allez entendre la Sonate n° 2 pour piano, interprétée par Albert Résina.
7. – Qu'est-ce que tu fais, toi, à Noël ?
   – Je pense que je vais rester ici.
8. Écoute, tu ne vas pas rester comme ça à te plaindre toute la journée !
9. Si ça continue, je vais porter plainte.
10. Nous partirons très loin tous les deux !

15 Page 159, **exercice 5, Intonation**

1. J'ai bien l'intention de ne pas me laisser faire.
2. J'envisage de m'installer à l'étranger.
3. Je compte bien lui dire ses quatre vérités.
4. Je passerai sans doute demain matin.
5. Mon objectif, c'est de gagner plein de fric.
6. J'ai des tas de projets. Notamment créer ma boîte.
7. Je vais filer discrètement.
8. Je te téléphone dans la soirée.
9. Je vais sûrement la voir demain.
10. J'aimerais bien devenir programmateur.
11. Je veux faire pompier quand je serai grand.
12. Je souhaiterais un poste qui corresponde davantage à mes capacités.
13. Mon plan ? Me trouver un boulot peinard.
14. J'ai envie de me faire une toile. Pas toi ?
15. Je pense prendre trois jours de congé la semaine prochaine.

16 Page 161, **Le téléphone portable**

Alain BÉDOUET : Un courriel de Marianne à Santa Monica en Californie : deux anecdotes amusantes, en salle de cours, les étudiants utilisent leur portable pour prendre en photo les présentations, euh sans doute veut-elle dire au tableau, enfin les démonstrations plutôt que d'en recopier furieusement le texte comme avant. Et alors, elle ajoute, ils sont donc plus attentifs aux propos de leur interlocuteur. Ça doit être une enseignante et elle dit, en concert, ils agitent maintenant leurs écrans de portable comme ils le faisaient avant avec des briquets. Bon. Et puis alors plusieurs questions, et ça c'est peut-être pour Victor Jachimowicz, de gens qui disent là encore je résume, tellement il y a de courriels *« Bon, le portable, j'en ai un, je l'utilise etc., mais je l'utilise pour téléphoner, au pire pour envoyer un texto. Est-ce que vous ne croyez pas que tout ce qu'on ajoute la photo, bientôt la télé etc., c'est superfétatoire ? »* Victor Jachimowicz, vous qui, encore une fois, dirigez le labo des essais de la FNAC et qui voyez tous les nouveaux appareils et travaillez dessus.

Victor JACHIMOWICZ : Oui, non mais il est clair qu'il y a aujourd'hui des gens qui nous disent dans nos magasins *« On aimerait acheter un téléphone sans appareil photo »*.

Alain BÉDOUET : Qui fasse que téléphone.

Victor JACHIMOWICZ : Malheureusement, malheureusement ou heureusement, peu importe, je ne sais pas, les opérateurs téléphoniques, de par leur capacité, leur puissance promotionnelle ont fait en sorte qu'il n'y a quasiment plus aujourd'hui de téléphone un peu sophistiqué sans appareil photo. Donc l'appareil photo, il est avec, il est inclus. Mais il est clair que ça n'est pas fini, l'on ne va pas s'arrêter à l'appareil photo, c'était un début. La vague actuelle, c'est l'arrivée de la musique. Hein, il est clair que la musique en écoute directe ou en téléchargement est en train de commencer avec les réseaux haut débit qui sont maintenant disponibles, est en train de commencer à faire de nouveaux usages et à concurrencer le MP3, sous sa forme baladeur traditionnel, et puis ça n'est qu'un début. Derrière ça, il y a la télévision, c'est une réalité qui sera d'ailleurs peut-être sous la forme d'un service géré par les opérateurs téléphoniques ou sous la forme d'une réception de type télévision comme on l'a aujourd'hui, on sait pas bien. Mais y a encore plein plein d'autres utilisations : on reçoit actuellement des téléphones qui sont des GPS. On peut se diriger sans opérateur téléphonique avec ces téléphones dans un certain nombre d'environnements avec des cartographies complètes. J'en passe, y en a plein.

Extrait du « Téléphone sonne » d'Alain Bédouet,
« Qu'est-ce que le téléphone portable a changé en bien ou en mal »,
invité : Victor Jachimowicz, *France Inter*, 17/11/2005.

17 Page 169, **Téléchargement**

– Qu'est-ce que tu écoutes ?

– Hein ?

– Qu'est-ce que tu écoutes ?

– Le dernier titre des Bodybuilders. C'est trop cool.

– Quoi ! Il est déjà sorti ?

– Non, je l'ai téléchargé cette nuit.

– Encore ! tu passes ton temps à ça. Ça doit te coûter une fortune.

– Pas du tout. C'est gratos.

– Mais c'est illégal, c'est du piratage !

– Arrête. Ça vaut la peine. Pour le moment, on trouve le CD qu'à Londres.

– Mais quand tu aimes un artiste, tu as pas envie d'acheter son album ? Ça te fait pas plaisir ?

– Mais attends ! Dans un CD actuel, sur douze chansons, y en a combien de vraiment bonnes ? Moi, je télécharge que celles que j'aime.

– Tu pourrais les payer. Ce que tu fais, c'est du vol.

– Tu exagères. Je fais seulement ça pour moi. On a le droit à la copie privée, non ?

– C'est pas sûr, je crois qu'y a une directive européenne qui dit le contraire pour la musique sur Internet. Fais gaffe, tu pourrais te faire arrêter. J'ai lu un article récemment...

– Qui disait quoi ?

– Qui disait qu'y a une étudiante qui avait téléchargé des centaines, voire des milliers de titres. La police lui a confisqué son disque dur et elle, elle a été condamnée à 10 000 € d'amende.

– Attends, j'ai pas enregistré des centaines de morceaux.

– Oui, bon d'accord, mais tu ne penses pas aux artistes.

– Pourquoi ?

– S'ils ne touchent pas de droits, ils vont se retrouver au chômage.

– C'est pas vraiment mon problème. Tu as vu le prix d'entrée aux concerts ? Ils se gênent pas. Et les compagnies internationales se font des milliards avec leurs compilations.

– Et les artistes qui débutent ? Comment ils vont pouvoir gagner leur vie ?

– Dis donc, ça suffit, hein ! Quand tu me demandes de te copier un CD, tu penses aux artistes ?

UNITÉ 10 **EN SOCIÉTÉ** *CD 2*

18 Page 180, **Violences dans les banlieues**

Laurence Luret : Bonjour Pierre, bonjour à tous. C'est une colère trop longtemps contenue, une rage et un désespoir qui couvaient depuis de longues années déjà face à une société qui toute entière fait semblant de ne pas les voir. C'est ainsi qu'il y a quinze jours débutaient les violences dans les banlieues. Fracture sociale, état d'urgence social, banlieue l'heure de vérité, c'est ce matin dans « Parenthèse ». Et avec nous ce matin, le sociologue Laurent Mucchielli, spécialiste des problèmes d'insécurité et de violence. Bonjour.

Laurent Mucchielli : Bonjour.

Laurence Luret : Malheureusement je dirais la situation actuelle ne vous surprend pas. Vous avez écrit plusieurs livres sur ce sujet, des livres qui d'ailleurs nous mettaient en garde. Alors pour tenter de mieux comprendre, quinze jours après le début des émeutes en banlieue, pourquoi cette colère, que disent ces jeunes qui disent aussi ne pas être entendus.

Laurent Mucchielli : Je pense que sur le fond, il y a une colère qui répond à quatre types d'humiliations qui sont accumulées. Le premier, c'est l'humiliation scolaire. C'est tout le paradoxe évidemment dont chacun est saisi lorsqu'on voit des jeunes qui brûlent non seulement des voitures mais même des écoles. On comprend pas. Je crois que pour le comprendre, il faut revenir à cette humiliation scolaire, au fait que dès le collège, ces jeunes ont le sentiment, c'est tout le paradoxe, que l'école dès lors n'est plus un lieu de promotion sociale, mais est un lieu d'échec, un échec qui renvoie à une humiliation personnelle, on est renvoyé à son infériorité, et que donc en réalité loin d'être un lieu de promotion, c'est une barrière, c'est la première barrière qu'ils ressentent et qui va les séparer de l'autre monde, le ghetto et puis le monde de ceux qui ont réussi. Donc c'est la première humiliation. La deuxième humiliation est de type économique. C'est le problème de la non-insertion dans... sur le marché du travail.

Laurence LURET : C'est le chômage.

Laurent MUCCHIELLI : C'est le chômage. Quand on prend par exemple, et c'est une information disponible hein, lorsqu'on va voir à l'INSEE[1] et qu'on s'intéresse au chômage des jeunes, disons des seize vingt-cinq ans, qu'on cible ceux qui sont sortis de l'école sans diplôme ou avec un simple CAP[2] et qui sont nés de père ouvrier, euh bah dans ces quartiers-là euh le taux de chômage il est à 50 %, c'est-à-dire qu'il est cinq ou six fois supérieur aux moyennes nationales. Donc on est dans un autre monde. Ça veut dire dans certaines catégories de la jeunesse, y a un voire plus d'un sur deux jeunes qui est sur le carreau. C'est ça que ça veut dire. Si on pose pas ça, si on mesure pas le poids de cela, heu, on mesure pas non plus pourquoi des jeunes logiquement en viennent à se dire alors OK je n'ai pas ma place dans le système, je vais me débrouiller en dehors du système. D'où la légitimité de tous les business, les petits trafics, etc. Bon, ça c'est la deuxième humiliation. La troisième humiliation, c'est les rapports avec la police. Et je crois qu'on mesure pas aujourd'hui en France, on l'évoque vaguement lorsqu'on dit faudrait plus de proximité dans la police, bon mais oui c'est peu de le dire, c'est un euphémisme. On mesure pas à quel point ces jeunes ont le sentiment de subir au quotidien une humiliation à travers des contrôles qu'ils interprètent systématiquement comme des contrôles au faciès.

Laurence LURET : Donc je suis un peu basané, je me fais contrôler. J'ai une capuche sur la tête, je me fais contrôler.

Laurent MUCCHIELLI : C'est ça. Pour eux, ce contrôle d'identité policier au quotidien, c'est pour eux le symbole de l'oppression sociale globale et du racisme. C'est comme ça qu'ils le voient, hein, encore une fois. Et il faut essayer de le comprendre ça. Et ça suppose sans doute effectivement qu'on lève un certain nombre de tabous, et qu'on réfléchisse sur le fond, à comment on fait la police en France. Y a un vrai problème là qui n'est absolument pas réellement soulevé dans le débat public. Enfin, il y a une quatrième humiliation, c'est le sentiment de ne pas exister symboliquement dans la société. Ce qui à mon avis renvoie à deux choses différentes. La première qui est un constat qui est que ces populations ne sont pas représentées politiquement. Il n'y a très clairement plus de, c'est hein, plus de militants ni politiques ni syndicaux dans les quartiers. On a une population qui ne vote pas, des jeunes qui sont pas inscrits sur les listes électorales. Donc on a une population qui est muette politiquement, qui n'est pas représentée. En plus de ça, on a une population qui elle a le sentiment très fort que de toute façon on ne veut pas la représenter car on ne la reconnaît pas symboliquement, voire on voudrait à tout prix, à tout prix l'oublier. Et elle, cette population, relie ça au statut de l'immigration, au passé colonial de la France, et au fait que la France n'aurait peut-être jamais complètement digéré cela.

Extrait de « Parenthèse », de Laurence LURET, invité : Laurent MUCCHIELLI, *France Inter*, 12/11/2005.

1. INSEE : Institut National des Statistiques et des Études Économiques. - 2. CAP : Certificat d'Aptitude Professionnelle (le premier des diplômes professionnels).

19 Page 181, **exercice 2, Intonation**

1. – Tu peux m'aider ? J'ai des problèmes avec mes vieux.
   – J'en ai plein le dos de tes histoires. Débrouille-toi.

2. – Je me suis fait piquer mon portable dans le bus.
   – Tu as pas de veine.

3. – Papa, je trouve pas mon cartable.
   – Tu me casses les pieds. Demande à ta mère.

4. – J'krzzzz bghtvr.
   – Je pige pas. Tu peux répéter ?

5. – Il se lève tous les jours après 11 heures et il ne fait rien de la journée.
   – Quel flemmard !

6. – Franck n'est pas là aujourd'hui ?
   – Non, il est à l'hosto. Il s'est cassé la gueule dans l'escalier.

7. – Mais enfin, Hélène, parle-moi.
   – Après tout ce que tu m'as fait ? Fiche-moi la paix.

8. – Il a réussi son bac à 16 ans.
   – Chapeau !

9. – J'ai envie d'aller voir *Les Bronzés en folie*.
   – Ce film est un vrai navet. Je te le conseille pas.

10. – Alors ? Qu'est-ce que tu penses de notre nouvel appartement ?
    – Il est vachement chouette !

20 Page 185, **Et moi, et moi et moi**

Didier ADÈS : Sondages après sondages, on nous le dit, les Français et ils ne sont pas les seuls, sont individualistes. Ils n'ont plus confiance dans les politiques, les syndicats, les médias. Ils se méfient de tout ce qui peut de près ou de loin ressembler à une institution. Faute de réponses satisfaisantes à leurs questions, ils s'en remettent à eux-mêmes pour bricoler leur avenir. Ils revendiquent leur individualisme voire leur égoïsme. Alors, comment en est-on arrivé là ? Par envie de s'affirmer, d'être considéré comme une personne et pas comme un numéro ou par peur face à un monde dont on n'a pas la clé, la tentation du repli sur soi l'emporte.
Les comportements individualistes perturbent les uns, mais font le bonheur de tous les marchands de bien-être, gourous du développement personnel, magazines psy, etc.
Faut-il pour autant considérer que leur conscience de l'intérêt général est morte et enterrée ? Et bien pas si sûr, et c'est surtout pas si simple. *Et moi, et moi et moi, Le culte de soi, La société en émoi.* C'est le dossier aujourd'hui de « Rue des entrepreneurs ». Didier Adès, Dominique Dambert, bonjour.

Dominique DAMBERT : Les comportements individualistes se développent. Un changement historique qui fait couler beaucoup d'encre. Pour Jean-Claude Kaufman, sociologue, observateur attentif des évolutions de la société, individualisme ne rime pas forcément avec égoïsme et encore moins avec bonheur. Le chacun pour soi est un remède par défaut de repères crédibles. Jean-Claude Kaufman est l'auteur de *L'Invention de soi* chez Armand Colin et de nombreux autres ouvrages sur la vie quotidienne des Français. Le dernier en date : *Casseroles, amour et crise, ce que cuisiner veut dire*, toujours chez Armand Colin. Jean-Claude Kaufman.

Jean-Claude KAUFMAN : Le grand changement que nous sommes en train de vivre, c'est le fait que nous entrons dans une société qui est centrée sur nous-mêmes. Chacun devient au centre de sa propre existence et veut opérer des choix, surtout. Autrefois, on s'inscrivait dans la tradition, y avait une transmission des manières de faire : comment élever l'enfant, la mère apprenait à sa fille les quelques gestes pour élever l'enfant. Aujourd'hui, la jeune future mère sur fond d'angoisse très très souvent va lire des magazines, écouter la radio bien sûr, lire des livres et se poser mille questions sur tout pour faire ses propres choix. C'est comme si l'on voyait s'approfondir la démocratie au quotidien, comme si la démocratie avait commencé par un système politique qu'on connaît bien et qu'aujourd'hui, dans la vie quotidienne, dans la vie privée, chacun était de plus en plus au centre. On a envie de vivre nos projets, de vivre nos rêves, et plus que ça, d'avoir nos espaces à nous, de vivre nos rythmes personnels, donc d'être au centre. D'où aussi souvent la fatigue mentale de la société d'aujourd'hui.

Extrait de « Rue des Entrepreneurs »,
de Dominique DAMBERT et Didier ADÈS,
invité : Jean-Claude KAUFMAN, *France Inter*, 07/01/2006.

CORRIGÉS

UNITÉ 1 OPINIONS

▸ page 14, exercice 1

a. Je ne crois pas qu'il ait eu tort.
b. Ça ne m'étonnerait pas qu'il pleuve.
c. Pensez-vous partir à l'étranger ?
d. Je pense que je commencerai à 8 heures. *ou* Je pense commencer à 8 heures.
e. Je trouve que c'était une bonne idée.
f. Je trouve incroyable qu'elle l'ait fait.
g. Vous pensez que nous réussirons ?
h. Il semble qu'elle ne soit plus intéressée.
i. Elle ne pense pas qu'il finisse à temps.
j. Il me semble que le bleu est plus joli.

▸ page 14, exercice 2

modèle A : **a - b - e - g**
modèle B : **c - d - f**

▸ page 19, exercice 1

je crois : **b, d, e**
je ne crois pas : **a, c**

▸ page 19, exercice 2

certitude : **c, d**
léger doute : **a, e**
incertitude : **b**

▸ page 19, exercice 3

réalité : **h**
probabilité : **c, g**
possibilité : **a, b, d**
impossibilité : **e, f**

▸ page 19, exercice 4

++ : **f, j, n**
+ : **c, g, h, i, k, l**
0 : **d, m**
– : **b, e**
– – : **a, o**
Structures suivies de l'indicatif : **c, e, f, g, h, i, j, k, l, m, n**
Structures suivies du subjonctif : **a, b, d, o**

▸ page 24, exercice 2

a. sont ; **b.** prédise ; **c.** vienne ; **d.** aille ; **e.** puisse ; **f.** va être *ou* sera ; **g.** ait ; **h.** ne croie pas *ou* n'ait pas cru ; **i.** soient ; **j.** j'ai raté ; **k.** me dise *ou* m'ait dit ; **l.** fassent ; **m.** collectionnez ; **n.** veulent ; **o.** ment *ou* a menti ; **p.** avez voté (*ou :* votez, allez voter) ; **q.** sont venus ; **r.** ne sait pas ; **s.** connaisse ; **t.** réunissiez.

UNITÉ 2 PAROLES, PAROLES

▸ page 32, exercice 1

a. l'appel *(m.)* ; **b.** le bavardage ; **c.** la calomnie ; **d.** la citation ; **e.** le commentaire ; **f.** la discussion ; **g.** l'exposé *(m.)* ; **h.** l'exagération *(f.)* ; **i.** l'insulte *(f.)* ; **j.** la médisance ; **k.** le mensonge ; **l.** la moquerie ; **m.** la plaisanterie ; **n.** la prière ; **o.** la vantardise

▸ page 33, exercice 2

a. Il m'a demandé si je pourrais venir le lendemain soir.
b. Il m'a proposé d'aller au cinéma.
c. Il m'a demandé de fermer la porte.
d. Il a confirmé que Jean-Pierre ne viendrait pas.
e. Il m'a demandé comment j'étais venu.
f. Il a reconnu qu'il n'avait pas téléphoné.
g. Il a annoncé que, ce jour-là, ils allaient (*ou :* nous allions) changer de programme.
h. Il m'a demandé ce que je voulais faire le soir (*ou* : ce soir-là).
i. Il a affirmé (que c'était faux,) qu'il n'avait jamais dit cela.
j. Il nous (*ou :* m') a demandé si nous lui avions (*ou :* je lui avais) téléphoné la veille.

k. Il a promis qu'il aurait fini le travail quand nous arriverions (*ou :* j'arriverais).

l. Il m' (*ou :* nous) a demandé de parler plus fort.

m. Il m' (*ou :* nous) a recommandé de téléphoner à neuf heures précises.

n. Il s'est exclamé que j'étais belle avec cette robe.

o. Il a murmuré qu'il m'aimait.

▸ page 33, exercice 3

a. Indiquez-moi (*ou :* Précisez-moi) à quelle heure nous avons rendez-vous.

b. Et il a bégayé (*ou :* balbutié) : « Je je su suis tr très concontent de de vous vous voir ».

c. Vous pouvez répéter (*ou :* me rappeler) votre adresse ?

d. Elle me racontait toujours la même histoire pour m'endormir.

e. Il m'a avoué (*ou :* Il a reconnu) que c'était lui qui s'était trompé.

f. Je ne veux pas vous révéler (*ou :* vous dévoiler) mon secret.

g. Il m'a murmuré dans le creux de l'oreille qu'il voulait m'épouser.

h. Elle a annoncé qu'elle allait être candidate aux élections.

i. Tu peux m'expliquer pourquoi tu as fait ça ?

j. Il a affirmé (*ou :* assuré) que ce n'était pas lui le responsable.

▸ page 36, exercice 1

Du moins intense au plus intense :

L'appréhension, **l'anxiété** et **le trac** sont des peurs que l'on éprouve à l'avance. Par exemple avant un examen. **Le trac** est une peur que l'artiste éprouve avant d'affronter un public. **La crainte** est une appréhension.

La frousse, **la trouille** = peur en style familier.

L'angoisse et **la phobie** sont des peurs que l'on ressent dans une occasion bien précise, par exemple à la vue d'une araignée. **La frayeur** est une très grande peur provoquée par un danger.

L'affolement et **la panique** sont de grandes peurs souvent collectives devant un danger réel ou imaginaire.

L'épouvante est une peur soudaine et violente. **L'horreur** est une impression violente de dégoût et de peur. **La terreur** peut être une grande peur qui paralyse mais aussi une peur que l'on fait régner dans une population ou dans un groupe pour briser sa résistance.

▸ page 36, exercice 2

Le bonheur est l'état dans lequel on est lorsque l'on est heureux. **La gaieté** ou **gaîté** est une joie proche de la bonne humeur.

▸ page 36, exercice 3

La peine est une souffrance morale, **la douleur** (plus forte) est une souffrance morale ou physique. **L'abattement**, **l'accablement**, **le découragement** et **la dépression** sont des états de grande tristesse morale. **La déprime** ou **le cafard** sont un peu moins forts. **Le chagrin** est une grande peine causée par un événement particulier (la mort de quelqu'un, une rupture sentimentale...). **La mélancolie** est un état de tristesse vague qui peut être de la nostalgie. **Le désespoir** est une très grande tristesse avec perte d'espoir. **La détresse** est un sentiment d'abandon et de solitude. **L'amertume** est liée à une déception.

▸ page 36, exercice 4

a. être heureux ; **b.** avoir peur de (*ou :* faire peur à, prendre peur) ; **c.** avoir confiance en ; **d.** avoir du (des) remords *ou* causer du (des) remords ; **e.** avoir le moral ; **f.** avoir honte de *ou* faire honte à quelqu'un ; **g.** être curieux *ou* avoir de la curiosité pour ; **h.** chagriner *(rare) ou* avoir du chagrin ; **i.** indifférer (ça m'indiffère) *ou* être indifférent ; **j.** être perplexe

▸ page 37, exercice 5

a. malheureux ; **b.** joyeux *ou* gai ; **c.** calme (*ou :* tranquille, décontracté) ; **d.** méfiant ; **e.** irrespectueux ; **f.** calme (*ou :* décontracté, détendu) ; **g.** inquiet ; **h.** calme ; **i.** amical ; **j.** intéressé *ou* passionné

▸ page 37, exercice 6

a. panique ; **b.** frousse ; **c.** soulagé ; **d.** affolement ; **e.** confiance ; **f.** reconnaissant ; **g.** révoltant ; **h.** remords ; **i.** moral ; **j.** souci

▸ page 39, exercice 2

a. a eu le coup de foudre ; **b.** a fait la cour ; **c.** tomberait amoureuse ; **d.** sortir avec ; **e.** faire l'amour ; **f.** vivre ensemble ; **g.** avait un amant ; **h.** avait une relation avec ; **i.** a fait une scène ; **j.** être un Don Juan ; **k.** a laissé tomber ; **l.** se sont remis ensemble

► page 42, **exercice 1**

a. ensuite ; **b.** finalement ; **c.** d'ailleurs ; **d.** en fait ; **e.** justement ; **f.** pourtant

► page 43, **exercice 2**

a. actuellement ; **b.** en effet ; **c.** mais aussi ; **d.** ainsi ; **e.** quant ; **f.** contrairement ; **g.** certes ; **h.** mais ; **i.** somme toute ; **j.** alors

UNITÉ 3 **MÉDIAS**

► page 51, **exercice 1**

a6 ; b1 ; c2 ; d5 ; e3 ; f3 ; g4

► page 51, **exercice 2**

a. un journal ; **b.** les faits divers (sans importance) ; **c.** un journal *(péjoratif)* ; **d.** les journaux sentimentaux ; **e.** avoir bonne réputation ; **f.** en première page

► page 53, **exercice 2**

a2 ; b3 ; c1 ; d7 ; e6 ; f5 ; g4

► page 53, **exercice 3**

a. Les enfants ont été sauvés grâce à l'intervention rapide des pompiers.

b. L'automobiliste a été condamné pour conduite en état d'ivresse.

c. L'association a cessé ses activités faute de moyens financiers.

d. À force d'insister, il a obtenu une interview.

e. L'émission continue sous prétexte que le public serait satisfait.

► page 53, **exercice 4**

a. car ; **b.** comme (puisque *introduirait une idée de systématisation, de fatalité.)* ; **c.** par manque de ; **d.** en effet ; **e.** vu que

► page 53, **exercice 5**

a. Il a été convoqué par la direction pour ses absences répétées.

b. Elle évitait de porter ce chapeau parce qu'elle avait peur d'être ridicule.

c. Comme il ne portait pas de casque, le motard a été grièvement blessé.

d. Il est impopulaire à cause de sa maladresse.

e. L'euro a progressé car le dollar est fragile.

► page 58, **exercice 1**

a. le journal télévisé ; **b.** la télévision ; **c.** à une heure de grande écoute (21 heures en France) ; **d.** la télévision

► page 58, **exercice 2**

a5 ; b2 ; c1 ; d6 ; e4 ; f3

► page 61, **exercice 2**

a7 ; b8 ; c1 ; d9 ; e3 ; f4 ; g6 ; h2 ; i5 ; j10

► page 61, **exercice 3**

a. La visite du chef de l'État a occasionné la signature d'un important contrat.

b. De violents orages ont causé l'évacuation de plusieurs campings.

c. La visite du Premier ministre a provoqué des incidents.

d. La vente record de son CD résulte de son passage à la télé.

e. L'intervention du député a permis le déblocage de la situation.

▸ page 61, **exercice 4**

La proposition consécutive est généralement à l'indicatif. Elle est au subjonctif quand elle inclut une nuance de but (toujours avec *assez / trop... pour que*, quelquefois avec *de sorte que, de façon que, de manière que*).

▸ page 61, **exercice 5**

a. Il a tellement de chance qu'il gagne souvent au loto.
b. L'ordre du jour était épuisé, la réunion a donc été levée.
c. Nous sommes en retard sur nos objectifs, aussi devons-nous faire des efforts.
d. La situation est si délicate qu'il faut agir avec tact.
e. Il adore la télé au point de la regarder toute la nuit.

▸ page 62, **exercice 2**

a. Une nette amélioration est constatée.
b. Aucune décision ne pourra être prise. *ou* Une décision ne pourra pas être prise.
c. De meilleurs résultats seront obtenus si on change le système.
d. Tous les immeubles anciens seraient détruits.
e. Cette recette se fait facilement. *ou* Il est facile de faire cette recette.
f. Un système de circulation alternée est mis en place. *ou* Un système de circulation alternée se met en place.
g. Il est interdit de circuler dans le centre-ville.
h. Il a été proposé une autre solution moins coûteuse. *ou* Une autre solution moins coûteuse a été proposée.
i. La question est posée. *ou* La question se pose.
j. Ce matériel s'installe rapidement. *ou* Ce matériel est rapidement installé.

▸ page 62, **exercice 3**

a. La France a été battue en finale.
b. Aviation : le marché sud-américain a été perdu.
c. Un ultimatum a été envoyé à Monaco.
d. Un trafiquant de drogue a été assassiné.
e. Un patron de la mafia nord-américaine a été arrêté.
f. 200 emplois vont être créés prochainement.
g. Un césar a été remis à Michèle Lamaire.
h. Le budget des universités a été / est / va être transféré aux régions.
i. Mme Richard a été élue.
j. M. Durillon a été reçu à l'Académie française.

UNITÉ 4 **VOYAGES**

▸ page 68, **exercice 4**

a. tropical ; **b.** aménagée ; **c.** panoramique ; **d.** raffinée ; **e.** américain ; **f.** option ; **g.** climatisation ; **h.** satellite ; **i.** serviettes ; **j.** éclairés ; **k.** tuba ; **l.** voile ; **m.** sous-marine ; **n.** trous ; **o.** folklorique

▸ page 69, **exercice 5**

a. vol ; **b.** hébergement ; **c.** étoiles ; **d.** pension ; **e.** sites ; **f.** guide ; **g.** transports ; **h.** comprend ; **i.** dépenses ; **j.** surcharge

▸ page 72, **exercice 2**

similitude : **a**, **b**, **c**, **f**, **g**
différence : **d**, **e**, **h**

▸ page 73, **exercice 4**

a. ressemblent ; **b.** tel / tel ; **c.** autant ; **d.** comme ; **e.** que ; **f.** dirait ; **g.** rappelle ; **h.** équivaut ; **i.** ainsi que *ou* comme ; **j.** une sorte de

▸ page 73, **exercice 5**

a. même ; **b.** comme ; **c.** plus ; **d.** mieux ; **e.** plus ; **f.** tant ; **g.** de plus en plus

▸ page 73, **exercice 6**

a5 ; **b3** ; **c4** ; **d1** ; **e6** ; **f7** ; **gj** ; **h9** ; **i8** ; **j2**

► page 73, **exercice 7**

a. Il est innocent.
b. Elle est rouge de timidité ou de honte.
c. Il a pris un coup de soleil.
d. Elle n'est pas bronzée.
e. Il est pâle (maladie ou émotion).

► page 76, **exercice 2**

❶ : a, c, e, g, j
❷ : a, c, d, j
❸ : b, f, h
❹ : f, g, h, i

► page 76, **exercice 3**

a. autobus ; **b.** composter ; **c.** queue ; **d.** siège ; **e.** marins *ou* matelots ; **f.** bouchons ; **g.** gare ; **h.** piste ; **i.** consigne ; **j.** cabine

► page 77, **exercice 4**

une bagnole = une voiture.
un tacot = une vieille voiture.
un poids lourd = un camion.
un hélico = un hélicoptère.
un zinc = un avion.

► page 79, **exercice 2**

a. tiers ; **b.** soit ; **c.** représentent ; **d.** par rapport à ; **e.** importante ; **f.** indiquent ; **g.** prépondérante ; **h.** proportions ; **i.** environ ; **j.** écart

UNITÉ 5 **ARTS**

► page 87, **exercice 1**

ont suivi - a poussé - a cédé - sont entrés - se sont trouvés - a refermé - a pris - a fait - a saisi - a touché - a commencé - a compté - a pris - a suivi - a redescendu - a fait - a introduit - a ouvert - a poussé - est sortie - a fermée - s'est trouvé

► page 87, **exercice 2**

ont vu - a été dotée - a décidé - est né *ou* naissait *(imparfait de rupture)* - était censé - se sont poursuivis - a été complété - était situé - ont voulu - a été concrétisé - ont marqué - a pris - connaissons

► page 87, **exercice 3**

naquit - mourut - avait - devint - assura - était - se sentait *ou* s'est senti (résultat) - épousa - mourut - annonça - gouvernerait - crut - tint - écarta - devaient - furent - conduisit *ou* a conduit (résultat) - réforma - accumula - favorisa - menèrent - mourut

► page 92, **exercice 2**

a3 ; **b1** ; **c4** ; **d5** ; **e2**

► page 92, **exercice 3**

a. a posé ; **b.** natures mortes ; **c.** signature ; **d.** patrimoine ; **e.** fresques ; **f.** caricatures ; **g.** huile / eau ; **h.** vernissage ; **i.** cadre ; **j.** pinceau *ou* crayon

► page 94, **exercice 1**

+++ b ; a ; f ; d ; c ; e – – –

► page 94, **exercice 2**

+++ g ; h ; b ; d ; a *ou* **c ; e ; f – – –**

► page 94, **exercice 3**

Tout peut être beau (ou belle), seules les choses petites ou les personnes jeunes ou moins belles peuvent être jolies (**a**, **b**, **g**, **i**, **j**) ou, à plus forte raison, mignonnes (**a**, **b**, **h**, **i**, **j**). Vous pouvez trouver mignon le copain de votre cousine mais vous serez peut-être un peu ironique.

► page 94, **exercice 4**

a, f, g, i	b, e, l	c, d, j	h, i, k

UNITÉ 6 QUELLE HISTOIRE !

► page 104

a. la dynastie ; **b.** la momie ; **c.** la monarchie ; **d.** le privilège ; **e.** le trône

► page 109, **exercice 2**

a. pour l'instant ; **b.** ces jours-ci ; **c.** à ce moment-là ; **d.** finalement ; **e.** à la fin ; **f.** un moment ; **g.** encore

► page 109, **exercice 3**

a2 ; **b3** ; **c4** ; **d5** ; **e1**

► page 109, **exercice 4**

a. en ; **b.** pour / Ø ; **c.** depuis que ; **d.** lors d' *ou* au cours d' ; **e.** depuis ; **f.** il y a ; **g.** dans ; **h.** ça fait *ou* il y a

► page 112, **exercice 3**

a. S'étant perdu, il a demandé son chemin à un passant.

b. Intéressé (*ou :* Étant intéressé) par l'histoire, je voudrais des renseignements sur vos cours.

c. Son exposition ayant eu du succès, il a décidé de se consacrer totalement à la sculpture.

d. Fatigué par la longue attente, il s'assit sur une banquette.

e. Ayant lu votre petite annonce, je me permets de vous contacter.

► page 113, **exercice 5**

a. salués / parlé ; **b.** souvenues ; **c.** cassé ; **d.** revus ; **e.** mangé ; **f.** comprise ; **g.** offerts ; **h.** trouvé / mises ; **i.** lavé ; **j.** enfuie

► page 113, **exercice 6**

a. m'a prêtés ; **b.** nous a envoyé ; **c.** avez vu / se sont fait ; **d.** se sont rappelé ; **e.** ne nous a pas écrit ; **f.** se sont souvent téléphoné ; **g.** en a beaucoup donné ; **h.** s'en sont allés ; **i.** s'est rendu compte ; **j.** vous a montrée / vous a plu

UNITÉ 7 UN CORPS SAIN

► page 126, **exercice 1**

1. : **d, e, h, j**
2. : **b**
3. : **g, i**
4. : **a**
5. : **c, f**

► page 128, **exercice 2**

a. Quand on pratique, on fait des progrès.

b. Je l'ai rencontré alors que je courais dans le bois de Vincennes.

c. Si on cultivait nos fruits et nos légumes, on ferait des économies.

d. Comme il a suivi un régime végétarien, il a perdu du poids.

e. Il a été malade après avoir mangé des champignons.

► page 128, **exercice 3**

a. en faisant ; **b.** en la répétant ; **c.** en t'attendant ; **d.** en vous dépêchant ; **e.** se dirigeant ; **f.** équivalentes ; **g.** comprenant ; **h.** suffocante ; **i.** en faisant ; **j.** volant

► page 128, **exercice 4**

a. correspondant ; **b.** souriants ; **c.** comportant ; **d.** excellents ; **e.** concernant ; **f.** encombrants ; **g.** précédant ; **h.** équivalant ; **i.** reconnaissants ; **j.** négligents

► page 133, **exercice 2**

a. C'est un ami que je vois souvent et à qui je téléphone chaque jour.

b. J'ai vu un film qui date de 1980 et dont je ne me souvenais pas.

c. Voici un livre que je te recommande et dont tu as besoin pour tes études.

d. Je te présenterai une collègue avec qui (*ou :* laquelle) je travaille régulièrement et dont les résultats sont excellents.

e. J'ai perdu le stylo que ma femme m'avait offert et avec lequel j'écrivais toujours.

f. C'est Sylvain, mon associé en qui j'ai confiance et dont les parents sont mes voisins.

g. C'est un club de gym sympa où je vais tous les samedis et qui n'est pas très cher.

h. C'est un homme énorme à côté duquel (*ou :* de qui) je me sens tout petit.

i. C'est une cousine que je vois rarement mais grâce à qui (*ou :* laquelle) j'ai trouvé du travail.

j. Je vais te montrer un terrain que je vais aménager et au milieu duquel je vais faire construire ma future maison.

► page 133, **exercice 3**

a. dont / que ; **b.** qui / où ; **c.** où ; **d.** auxquels *ou* à qui ; **e.** que / qui ; **f.** qui / qu' ; **g.** que / sur lequel *ou* où ; **h.** dont ; **i.** duquel / que ; **j.** qui / sur qui *ou* sur lequel

UNITÉ 8 NATURE

► page 140, **exercice 2**

a. le réchauffement ; **b.** la hausse ; **c.** la disparition ; **d.** l'élévation ; **e.** îles ; **f.** climatique ; **g.** l'extinction ; **h.** animales ; **i.** des inondations ; **j.** météorologique

► page 141, **exercice 1**

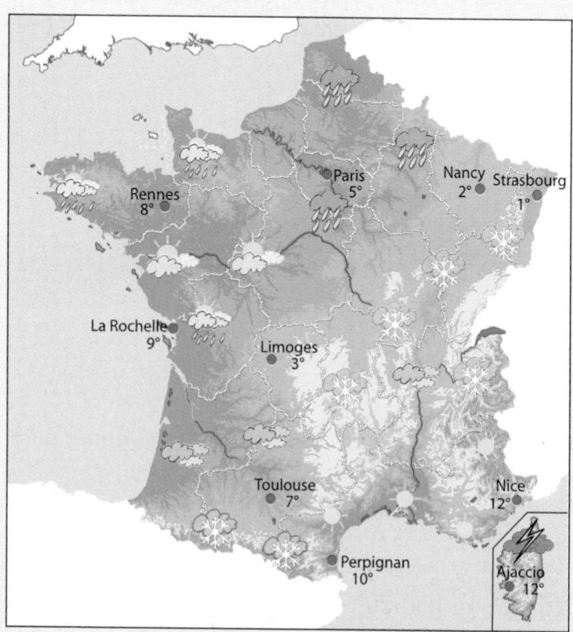

► page 141, **exercice 2**

a. gelé ; **b.** brumeux ; **c.** *il n'existe pas* ; **d.** neigeux / enneigé ; **e.** orageux ; **f.** pluvieux ; **g.** sec ; **h.** ensoleillé ; **i.** venteux ; **j.** verglacé

► page 141, **exercice 3**

La latitude

Au niveau de l'**équateur**, les pays reçoivent les rayons du Soleil verticalement : l'énergie solaire est très importante, il fait très chaud. Plus on s'éloigne de cette zone, plus les **rayons** frappent la Terre de façon oblique et mettent de temps à toucher le sol : l'énergie **solaire** est moins forte, la chaleur est moindre.

L'influence des vents

Les vents sont des masses d'**air** qui se déplacent au-dessus de nos têtes et déterminent le temps qu'il fait. Ils véhiculent la chaleur, le froid et l'humidité, mais aussi les **nuages**. La France est sous l'influence de deux masses d'air : le vent **polaire** maritime (froid) et l'air **tropical** maritime (chaud et humide).

Chaleur et sécheresse

Le soleil et la chaleur sont tellement présents tout au long de l'année que l'eau des **pluies** s'évapore très vite. La **sécheresse** des sols est très importante et rappelle par endroits celle des déserts. En été, les températures montent jusqu'à 30°. En hiver, la température est très douce : 8° en **moyenne**.

D'après Pascal COATANLEM, *La France, Premières notions de géographie*, 2001.

► page 144, **exercice 2**

a. nordique *ou* septentrional ; **b.** austral ; **c.** oriental ; **d.** occidental ; **e.** territorial ; **f.** terrestre ; **g.** mondial ; **h.** tropical ; **i.** équatorial ; **j.** méridional

► page 144, **exercice 3**

Les Pyrénées

Âgées de 60 millions d'années, les Pyrénées **culminent** à 3 298 m et possèdent de nombreux lacs et torrents en altitude. En été, vous pourrez être surpris par la particularité des Pyrénées : le brusque changement de **temps**. Chaleur et ciel bleu, le matin, nuages et pluie d'**orage** le midi !

La star de l'Europe

Nées il y a trente millions d'années, les Alpes (qui s'étirent de la Méditerranée jusqu'en Autriche) sont les plus grandes **montagnes** d'Europe. Elles possèdent des sommets **dépassant** parfois 4 000 m, notamment l'endroit le plus **élevé** d'Europe, le Mont-Blanc. Au cœur des Alpes françaises, il culmine à 4 807 m.

Les volcans

Les volcans d'Auvergne sont comme d'énormes cheminées d'où surgit, il y a huit millions d'années, une matière issue des profondeurs de la Terre : le magma en fusion, la **lave**. Recouverts d'herbe, ces volcans en forme de **dômes** s'étendent sur 70 km d'est en ouest dans la chaîne des Puys. Les quatre-vingts volcans du Massif central sont **éteints** depuis six mille ans.

La Loire

Avec ses 1 012 km, la Loire est le plus long **fleuve** de France. Elle prend sa **source** à 1 408 m, au mont Gerbier-de-Jonc, en Ardèche, dans le Massif central. La Loire finit sa course dans l'**estuaire** de Nantes où elle rejoint l'océan Atlantique.

Les côtes sableuses

Là où les plaines rejoignent la mer, on trouve d'immenses étendues de **plages** de sable ou de galets : ce sont les côtes sableuses. Composé de débris de **roches** que la mer a arrachés petit à petit aux côtes rocheuses, le sable est transporté sur le **littoral** grâce aux courants, aux vagues et aux marées.

D'après Pascal COATANLEM, *La France, Premières notions de géographie*, 2001.

► page 145, **exercice 4**

a. l'avalanche ; **b.** la dune ; **c.** le pic ; **d.** l'embouchure ; **e.** l'archipel

► page 146, **exercice 1**

a. endroit ; **b.** sa place ; **c.** le coin ; **d.** bornes ; **e.** pas ; **f.** périphérie ; **g.** cet emplacement ; **h.** l'orientation ; **i.** l'axe ; **j.** site

► page 147, **exercice 2**

a. à ; **b.** au ; **c.** du / de ; **d.** de ; **e.** en *ou* sur le ; **f.** à ; **g.** à ; **h.** à ; **i.** par ; **j.** sur *ou* à

► page 149, **exercice 2**

a5 ; b7 ; c9 ; d8 ; e1 ; f6 ; g3 ; h10 ; i2 ; j4

► page 149, **exercice 3**

a1 ; b2 ; c9 ; d3 ; e8 ; f4 ; g10 ; h5 ; i7 ; j6

► page 151, **exercice 2**

a. Oui, il en vient à l'instant.

b. Oui, il vient d'Italie.

c. Oui, il en a trois ou quatre.

d. Je ne sais pas, il parle rarement d'eux.

e. Oui, j'y ai réfléchi.

f. Oui, je vous le permets.

g. Il lui a donné le nom de sa mère : *Chez Catherine*.

h. Oui, il a toujours besoin d'eux.

i. Oui, il en mange souvent.

j. Oui, j'aime ça.

► page 151, **exercice 3**

a. le lui ; **b.** m'en ; **c.** les lui ; **d.** s'y ; **e.** vous y *ou* t'y ; **f.** m'en une ; **g.** y ; **h.** la moi ; **i.** en / un ; **j.** me la

UNITÉ 9 **ET DEMAIN ?**

► page 159, **exercice 3**

a. auras ; **b.** ira *ou* va aller mal ; **c.** vais te raconter ; **d.** vais prendre ; **e.** comprendras ; **f.** appellerai ; **g.** va s'arranger ; **h.** va durer ; **i.** serai / sera ; **j.** va leur faire

► page 159, **exercice 4**

a. ira / aura vendu ; **b.** fera-t-elle / aura perdu ; **c.** joueront / pleuvra ; **d.** ferez / serez rentré(e)(s) ; **e.** feras / seras ; **f.** choisirez-vous /aurez fini

► page 162, **exercice 1**

a. est devenue riche *ou/et* célèbre ; **b.** a rendu sourd ; **c.** rendent triste ; **d.** rend nerveuse ; **e.** devient compliquée

► page 163, **exercice 2**

a. embellir ; **b.** blanchir ; **c.** enlaidir ; **d.** légaliser ; **e.** ralentir ; **f.** noircir ; **g.** purifier ; **h.** salir ; **i.** simplifier ; **j.** verdir

► page 163, **exercice 3**

a. durcir ; **b.** enrichir ; **c.** grossir ; **d.** allonger ; **e.** grandir

► page 163, **exercice 4**

a. ralentir / allure *ou* vitesse ; **b.** progression *ou* augmentation / élargissement ; **c.** allongement / adaptation ; **d.** croissance / baisse ; **e.** préservation / voie

► page 166, **exercice 2**

a. un astronome ; **b.** un biologiste ; **c.** un chimiste ; **d.** un géomètre ; **e.** un géologue ; **f.** un mathématicien ; **g.** un médecin ; **h.** un physicien ; **i.** un chercheur ; **j.** un scientifique

► page 166, **exercice 3**

a. la biologie ; **b.** la zoologie ; **c.** la physique ; **d.** la chimie ; **e.** les mathématiques

► page 166, **exercice 4**

a. panne ; **b.** mode d'emploi ; **c.** réglé / réparer ; **d.** inventé ; **e.** formule ; **f.** éteins ; **g.** découvert ; **h.** bouton ; **i.** expérimentation

► page 167, **exercice 2**

a. traitement ; **b.** données ; **c.** unité centrale ; **d.** logiciel ; **e.** banques de données ; **f.** serveur ; **g.** réseau ; **h.** ordinateurs ; **i.** courriels ; **j.** site

► page 168, **exercice 2**

a. pour que ; **b.** qui ; **c.** de façon ; **d.** pour ; **e.** en sorte ; **f.** de manière qu' *ou* afin qu' ; **g.** afin que ; **h.** pour ; **i.** objectif ; **j.** le but

(D'autres solutions sont possibles.)

► page 169, **exercice 4**

a. J'ai acheté un ordinateur portable afin de travailler dans le train le matin.

b. Elle avait mis des lunettes de soleil de sorte qu'on ne la reconnaisse pas.

c. Au lieu du train, il a pris l'avion dans le but d'être de retour plus tôt que prévu.

d. Il avait souligné en rouge l'heure du rendez-vous dans l'intention de ne pas l'oublier.

e. Marchez sur la pointe des pieds pour que personne ne vous entende.

(D'autres solutions sont possibles.)

UNITÉ 10 EN SOCIÉTÉ

▸ page 176, **exercice 3**

a. licencié ; **b.** entreprise ; **c.** ANPE ; **d.** certificat de travail ; **e.** CV ; **f.** candidature ; **g.** entretien d'embauche ; **h.** engagé ; **i.** CDD ; **j.** CDI

▸ page 177, **exercice 4**

a. une entreprise ; **b.** travailler ; **c.** un employé de bureau, de magasin ; **d.** un ouvrier ; **e.** le travail ; **f.** une heure supplémentaire ; **g.** un jour non travaillé ; **h.** un jour travaillé ; **i.** licencier ; **j.** le travail en usine où chacun répète les mêmes gestes ; **k.** le travail non déclaré ; **l.** licencier

Expressions synonymes : **i** et **l**.

▸ page 179, **exercice 2**

a. soit ; **b.** soit ; **c.** connaît ; **d.** dort ; **e.** savez ; **f.** ait

▸ page 179, **exercice 3**

a. au lieu de ; **b.** mais ; **c.** pourtant ; **d.** mais ; **e.** bien qu' ; **f.** as beau ; **g.** quand même ; **h.** n'empêche ; **i.** tout de même ; **j.** contrairement

▸ page 179, **exercice 4**

a. Bien qu'il soit malade, il mène la vie de tout le monde.
b. Le marchand a l'air honnête mais ce n'est qu'une apparence.
c. Cette broderie semble faite à la main alors qu'elle est faite à la machine.
d. En dépit de son air doux, son chien mord ceux qui s'approchent de trop près.
e. Tu aimerais obtenir ce poste, cependant il est peu probable que tu l'aies.
f. L'antiquaire restaure les vieux meubles avec une grande habileté, malgré tout, un spécialiste ne s'y trompe pas.
g. Il a beau avoir commis des erreurs, la direction n'a pas perdu confiance en lui.
h. Même si ma ville est très étendue, je la connais comme ma poche.
i. Vous êtes souvent triste, pourtant vous avez tout pour être heureuse.
j. Il a l'air d'accepter les critiques facilement, n'empêche qu'en réalité, il est susceptible.

▸ page 181, **exercice 1**

a10 ; b12 ; c4 ; d3 ; e1 ; f6 ; g13 ; h5 ; i8 ; j7 ; k9 ; l14 ; m15 ; n11 ; o2

▸ page 181, **exercice 3**

a. a préparé ; **b.** ai jeté *ou* ai balancé ; **c.** a dessiné ; **d.** a encore subi ; **e.** ai commis ; **f.** pesait ; **g.** a suivi ; **h.** rédigera *ou* lira *ou* dira *ou* prononcera ; **i.** a enfilé ; **j.** a composé *ou* a écrit

▸ page 184, **exercice 2**

a. étais / prendrais ; **b.** tomberiez / faudrait ; **c.** dise ; **d.** avais écouté(e) ; **e.** viennes ; **f.** soit ; **g.** aies ; **h.** était / fasse

▸ page 184, **exercice 3**

a. Le match sera annulé en cas de pluie.
b. Avec de la chance, nous pourrons réussir.
c. À moins d'un embouteillage, nous arriverons à temps.
d. À condition de partir avant 9 heures, ça ira très vite.
e. Au cas où tu aurais raison, il faudrait tout modifier.

▸ page 187, **exercice 2**

a. reçoive ; **b.** sont ; **c.** a téléphoné ; **d.** puisse ; **e.** se soit mal passé ; **f.** dit ; **g.** ait eu ; **h.** a fini ; **i.** écrit ; **j.** soit

▸ page 187, **exercice 3**

a. Attendons jusqu'à ce qu'elle (*ou :* il) revienne.
b. Nous ferons tout pour qu'elle (*ou :* il) réussisse.
c. Ne le dérangez pas pendant qu'il s'entraîne.
d. Il reste lucide bien qu'il soit malade.
e. Nous devons patienter en attendant qu'elle (*ou :* il) réponde.
f. Il est craint parce qu'il est agressif.
g. Je ne l'ai pas revu après qu'il est arrivé.
h. Depuis que le gouvernement a changé, la situation s'est stabilisée.

Table des crédits

Illustrations : Couverture : Oliver Knight/Alamy **- p. 10 :** Jean Ayissi/AFP; La Compagnie des Femmes; Jacques Demarthon/AFP **- p. 11 :** Stephane de Sakutin/AFP; Jean-Pierre Muller/AFP **- p. 15 :** Jean-Pierre Muller/AFP; Patrick Zachmann/Magnum Photos **- p. 16 :** Sylvie Baudet; Laurent Zabulon/Abacapress.com; nous remercions Lutte ouvrière, le Parti Socialiste, la Ligue communiste révolutionnaire, l'Union pour la démocratie française, le Parti communiste français, l'Union pour un mouvement populaire, Les Verts **- p. 20 :** Peter Marlow/Magnum Photos **- p. 22 :** Jérôme Bonnefoy **- p. 23 :** © Lucky Comics 2006 **- p. 25 :** gravure de Thomas de Leu/Photothèque Hachette Livre (b); gravure Bill Nali/Photothèque Hachette Livre (e); DR/Photothèque Hachette Livre (f); Photothèque Hachette Livre (a, c, g, i); gravure de Carlo Faucci, 1967/Photothèque Hachette Livre (h); gravure d'Edelinck/Photothèque Hachette Livre (j) **- p. 26 :** Dale O'Dell/Alamy **- p. 27 :** Pierre Jahan/Roger Viollet; Selva/Leemage **- p. 31 :** Dominique Simon **- p. 34 :** Pierre Verdy/AFP **- p. 41 :** Michel Clement/AFP **- p. 44 :** Sylvie Baudet, María Mora **- p. 45 :** Mauritius/Photononstop **- p. 48 :** Mike Gunnill/EPA/Sipa **- p. 50 :** Nous remercions : *Libération, Figaro, La Voix du Nord, Le Républicain Lorrain, Ouest France, Le Télégramme, Le Parisien, L'Est Républicain, Le Berry Républicain, Le Journal du Centre, La Nouvelle République, Le Populaire, Le Progrès, La Montagne, Sud Ouest, La Dépêche, Midi Libre, La Provence, Nice-Matin, Corse-Matin* **- p. 54 :** © Marsu by Franquin 2006 - www.gastonlagaffe.com pour l'illustration "Gaston"; ND/Roger Viollet **- p. 55 :** A.N.T. Photo Library/NHPA/Cosmos **- p. 57 :** Collection Christophe L **- p. 59 :** Serge Krouglikoff/Guetty Images **- p. 63 :** Pascal Sittler/Rea **- p. 64 :** Reporters Sans Frontières/AFP **- p. 66 :** Martin Parr/Magnum Photos **- p. 67 :** Elizabet Carmel/Superstock/Sipa **- p. 70 :** Martin Kirchner/Laif-Rea **- p. 71 :** Owen Franken/Corbis **- p. 73 :** Photothèque Hachette Livre ; Yann Arthus-Bertrand/Corbis; LL/Roger Viollet; Martin Bureau/AFP **- p. 75 :** Georges Gobet/AFP **- p. 77 :** Juan Mora **- p. 80 :** Renaud Visage/Age Fotostock/Hoa-qui **- p. 81 :** Anne-Marie Dauvilliers **- p. 82 :** Christian Vaisse/Hoa-qui **- p. 84 :** Raphaël Gaillarde/Gamma **- p. 88 :** *L.H.O.O.Q.*, Marcel Duchamp, 1919, private collection/© Boltin Picture Library/The Bridgeman Art Library/©succession Marcel Duchamp - Adagp, Paris 2006 **- p. 90 :** François Le Diascorn/Rapho **- p. 91 :** Sipa **- pp. 93, 99 :** © "Pyramide du Louvre", architecte I.M.PEÏ/Vladimir Pcholkin/Age Fotostock/Hoa-qui **- p. 95 :** Raphaël Gaillarde/Gamma **- p. 96 :** Minamikawa/Sipa **- p. 97 :** José Nicolas/Sipa **- p. 98 :** STF/AFP **- p. 102 :** Extrait de l'ouvrage *La Fleur au fusil* de Tardi/© Casterman S.A. **- pp. 103, 107 :** Photothèque Hachette Livre **- p. 105 :** Alain Jocard/AFP **- p. 106 :** Frans II Porbus/Photothèque Hachette Livre (a); Juste d'Egmont/photos12.com-ARJ (b); Gisèle Freund/© Documentation française (c); Photothèque Hachette Livre (d, h); photos12.com-ARJ (e); Photo Josse Robert Lefèvre/Photothèque Hachette Livre (f) Jean-Marie Marcel/© Documentation française (g); Photos12.com-Oronoz (i); François Pagès/Paris-Mach/© Documentation française (j) **- p. 110 :** D.R., Photothèque Hachette Livre **- pp. 114, 115, 118 :** Photothèque Hachette Livre **- p. 116 :** Astérix et Obélix, *La Serpe d'or* © 2006, Les Éditions Albert René/Goscini-Uderzo **- p. 117 :** Louise Gubb/Corbis Saba; Orlando Sierra/AFP; Dominique Aubert/ Corbis Sygma **- p. 120 :** Mychele Daniau/AFP **- p. 122 :** CEAFL Val de Loire **- p. 125 :** Rémy Buttigieg-Sana/Ed. Didier; Michel Gaillard/Rea **- p. 126 :** Aurélie Baudet; Jean-Paul Boyer/Stockfood **- p. 129 :** Haley/Sipa; INPES **- p. 130 :** Pierre Bessard/Rea **- p. 131 :** © Les Humanoïdes Associés, SAS, Paris **- p. 132 :** Jiji Press/AFP **- p. 135 :** Rémy Buttigieg-Sana/Ed. Didier; John Feingersh/Corbis **- p. 138 :** Yann Arthus-Bertrand/Corbis **- p. 139 :** Jean-Paul Garcin/Photononstop **- p. 142 :** Annette Soumillard/Hémisphères Images **- p. 145 :** Fédération des Parcs naturels régionaux de France **- p. 148 :** Andre Zelck/laif-Rea **- p. 149 :** © Marsu by Franquin 2006- www.marsupilami.com pour l'illustration "Marsupilami" **- p. 153 :** Abdelhak Ouddane **- p. 154 :** Jean-Maurice Gouedard/Francedias.com **- p. 156 :** Ahn Young-Joon/AP Photo/Sipa **- p. 157 :** Photothèque Hachette Livre **- p. 159 :** Motor-Presse Syndicat/ebloui.com **- p. 160 :** Extrait de l'ouvrage *Le Sommeil du monstre* de Bilal/© Casterman S.A. **- p. 164 :** Fred Dufour/AFP **- p. 165 :** Dino Fracchia/Rea **- p. 167 :** Jerry Mason/SPL/Cosmos **- p. 170 :** Pierre-Franck Colombier/AFP; texte illustré avec l'autorisation de Philips **- p. 171 :** Mauritius/Photononstop; Nick Dolding/Guetty Images **- p. 174 :** Anne Van Der Stegen/Editingserver.com **- p. 175 :** idé **- p. 180 :** Sébastien Erome/Editingserver.com **- p. 182 :** Andrea Chu/Guetty Images; Juan Mora **- p. 185 :** *Psychologies Magazine* **- p. 189 :** Pascal Pavani/AFP; Image crée par Moises Finale, le graphisme Eva Morsch Kihn/l'A.R.C.A.L.T. "L'Association Rencontres Cinémas d'Amérique Latine de Toulouse organise depuis 1989 les Rencontres Cinémas d'Amérique Latine de Toulouse. Les deux objectifs fondateurs du projet culturel de l'A.R.C.A.L.T. sont de faire connaître des cinématographies marginalisées par des circuits de distribution commerciale et de contribuer à leur diffusion et de développer la solidarité avec les créateurs latino-américains. Le cinéma, parce qu'il véhicule l'imaginaire et le réel des peuples et des pays de l'Amérique latine, contribue à forger leur identité et constitue une approche et un moyen de communication indispensable pour tisser des liens entre les cultures différentes".

Textes : p. 22 : © Prisme Presse - *Ça m'intéresse,* février 2005 **- pp. 27-28 :** © Éditions Gallimard **- pp. 30-31 :** © Prisme Presse - *Ça m'intéresse,* septembre 2005 **- p. 40 :** © Société nouvelle des éditions Pauvert, 1979, 1996 et 1998 ©Librairie Arthème Fayard, 1999 pour l'édition en *Œuvres complètes* **- p. 41 :** *Ma plus belle histoire d'amour*, paroles et musique Barbara © 1966 Warner Chappell Music France (Ex. Société Nouvelle des Éditions Musicales Tutti) **- p. 71 :** texte extrait du guide du Routard Martinique édition 2006 avec l'aimable autorisation d'Hachette Tourisme **- p. 90 :** AP **- p. 97 :** texte extrait du guide Bleu Musées de Paris édition 2000 avec l'aimable autorisation d'Hachette Tourisme **- p. 98 :** *La Vie d'artiste*, paroles de Léo Ferré et Francis Claude, musique Léo Ferré, "publié avec l'autorisation des Nouvelles Éditions Méridian, Paris, France" **- p. 107 :** PEMF/Coll. Bonjour l'histoire : *De Henri IV à Louis XIV,* 1988 **- pp. 120-121 :** Presses Universitaires de France **- p. 134 :** Éditions Gallimard **- p. 136 :** *Du poisson dans les fraises*, Arnaud Apoteker/La Decouverte **- pp. 141, 144, 221 :** La Martinière **- p. 170 :** D.R. **- p. 175 :** AFP **- p. 188 :** Le Cherche Midi Éditeur.

CD audio : CD 1 : introduction : *Be Free*, Pierre Perez-Vergara/KMusic/Kosinus **- pl. 9 :** *Ma plus belle histoire d'amour* interprété par Barbara (p) 1967 Mercury France avec l'aimable autorisation d'Universal Music Projets Speciaux (p. 41) **- pl. 13, 14 :** extrait du reportage d'Anne Chépeau sur Florence Aubenas, France Info, 12/06/05/Radio France (p. 64) **- pl. 18 :** Radio France (p. 203) **- pl. 22 :** Avec l'aimable autorisation de Gonzague Saint-Bris/Radio France (pp. 202-203) **- pl. 24 :** *La Vie d'artiste* interprété par Léo Ferré et l'Orchestre de Jean Michel Defaye (p) 1969 Barclay avec l'aimable autorisation d'Universal Music Projets Speciaux (p. 98).
CD 2 : pl. 8, 16, 18 : Radio France (pp. 206, 207, 209, 210, 211) **- pl. 9 :** Avec l'aimable autorisation de Hervé Juvin, Président d'Eurogroup Institute, vice-président de l'AGIPI (association d'assurés sur la vie)/Radio France (p. 207).
Frises : Sylvie Baudet, Rémy Buttigieg-Sana/Ed. Didier, Ajay Chauham, Anne-Marie Dauvilliers, Thierry Denot, Aurélia Galicher, Bénédicte Ménez, Juan Mora, María Mora, Stéphanie Morel, Abdelhak Ouddane; Photothèque Hachette Livre. Nous remercions Anke, Valérie, Abdel, Jualma, Estela, Delphine, Fabienne, Luc, Christine, Marie, Sébastien, Lucky.

Achevé d'imprimer en Italie par Bona en octobre 2007 - Dépôt légal : 5829/05